KB178196

노래로 배우는
한국어 1

bahasa Indonesia(인도네시아어)

edisi terjemahan(번역판)

- 노래 (nomina) : lagu
  kata yang disesuaikan dengan irama musik, atau hal menyanyikan kata-kata yang demikian

- 로 : dengan
  partikel yang menyatakan cara atau tata cara suatu pekerjaan

- 배우다 (verba) : belajar
  mendapat pengetahuan baru

- -는 : yang
  akhiran untuk membuat kata di depannya berfungsi sebagai pewatas dan menyatakan kejadian atau tindakan terjadi sekarang

- 한국어 (nomina) : bahasa Korea
  bahasa yang digunakan orang Korea

※ 이 책의 폰트는 '함초롬 바탕체'를 사용하였습니다.

< 저자(penulis) >

㈜한글2119연구소

· 연구개발전담부서

· ISO 9001 : 품질경영시스템 인증

· ISO 14001 : 환경경영시스템 인증

· 이메일(surat elektronik) : gjh0675@naver.com

< 동영상(video) 자료(data) >

HANPUK_bahasa Indonesia(penerjemahan)
https://www.youtube.com/@HANPUK_Indonesian

제 2024153361 호

연구개발전담부서 인정서

1. 전담부서명: 연구개발전담부서

   [소속기업명: (주)한글2119연구소]

2. 소　재　지: 인천광역시 부평구 마장로264번길 33
   상가동 제지하층 제2호 (산곡동, 뉴서울아파트)

3. 신고 연월일: 2024년 05월 02일

과학기술정보통신부

「기초연구진흥 및 기술개발지원에 관한 법률」 제14조의
2제1항 및 같은 법 시행령 제27조제1항에 따라 위와 같이
기업의 연구개발전담부서로 인정합니다.

2024년 5월 13일

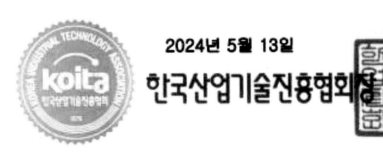
한국산업기술진흥협회장

G-CERTI *certificate*

hereby certifies that

Hangul 2119 Research Institute Co., Ltd.

Rm. 2, Lower level, Sangga-dong, 33, Majang-ro 264beon-gil, Bupyeong-gu, Incheon, Korea

meets the Standard Requirements & Scope as following

ISO 9001:2015
Quality Management Systems

Creation of Media Content, Publication of Korean Paper and Electronic Textbooks, Production and Release of Albums for Korean Language Education

Certificate No: GIS-6934-QC Code   : 08, 39
Initial Date   : 2024-05-21 Issue Date   : 2024-05-21
Expiry Date   : 2027-05-20 Valid Period : 2024-05-21 ~ 2027-05-20

Signed for and on behalf of GCERTI
President I.K.Cho

G-CERTI *certificate*

hereby certifies that

Hangul 2119 Research Institute Co., Ltd.

Rm. 2, Lower level, Sangga-dong, 33, Majang-ro 264beon-gil,
Bupyeong-gu, Incheon, Korea

meets the Standard Requirements & Scope as following

ISO 14001:2015
Environmental Management Systems

Creation of Media Content, Publication
of Korean Paper and Electronic Textbooks, Production and
Release of Albums for Korean Language Education

Certificate No: CIS 6934 EC
Initial Date : 2024-05-21
Expiry Date : 2027-05-20

Code : 08, 39
Issue Date : 2024-05-21
Valid Period : 2024-05-21 ~ 2027-05-20

Signed for and on behalf of GCERTI
President I K.Cho

IAS ACCREDITED
Management Systems
Certification Body
MSCB-113

< 목차(daftar) >

< 1 >

한글송

한글(Hangul) 송(lagu)

[발음(pelafalan)]

< 전주(iringan) >

바 빠 파 다 따 타 가 까 카 자 짜 차 사 싸 하 마 나 아 라
바 빠 파 다 따 타 가 까 카 자 짜 차 사 싸 하 마 나 아 라
ba ppa pa da tta ta ga kka ka ja jja cha sa ssa ha ma na a ra

자음 열아홉 개 소리
자음 여라홉 개 소리
jaeum yeorahop gae sori

아 어 오 우 으 이 애 에 외 위 야 여 요 유 얘 예 와 워 왜 웨 의
아 어 오 우 으 이 애 에 외 위 야 여 요 유 얘 예 와 워 왜 웨 의
a eo o u eu i ae e oe wi ya yeo yo yu yae ye wa wo wae we ui

모음 스물한 개 소리
모음 스물한 개 소리
moeum seumulhan gae sori

< 1 절(bait) >

다 같이 말해 봐
다 가치 말해 봐
da gachi malhae bwa

아설순치후
아설순치후
aseolsunchihu

다 함께 불러 봐
다 함께 불러 봐
da hamkke bulleo bwa

아설순치후
아설순치후
aseolsunchihu

우리 모두 느껴 봐
우리 모두 느껴 봐
uri modu neukkyeo bwa

발음 기관을 본뜬
바름 기과늘 본뜬
bareum gigwaneul bontteun

기역, 니은, 미음, 시옷, 이응
기역, 니은, 미음, 시옫, 이응
giyeok, nieun, mieum, siot, ieung

다섯 글자
다섣 글짜
daseot geulja

세상의 모든 소리를 들어 봐
세상에 모든 소리를 드러 봐
sesange modeun sorireul deureo bwa

또 하고 싶은 말을 다 외쳐 봐
또 하고 시픈 마를 다 외처 봐
tto hago sipeun mareul da oecheo bwa

신비로운 사연
신비로운 사연
sinbiroun sayeon

감추었던 비밀
감추얻떤 비밀
gamchueotdeon bimil

진실을 전해 줘
진시를 전해 줘
jinsireul jeonhae jwo

< 후렴(refrein) >

아 야 어 여 오 요 우 유 으 이
아 야 어 여 오 요 우 유 으 이
a ya eo yeo o yo u yu eu i

가 나 다 라 마 바 사 아 자 차 카 타 파 하
가 나 다 라 마 바 사 아 자 차 카 타 파 하
ga na da ra ma ba sa a ja cha ka ta pa ha

이제부터 들려 줘 너의 마음을
이제부터 들려 줘 너에 마으믈
ijebuteo deullyeo jwo neoe maeumeul

지금부터 전해 줘 너의 사랑을
지금부터 전해 줘 너에 사랑을
jigeumbuteo jeonhae jwo neoe sarangeul

아 야 어 여 오 요 우 유 으 이
아 야 어 여 오 요 우 유 으 이
a ya eo yeo o yo u yu eu i

가 나 다 라 마 바 사 아 자 차 카 타 파 하
가 나 다 라 마 바 사 아 자 차 카 타 파 하
ga na da ra ma ba sa a ja cha ka ta pa ha

모음 스물하나에 자음 열아홉을 더해
모음 스물하나에 자음 여라호블 더해
moeum seumulhanae jaeum yeorahobeul deohae

마흔 가지 소리로 세상을 느껴 봐
마흔 가지 소리로 세상을 느껴 봐
maheun gaji soriro sesangeul neukkyeo bwa

< 2 절(bait) >

하늘과 땅이 만나 ㅗ, ㅜ
하늘과 땅이 만나 ㅗ, ㅜ
haneulgwa ttangi manna o, u

사람과 만난다면 ㅏ, ㅓ
사람과 만난다면 ㅏ, ㅓ
saramgwa mannandamyeon a, eo

하루면은 충분해
하루며는 충분해
harumyeoneun chungbunhae

하늘, 땅, 사람을 본뜬
하늘, 땅, 사라믈 본뜬
haneul, ttang, sarameul bontteun

아 어 오 우 야 여 요 유 으 이
아 어 오 우 야 여 요 유 으 이
a eo o u ya yeo yo yu eu i

열 글자
열 글짜
yeol geulja

세상의 모든 소리를 들어 봐
세상에 모든 소리를 드러 봐
sesange modeun sorireul deureo bwa

또 하고 싶은 말을 다 외쳐 봐
또 하고 시픈 마를 다 외쳐 봐
tto hago sipeun mareul da oecheo bwa

신비로운 사연
신비로운 사연
sinbiroun sayeon

감추었던 비밀
감추얻떤 비밀
gamchueotdeon bimil

진실을 전해 줘
진시를 전해 줘
jinsireul jeonhae jwo

< 후렴(refrein) >

아 어 오 우 야 여 요 유 으 이
아 어 오 우 야 여 요 유 으 이
a eo o u ya yeo yo yu eu i

가 나 다 라 마 바 사 아 자 차 카 타 파 하
가 나 다 라 마 바 사 아 자 차 카 타 파 하
ga na da ra ma ba sa a ja cha ka ta pa ha

이제부터 들려 줘 너의 마음을
이제부터 들려 줘 너에 마으믈
ijebuteo deullyeo jwo neoe maeumeul

지금부터 전해 줘 너의 사랑을
지금부터 전해 줘 너에 사랑을
jigeumbuteo jeonhae jwo neoe sarangeul

아 어 오 우 야 여 요 유 으 이
아 어 오 우 야 여 요 유 으 이
a eo o u ya yeo yo yu eu i

가 나 다 라 마 바 사 아 자 차 카 타 파 하
가 나 다 라 마 바 사 아 자 차 카 타 파 하
ga na da ra ma ba sa a ja cha ka ta pa ha

모음 스물하나에 자음 열아홉을 더해
모음 스물하나에 자음 여라호블 더해
moeum seumulhanae jaeum yeorahobeul deohae

마흔 가지 소리로 세상을 느껴 봐
마흔 가지 소리로 세상을 느껴 봐
maheun gaji soriro sesangeul neukkyeo bwa

들려 줘요
들려 줘요
deullyeo jwoyo

이 소리 들리나요.
이 소리 들리나요.
i sori deullinayo.

달콤하게, 부드럽게 우리 모두 말해 봐요.
달콤하게, 부드럽께 우리 모두 말해 봐요.
dalkomhage, budeureopge uri modu malhae bwayo.

< 전주(iringan) >

바 빠 파 다 따 타 가 까 카 자 짜 차 사 싸 하 마 나 아 라

ㅂ : 한글 자모의 여섯째 글자. 이름은 '비읍'으로, 소리를 낼 때의 입술 모양은 'ㅁ'과 같지만 더 세게 발음되므로 'ㅁ'에 획을 더해서 만든 글자이다.

Tiada Penjelasan Arti

huruf keenam dalam abjad Hangeul, huruf yang bernama '비읍' serta bentuk bibirnya sama tetapi dilafalkan lebih keras daripada 'ㅁ' sehingga dibuat dengan menambahkan satu garis tambahan

ㅃ : 한글 자모 'ㅂ'을 겹쳐 쓴 글자. 이름은 쌍비읍으로, 'ㅂ'의 된소리이다.

Tiada Penjelasan Arti

huruf 'ㅂ' dalam abjad Hangeul yang ditulis rangkap, bernama '쌍비읍', bunyi 'ㅂ' yang ditekankan

ㅍ : 한글 자모의 열셋째 글자. 이름은 '피읖'으로, 'ㅁ, ㅂ'보다 소리가 거세게 나므로 'ㅁ'에 획을 더하여 만든 글자이다.

Tiada Penjelasan Arti

huruf ketigabelas dalam abjad Hangeul, huruf yang bernama '피읖' serta dilafalkan lebih keras daripada 'ㅁ, ㅂ' sehingga dibuat dengan menambahkan satu garis tambahan

ㄷ : 한글 자모의 셋째 글자. 이름은 '디귿'으로, 소리를 낼 때 혀의 모습은 'ㄴ'과 같지만 더 세게 발음되므로 한 획을 더해 만든 글자이다.

Tiada Penjelasan Arti

huruf ketiga dalam abjad Hangeul, huruf yang bernama '디귿' serta bentuk lidahnya sama tetapi dilafalkan lebih keras daripada 'ㄴ' sehingga dibuat dengan menambahkan satu garis tambahan

ㄸ : 한글 자모 'ㄷ'을 겹쳐 쓴 글자. 이름은 쌍디귿으로, 'ㄷ'의 된소리이다.

Tiada Penjelasan Arti

huruf 'ㄷ' dalam abjad Hangeul yang ditulis rangkap, bernama '쌍디귿', bunyi 'ㄷ' yang ditekankan

ㅌ : 한글 자모의 열두째 글자. 이름은 '티읕'으로, 'ㄷ'보다 소리가 거세게 나므로 'ㄷ'에 한 획을 더하여 만든 글자이다.

Tiada Penjelasan Arti

huruf keduabelas dalam abjad Hangeul, huruf yang bernama '티읕' serta dilafalkan lebih keras daripada 'ㄷ' sehingga dibuat dengan menambahkan satu garis tambahan

ㄱ : 한글 자모의 첫째 글자. 이름은 기역으로 소리를 낼 때 혀뿌리가 목구멍을 막는 모양을 본떠 만든 글자이다.

Tiada Penjelasan Arti

huruf pertama dalam abjad Hangeul yang bernama '기역' serta dibuat dari bentuk pangkal lidah yang menutupi lubang tenggorokan saat melafalkannya

ㄲ : 한글 자모 'ㄱ'을 겹쳐 쓴 글자. 이름은 쌍기역으로, 'ㄱ'의 된소리이다.

Tiada Penjelasan Arti

huruf 'ㄱ' dalam abjad Hangeul yang ditulis rangkap, bernama '쌍기역', bunyi 'ㄱ' yang ditekankan

ㅋ : 한글 자모의 열한째 글자. 이름은 '키읔'으로 'ㄱ'보다 소리가 거세게 나므로 'ㄱ'에 한 획을 더하여 만든 글자이다.

Tiada Penjelasan Arti

huruf kesebelas dalam abjad Hangeul, huruf yang bernama '키읔' serta dilafalkan lebih keras daripada 'ㄱ' sehingga dibuat dengan menambahkan satu garis tambahan

ㅈ : 한글 자모의 아홉째 글자. 이름은 '지읒'으로, 'ㅅ'보다 소리가 더 세게 나므로 'ㅅ'에 한 획을 더해 만든 글자이다.

Tiada Penjelasan Arti

huruf kesembilan dalam abjad Hangeul, huruf yang bernama '지읒' serta dilafalkan lebih keras daripada 'ㅅ' sehingga dibuat dengan menambahkan satu garis tambahan

ㅉ : 한글 자모 'ㅈ'을 겹쳐 쓴 글자. 이름은 쌍지읒으로, 'ㅈ'의 된소리이다.

Tiada Penjelasan Arti

huruf 'ㅈ' dalam abjad Hangeul yang ditulis rangkap, bernama '쌍지읒', bunyi 'ㅈ' yang ditekankan

ㅊ : 한글 자모의 열째 글자. 이름은 '치읓'으로 '지읒'보다 소리가 거세게 나므로 '지읒'에 한 획을 더해서 만든 글자이다.

Tiada Penjelasan Arti

huruf kesepuluh dalam abjad Hangeul, huruf yang bernama '치읓' serta dilafalkan lebih keras daripada 'ㅈ' sehingga dibuat dengan menambahkan satu garis tambahan

ㅅ : 한글 자모의 일곱째 글자. 이름은 '시옷'으로 이의 모양을 본떠서 만든 글자이다.

Tiada Penjelasan Arti

huruf ketujuh dalam abjad Hangeul, huruf yang bernama '시옷' serta dibuat dari bentuk gigi saat melafalkannya

ㅆ : 한글 자모 'ㅅ'을 겹쳐 쓴 글자. 이름은 쌍시옷으로, 'ㅅ'의 된소리이다.

Tiada Penjelasan Arti

huruf 'ㅅ' dalam abjad Hangeul yang ditulis rangkap, bernama '쌍시옷', bunyi 'ㅅ' yang ditekankan

ㅎ : 한글 자모의 열넷째 글자. 이름은 '히읗'으로, 이 글자의 소리는 목청에서 나므로 목구멍을 본떠 만든 'ㅇ'의 경우와 같지만 'ㅇ'보다 더 세게 나므로 'ㅇ'에 획을 더하여 만든 글자이다.

Tiada Penjelasan Arti

huruf keempatbelas dalam abjad Hangeul, bunyi yang bernama '히읗' serta lebih keras daripada 'ㅇ' di tempat yang sama sehingga dibuat dengan menambahkan satu garis tambahan

ㅁ : 한글 자모의 다섯째 글자. 이름은 '미음'으로, 소리를 낼 때 다물어지는 두 입술 모양을 본떠서 만든 글자이다.

Tiada Penjelasan Arti

huruf kelima dalam abjad Hangeul, huruf yang bernama '미음' serta dibuat dari bentuk kedua belah bibir saat melafalkannya

ㄴ : 한글 자모의 둘째 글자. 이름은 '니은'으로 소리를 낼 때 혀끝이 윗잇몸에 붙는 모양을 본떠 만든 글자이다.

Tiada Penjelasan Arti

huruf kedua dalam abjad Hangeul, huruf yang bernama '니은' serta dibuat dari bentuk ujung lidah yang menyentuh gusi gigi atas saat melafalkannya

ㅇ : 한글 자모의 여덟째 글자. 이름은 '이응'으로 목구멍의 모양을 본떠서 만든 글자이다. 초성으로 쓰일 때 소리가 없다.

Tiada Penjelasan Arti

huruf kedelapan dalam abjad Hangeul, huruf yang bernama '이응' serta dibuat dari bentuk lubang tenggorokan saat melafalkannya

ㄹ : 한글 자모의 넷째 글자. 이름은 '리을'로 혀끝을 윗잇몸에 가볍게 대었다가 떼면서 내는 소리를 나타낸다.

Tiada Penjelasan Arti

huruf keempat dalam abjad Hangeul yang bernama '리을' serta dibuat dengan menempelkan ujung lidah ke gusi atas dengan ringan lalu dilepaskan saat melafalkannya

자음 열아홉 개 소리

자음 (nomina) : 목, 입, 혀 등의 발음 기관에 의해 장애를 받으며 나는 소리.
konsonan
suara yang timbul ketika organ pengucapan seperti tenggorokan, bibir, lidah, dsb mendapat hambatan

열아홉 : 19

개 (nomina) : 낱으로 떨어진 물건을 세는 단위.
buah
satuan yang digunakan untuk menghitung benda secara satuan

소리 (nomina) : 물체가 진동하여 생긴 음파가 귀에 들리는 것.
suara
hal terdengarnya di telinga gelombang suara yang muncul oleh getaran objek

아 어 오 우 으 이 애 에 외 위 야 여 요 유 얘 예 와 워 왜 웨 의

ㅏ : 한글 자모의 열다섯째 글자. 이름은 '아'이고 중성으로 쓴다.
Tiada Penjelasan Arti
huruf kelimabelas dalam abjad Hangeul, bernama '아' dan digunakan sebagai bunyi medial

ㅓ : 한글 자모의 열일곱째 글자. 이름은 '어'이고 중성으로 쓴다.
Tiada Penjelasan Arti
huruf ketujuhbelas dalam abjad Hangeul, bernama '어' dan digunakan sebagai bunyi medial

ㅗ : 한글 자모의 열아홉째 글자. 이름은 '오'이고 중성으로 쓴다.
Tiada Penjelasan Arti
huruf kesembilanbelas dalam abjad Hangeul, vokal yang dilafalkan sebagai "오"

ㅜ : 한글 자모의 스물한째 글자. 이름은 '우'이고 중성으로 쓴다.
Tiada Penjelasan Arti
huruf keduapuluh satu dalam abjad Hangeul, bernama '우' dan digunakan sebagai bunyi medial

ㅡ : 한글 자모의 스물셋째 글자. 이름은 '으'이고 중성으로 쓴다.
Tiada Penjelasan Arti
huruf keduapuluh tiga dalam abjad Hangeul, bernama '으' dan digunakan sebagai bunyi medial

ㅣ : 한글 자모의 스물넷째 글자. 이름은 '이'이고 중성으로 쓴다.
Tiada Penjelasan Arti
huruf keduapuluh empat dalam abjad Hangeul, bernama '이' dan digunakan sebagai bunyi medial

ㅐ : 한글 자모 'ㅏ'와 'ㅣ'를 모아 쓴 글자. 이름은 '애'이고 중성으로 쓴다.
Tiada Penjelasan Arti
huruf gabungan 'ㅏ' dan 'ㅣ', bernama '애' dan digunakan sebagai bunyi medial

ㅔ : 한글 자모 'ㅓ'와 'ㅣ'를 모아 쓴 글자. 이름은 '에'이고 중성으로 쓴다.
Tiada Penjelasan Arti
huruf gabungan 'ㅓ' dan 'ㅣ', bernama '에' dan digunakan sebagai bunyi medial

ㅚ : 한글 자모 'ㅗ'와 'ㅣ'를 모아 쓴 글자. 이름은 '외'이고 중성으로 쓴다.
Tiada Penjelasan Arti
huruf gabungan 'ㅗ' dan 'ㅣ', bernama '외' dan digunakan sebagai bunyi medial

ㅟ : 한글 자모 'ㅜ'와 'ㅣ'를 모아 쓴 글자. 이름은 '위'이고 중성으로 쓴다.
Tiada Penjelasan Arti
huruf gabungan 'ㅜ' dan 'ㅣ', bernama '위' dan digunakan sebagai bunyi medial

ㅑ : 한글 자모의 열여섯째 글자. 이름은 '야'이고 중성으로 쓴다.
Tiada Penjelasan Arti
huruf keenambelas dalam abjad Hangeul, bernama '야' dan digunakan sebagai bunyi medial

ㅕ : 한글 자모의 열여덟째 글자. 이름은 '여'이고 중성으로 쓴다.
Tiada Penjelasan Arti
huruf kedelapanbelas dalam abjad Hangeul, bernama '여' dan digunakan sebagai bunyi medial

ㅛ : 한글 자모의 스무째 글자. 이름은 '요'이고 중성으로 쓴다.
Tiada Penjelasan Arti
huruf keduapuluh dalam abjad Hangeul, bernama '요' dan digunakan sebagai bunyi medial

ㅠ : 한글 자모의 스물두째 글자. 이름은 '유'이고 중성으로 쓴다.
Tiada Penjelasan Arti
huruf keduapuluh dua dalam abjad Hangeul, bernama '유' dan digunakan sebagai bunyi medial

ㅒ : 한글 자모 'ㅑ'와 'ㅣ'를 모아 쓴 글자. 이름은 '얘'이고 중성으로 쓴다.
Tiada Penjelasan Arti
huruf gabungan 'ㅑ' dan 'ㅣ', bernama '얘' dan digunakan sebagai bunyi medial

ㅖ : 한글 자모 'ㅕ'와 'ㅣ'를 모아 쓴 글자. 이름은 '예'이고 중성으로 쓴다.
Tiada Penjelasan Arti
huruf gabungan 'ㅕ' dan 'ㅣ', vbernama '예' dan digunakan sebagai bunyi medial

ㅘ : 한글 자모 'ㅗ'와 'ㅏ'를 모아 쓴 글자. 이름은 '와'이고 중성으로 쓴다.
Tiada Penjelasan Arti
huruf gabungan 'ㅗ' dan 'ㅏ', vbernama '와' dan digunakan sebagai bunyi medial

ㅝ : 한글 자모 'ㅜ'와 'ㅓ'를 모아 쓴 글자. 이름은 '워'이고 중성으로 쓴다.
Tiada Penjelasan Arti
huruf gabungan 'ㅜ' dan 'ㅓ', bernama '워' dan digunakan sebagai bunyi medial

ㅙ : 한글 자모 'ㅗ'와 'ㅐ'를 모아 쓴 글자. 이름은 '왜'이고 중성으로 쓴다.
Tiada Penjelasan Arti
huruf gabungan 'ㅗ' dan 'ㅐ', bernama '왜' dan digunakan sebagai bunyi medial

ᅰ : 한글 자모 'ㅜ'와 'ㅔ'를 모아 쓴 글자. 이름은 '웨'이고 중성으로 쓴다.
Tiada Penjelasan Arti
huruf gabungan 'ㅜ' dan 'ㅔ', bernama '웨' dan digunakan sebagai bunyi medial

ᅴ : 한글 자모 'ㅡ'와 'ㅣ'를 모아 쓴 글자. 이름은 '의'이고 중성으로 쓴다.
Tiada Penjelasan Arti
huruf gabungan 'ㅡ' dan 'ㅣ', bernama '의' dan digunakan sebagai bunyi medial

모음 스물한 개 소리

모음 (nomina) : 사람이 목청을 울려 내는 소리로, 공기의 흐름이 방해를 받지 않고 나는 소리.
huruf vokal, vokal
suara yang dihasilkan manusia, suara yang dihasilkan oleh aliran udara dari paru-paru tidak terhambat

스물한 : 21

개 (nomina) : 낱으로 떨어진 물건을 세는 단위.
buah
satuan yang digunakan untuk menghitung benda secara satuan

소리 (nomina) : 물체가 진동하여 생긴 음파가 귀에 들리는 것.
suara
hal terdengarnya di telinga gelombang suara yang muncul oleh getaran objek

< 1 절(bait) >

다 같이 말하+[여 보]+아.
말해 봐

다 (adverbia) : 남거나 빠진 것이 없이 모두.
semua, semuanya, seluruhnya
semua tanpa ada yang tersisa atau terlewat

같이 (adverbia) : 둘 이상이 함께.
bersama
bersama lebih dari dua orang

말하다 (verba) : 어떤 사실이나 자신의 생각 또는 느낌을 말로 나타내다.
mengatakan
menyampaikan sebuah kenyataan, pikiran, atau perasaan diri sendiri lewat kata-kata

-여 보다 : 앞의 말이 나타내는 행동을 시험 삼아 함을 나타내는 표현.
mencoba
ungkapan yang menyatakan menjadikan tindakan dalam kalimat yang disebutkan di depan sebagai sebuah percobaan

-아 : (두루낮춤으로) 어떤 사실을 서술하거나 물음, 명령, 권유를 나타내는 종결 어미.
-kah, -lah
(dalam bentuk rendah) akhiran penutup untuk menyatakan suatu kenyataan atau menandai pertanyaan, perintah, dan ajakan <perintah>

아설순치후

아 → 어금니 (nomina) : 송곳니의 안쪽에 있는 크고 가운데가 오목한 이.
gigi geraham
gigi di bagian dalam setelah gigi taring yang besar dan bagian tengahnya berlekuk ke dalam

설 → 혀 (nomina) : 사람이나 동물의 입 안 아래쪽에 있는 길고 붉은 살덩어리.
lidah
gumpalan daging panjang dan tebal yang ada di bagian bawah dalam dari mulut orang atau binatang

순 → 입술 (nomina) : 사람의 입 주위를 둘러싸고 있는 붉고 부드러운 살.
bibir
daging berwarna merah dan lembut yang mengelilingi sekitar mulut manusia

치 → 이 (nomina) : 사람이나 동물의 입 안에 있으며 무엇을 물거나 음식물을 씹는 일을 하는 기관.
gigi
organ yang digunakan untuk menggigit atau mengunyah sesuatu yang berada di dalam mulut orang atau hewan

후 → 목구멍 (nomina) : 목 안쪽에서 몸속으로 나 있는 깊숙한 구멍.
kerongkongan, tenggorokan
lubang di bagian dalam leher yang mengarah ke bagian dada atau lambung

다 함께 부르(불러)+[어 보]+아.

불러 봐

다 (adverbia) : 남거나 빠진 것이 없이 모두.
semua, semuanya, seluruhnya
semua tanpa ada yang tersisa atau terlewat

함께 (adverbia) : 여럿이서 한꺼번에 같이.
bersama, bersama-sama, bareng-bareng
beberapa bersama-sama dalam satu kali

부르다 (verba) : 곡조에 따라 노래하다.
menyanyi, menyanyikan
bernyanyi mengikuti melodi

-어 보다 : 앞의 말이 나타내는 행동을 시험 삼아 함을 나타내는 표현.
mencoba
ungkapan yang menyatakan menjadikan tindakan dalam kalimat yang disebutkan di depan sebagai sebuah percobaan

-아 : (두루낮춤으로) 어떤 사실을 서술하거나 물음, 명령, 권유를 나타내는 종결 어미.
-kah, -lah
(dalam bentuk rendah) akhiran penutup untuk menyatakan suatu kenyataan atau menandai pertanyaan, perintah, dan ajakan <perintah>

아설순치후

아 → 어금니 (nomina) : 송곳니의 안쪽에 있는 크고 가운데가 오목한 이.
gigi geraham
gigi di bagian dalam setelah gigi taring yang besar dan bagian tengahnya berlekuk ke dalam

설 → 혀 (nomina) : 사람이나 동물의 입 안 아래쪽에 있는 길고 붉은 살덩어리.
lidah
gumpalan daging panjang dan tebal yang ada di bagian bawah dalam dari mulut orang atau binatang

순 → 입술 (nomina) : 사람의 입 주위를 둘러싸고 있는 붉고 부드러운 살.
bibir
daging berwarna merah dan lembut yang mengelilingi sekitar mulut manusia

치 → 이 (nomina) : 사람이나 동물의 입 안에 있으며 무엇을 물거나 음식물을 씹는 일을 하는 기관.
gigi
organ yang digunakan untuk menggigit atau mengunyah sesuatu yang berada di dalam mulut orang atau hewan

후 → 목구멍 (nomina) : 목 안쪽에서 몸속으로 나 있는 깊숙한 구멍.
kerongkongan, tenggorokan
lubang di bagian dalam leher yang mengarah ke bagian dada atau lambung

우리 모두 느끼+[어 보]+아.
느껴 봐

우리 (pronomina) : 말하는 사람이 자기와 듣는 사람 또는 이를 포함한 여러 사람들을 가리키는 말.
kita
kata untuk menyebutkan beberapa orang termasuk yang berbicara dan yang mendengar

모두 (adverbia) : 빠짐없이 다.
semua, seluruhnya
semua tanpa terkecuali

느끼다 (verba) : 특정한 대상이나 상황을 어떻다고 생각하거나 인식하다.
merasakan, merasa bahwa
berpikir atau mengenali bahwa subjek atau keadaan tertentu demikian

-어 보다 : 앞의 말이 나타내는 행동을 시험 삼아 함을 나타내는 표현.
mencoba
ungkapan yang menyatakan menjadikan tindakan dalam kalimat yang disebutkan di depan sebagai sebuah percobaan

-아 : (두루낮춤으로) 어떤 사실을 서술하거나 물음, 명령, 권유를 나타내는 종결 어미.
 lıah, lah
(dalam bentuk rendah) akhiran penutup untuk menyatakan suatu kenyataan atau menandai pertanyaan, perintah, dan ajakan <perintah>

발음 기관+을 본뜨+ㄴ 기역, 니은, 미음, 시옷, 이응
본뜬

발음 기관 (nomina) : 말소리를 내는 데 쓰는 신체의 각 부분.
alat artikulasi, organ pelafalan
masing-masing bagian tubuh yang digunakan untuk mengeluarkan suara

을 : 동작이 직접적으로 영향을 미치는 대상을 나타내는 조사.
Tiada Penjelasan Arti
partikel yang menyatakan objek dari suatu gerakan yang secara langsung memberikan pengaruh

본뜨다 (verba) : 이미 있는 것을 그대로 따라서 만들다.
mencontoh, meniru, menyalin, mengopi
membuat begitu saja mengikuti apa yang sudah ada

-ㄴ : 앞의 말이 관형어의 기능을 하게 만들고 사건이나 동작이 완료되어 그 상태가 유지되고 있음을 나
        타내는 어미.
yang
akhiran yang membuat kata di depannya berfungsi sebagai kata pewatas, dan menyatakan
bahwa tindakan atau peristiwa sudah selesai dan menahan keadaan itu

기역 (nomina) : 한글 자모 'ㄱ'의 이름.
Giyeok
nama dari 'ㄱ'dalam abjad Hangeul

니은 (nomina) : 한글 자모 'ㄴ'의 이름.
nieun
huruf konsonan 'ㄴ' dalam Hangeul

미음 (nomina) : 한글 자모 'ㅁ'의 이름.
Mieum
nama huruf "ㅁ" dalam abjad hangeul

시옷 (nomina) : 한글 자모 'ㅅ'의 이름.
Siot
nama huruf "ㅅ" dari abjad Hangeul

이응 (nomina) : 한글 자모 'ㅇ'의 이름.
Ieung
nama huruf "ㅇ" dari abjad Hangeul

다섯 글자

다섯 (pewatas) : 넷에 하나를 더한 수의.
lima
angka empat yang ditambahkan satu yang merupakan satuan untuk menyebutkan jumlah unit
(diletakkan di depan kata benda)

글자 (nomina) : 말을 적는 기호.
huruf, abjad
sombol untuk menuliskan perkataan

세상+의 모든 소리+를 <u>듣(들)+[어 보]+아</u>.
들어 봐

세상 (nomina) : 지구 위 전체.
bumi
keseluruhan yang ada di atas bumi

의 : 앞의 말이 뒤의 말에 대하여 소유, 소속, 소재, 관계, 기원, 주체의 관계를 가짐을 나타내는 조사.
dari, milik
partikel yang menyatakan perkataan di depan memiliki hubungan kepemilikian, bagian tempat diri bekerja, bahan, hubungan, asal, topik dengan perkataan di belakang

모든 (pewatas) : 빠지거나 남는 것 없이 전부인.
semua, seluruh
semua tanpa ada yang terlewat atau tersisa

소리 (nomina) : 물체가 진동하여 생긴 음파가 귀에 들리는 것.
suara
hal terdengarnya di telinga gelombang suara yang muncul oleh getaran objek

를 : 동작이 직접적으로 영향을 미치는 대상을 나타내는 조사.
Tiada Penjelasan Arti
partikel yang menyatakan objek dari suatu gerakan yang secara langsung memberikan pengaruh

듣다 (verba) : 귀로 소리를 알아차리다.
mondongar
mengetahui suara atau bunyi dengan telinga

-어 보다 : 앞의 말이 나타내는 행동을 시험 삼아 함을 나타내는 표현.
mencoba
ungkapan yang menyatakan menjadikan tindakan dalam kalimat yang disebutkan di depan sebagai sebuah percobaan

-아 : (두루낮춤으로) 어떤 사실을 서술하거나 물음, 명령, 권유를 나타내는 종결 어미.
-kah, -lah
(dalam bentuk rendah) akhiran penutup untuk menyatakan suatu kenyataan atau menandai pertanyaan, perintah, dan ajakan <perintah>

또 하+[고 싶]+은 말+을 다 <u>외치+[어 보]+아</u>.
외쳐 봐

또 (adverbia) : 그 밖에 더.

lagi

di samping itu ada lagi

하다 (verba) : 어떤 행동이나 동작, 활동 등을 행하다.

melakukan, mengerjakan, menjalankan

melaksanakan suatu tindakan atau aksi, kegiatan, dsb

-고 싶다 : 앞의 말이 나타내는 행동을 하기를 원함을 나타내는 표현.

ingin, mau

ungkapan yang menyatakan bahwa pembicara ingin melakukan tindakan yang disebut dalam kalimat di depan

-은 : 앞의 말이 관형어의 기능을 하게 만들고 현재의 상태를 나타내는 어미.

yang

akhiran yang membuat kata di depannya berfungsi sebagai kata pewatas, dan menyatakan keadaan saat ini

말 (nomina) : 생각이나 느낌을 표현하고 전달하는 사람의 소리.

perkataan, kata-kata

bunyi atau suara manusia yang merupakan ungkapan perasaan atau pikiran

을 : 동작이 직접적으로 영향을 미치는 대상을 나타내는 조사.

Tiada Penjelasan Arti

partikel yang menyatakan objek dari suatu gerakan yang secara langsung memberikan pengaruh

다 (adverbia) : 남거나 빠진 것이 없이 모두.

semua, semuanya, seluruhnya

semua tanpa ada yang tersisa atau terlewat

외치다 (verba) : 큰 소리를 지르다.

menjerit, berteriak, memekik

berseru dengan suara keras

-어 보다 : 앞의 말이 나타내는 행동을 시험 삼아 함을 나타내는 표현.

mencoba

ungkapan yang menyatakan menjadikan tindakan dalam kalimat yang disebutkan di depan sebagai sebuah percobaan

-아 : (두루낮춤으로) 어떤 사실을 서술하거나 물음, 명령, 권유를 나타내는 종결 어미.

-kah, -lah

(dalam bentuk rendah) akhiran penutup untuk menyatakan suatu kenyataan atau menandai pertanyaan, perintah, dan ajakan <perintah>

신비롭(신비로우)+ㄴ 사연, 감추+었던 비밀
신비로운

신비롭다 (adjektiva) : 보통의 생각으로는 이해할 수 없을 정도로 놀랍고 신기한 느낌이 있다.
misterius, mistis, mistik
ada rasa terkejut dan ajaib yang tak dapat dipahami dengan pemikiran normal

-ㄴ : 앞의 말이 관형어의 기능을 하게 만들고 현재의 상태를 나타내는 어미.
yang
akhiran yang membuat kata di depannya berfungsi sebagai kata pewatas, dan menyatakan keadaan saat ini

사연 (nomina) : 일어난 일의 앞뒤 사정과 까닭.
cerita, kisah
asal mula dan sebab musabab suatu perkara yang Sudan terjadi

감추다 (verba) : 어떤 사실이나 감정을 남이 모르도록 알리지 않고 비밀로 하다.
merahasiakan, menutupi
tidak memberitahukan atau menyembunyikan kebenaran atau perasaan agar orang lain tidak mengetahuinya

-었던 : 과거의 사건이나 상태를 다시 떠올리거나 그 사건이나 상태가 완료되지 않고 중단되었다는 의미를 나타내는 표현.
yang sudah, yang pernah
ungkapan yang menunjukkan maksud mengingat kembali peristiwa atau kondisi di masa lalu atau perisitiwa atau kondisi tersebut tidak selesai dan terhenti di tengah-tengah

비밀 (nomina) : 숨기고 있어 남이 모르는 일.
rahasia
sesuatu yang disembunyikan dan tidak diketahui orang

진실+을 전하+[여 주]+어.
전해 줘

진실 (nomina) : 순수하고 거짓이 없는 마음.
perasaan tulus
hati yang suci tidak dinodai dengan kebohongan

을 : 동작이 직접적으로 영향을 미치는 대상을 나타내는 조사.
Tiada Penjelasan Arti
partikel yang menyatakan objek dari suatu gerakan yang secara langsung memberikan pengaruh

전하다 (verba) : 어떤 소식, 생각 등을 상대에게 알리다.
menyampaikan, memberitahukan
memberitahukan sebuah kabar, pikiran, dsb kepada orang lain atau pasangan

-여 주다 : 남을 위해 앞의 말이 나타내는 행동을 함을 나타내는 표현.
memberi
ungkapan yang menyatakan melakukan tindakan yang disebutkan dalam kalimat di depan untuk orang lain

-어 : (두루낮춤으로) 어떤 사실을 서술하거나 물음, 명령, 권유를 나타내는 종결 어미.
-kah, -lah
(dalam bentuk rendah) akhiran penutup untuk menyatakan suatu kenyataan atau menandai pertanyaan, perintah, dan ajakan <perintah>

< 후렴(refrein) >

아 야 어 여 오 요 우 유 으 이

가 나 다 라 마 바 사 아 자 차 카 타 파 하

이제+부터 들리+[어 주]+어 너+의 마음+을.
들려 줘

이제 (nomina) : 말하고 있는 바로 이때.
sekarang, saat ini
langsung pada saat sedang berbicara

부터 : 어떤 일의 시작이나 처음을 나타내는 조사.
Tiada Penjelasan Arti
partikel yang menyatakan awal atau mula sebuah peristiwa

들리다 (verba) : 듣게 하다.
memperdengarkan, memberitahukan
membuat menjadi mendengar

-어 주다 : 남을 위해 앞의 말이 나타내는 행동을 함을 나타내는 표현.
membantu, menolong
ungkapan yang menyatakan melakukan tindakan yang disebutkan dalam kalimat di depan untuk orang lain

-어 : (두루낮춤으로) 어떤 사실을 서술하거나 물음, 명령, 권유를 나타내는 종결 어미.
-kah, -lah
(dalam bentuk rendah) akhiran penutup untuk menyatakan suatu kenyataan atau menandai pertanyaan, perintah, dan ajakan <perintah>

너 (pronomina) : 듣는 사람이 친구나 아랫사람일 때, 그 사람을 가리키는 말.
kamu
kata untuk menunjuk lawan bicara yang merupakan teman atau orang yang lebih muda

의 : 앞의 말이 뒤의 말에 대하여 소유, 소속, 소재, 관계, 기원, 주체의 관계를 가짐을 나타내는 조사.
dari, milik
partikel yang menyatakan perkataan di depan memiliki hubungan kepemilikian, bagian tempat diri bekerja, bahan, hubungan, asal, topik dengan perkataan di belakang

마음 (nomina) : 기분이나 느낌.
hati, perasaan
emosi, perasaan

을 : 동작이 직접적으로 영향을 미치는 대상을 나타내는 조사.
Tiada Penjelasan Arti
partikel yang menyatakan objek dari suatu gerakan yang secara langsung memberikan pengaruh

지금+부터 전하+[여 주]+어 너+의 사랑+을.
전해 줘

지금 (nomina) : 말을 하고 있는 바로 이때.
sekarang
saat sedang bicara

부터 : 어떤 일의 시작이나 처음을 나타내는 조사.
Tiada Penjelasan Arti
partikel yang menyatakan awal atau mula sebuah peristiwa

전하다 (verba) : 어떤 소식, 생각 등을 상대에게 알리다.
menyampaikan, memberitahukan
memberitahukan sebuah kabar, pikiran, dsb kepada orang lain atau pasangan

-여 주다 : 남을 위해 앞의 말이 나타내는 행동을 함을 나타내는 표현.

memberi

ungkapan yang menyatakan melakukan tindakan yang disebutkan dalam kalimat di depan untuk orang lain

-어 : (두루낮춤으로) 어떤 사실을 서술하거나 물음, 명령, 권유를 나타내는 종결 어미.

-kah, -lah

(dalam bentuk rendah) akhiran penutup untuk menyatakan suatu kenyataan atau menandai pertanyaan, perintah, dan ajakan <perintah>

너 (pronomina) : 듣는 사람이 친구나 아랫사람일 때, 그 사람을 가리키는 말.

kamu

kata untuk menunjuk lawan bicara yang merupakan teman atau orang yang lebih muda

의 : 앞의 말이 뒤의 말에 대하여 소유, 소속, 소재, 관계, 기원, 주체의 관계를 가짐을 나타내는 조사.

dari, milik

partikel yang menyatakan perkataan di depan memiliki hubungan kepemilikian, bagian tempat diri bekerja, bahan, hubungan, asal, topik dengan perkataan di belakang

사랑 (nomina) : 아끼고 소중히 여겨 정성을 다해 위하는 마음.

cinta, kasih sayang

hati yang sepenuh hati karena menyayangi dan menganggapnya berharga

을 : 동작이 직접적으로 영향을 미치는 대상을 나타내는 조사.

Tiada Penjelasan Arti

partikel yang menyatakan objek dari suatu gerakan yang secara langsung memberikan pengaruh

아 야 어 여 오 요 우 유 으 이

가 나 다 라 마 바 사 아 자 차 카 타 파 하

모음 스물하나+에 자음 열아홉+을 <u>더하+여</u>
더해

모음 (nomina) : 사람이 목청을 울려 내는 소리로, 공기의 흐름이 방해를 받지 않고 나는 소리.

huruf vokal, vokal

suara yang dihasilkan manusia, suara yang dihasilkan oleh aliran udara dari paru-paru tidak terhambat

스물하나 : 21

에 : 앞말에 무엇이 더해짐을 나타내는 조사.
pada, ke
partikel yang menyatakan menambahkan sesuatu pada kalimat di depan

자음 (nomina) : 목, 입, 혀 등의 발음 기관에 의해 장애를 받으며 나는 소리.
konsonan
suara yang timbul ketika organ pengucapan seperti tenggorokan, bibir, lidah, dsb mendapat hambatan

열아홉 : 19

을 : 동작 대상의 수량이나 동작의 순서를 나타내는 조사.
Tiada Penjelasan Arti
partikel yang menyatakan kuantitas atau urutan proses suatu objek

더하다 (verba) : 보태어 늘리거나 많게 하다.
menambah
menambahkan dan meningkatkan atau membuat banyak

-여 : 앞의 말이 뒤의 말보다 먼저 일어났거나 뒤의 말에 대한 방법이나 수단이 됨을 나타내는 연결 어미.
setelah, sesudah, selepas, lalu
akhiran penghubung untuk menyatakan bahwa anak kalimat terjadi lebih dahulu daripada kalimat induk atau menjadi cara atau alat terhadap kalimat induk

마흔 가지 소리+로 세상+을 느끼+[어 보]+아.
느껴 봐

마흔 (pewatas) : 열의 네 배가 되는 수의.
empatpuluh, 40
bilangan kelipatan empat dari sepuluh

가지 (nomina) : 사물의 종류를 헤아리는 말.
macam
kata untuk menghitung jenis benda

소리 (nomina) : 물체가 진동하여 생긴 음파가 귀에 들리는 것.
suara
hal terdengarnya di telinga gelombang suara yang muncul oleh getaran objek

로 : 어떤 일의 수단이나 도구를 나타내는 조사.
dengan
partikel yang menyatakan cara atau alat suatu pekerjaan

세상 (nomina) : 지구 위 전체.
bumi
keseluruhan yang ada di atas bumi

을 : 동작이 직접적으로 영향을 미치는 대상을 나타내는 조사.
Tiada Penjelasan Arti
partikel yang menyatakan objek dari suatu gerakan yang secara langsung memberikan pengaruh

느끼다 (verba) : 특정한 대상이나 상황을 어떻다고 생각하거나 인식하다.
merasakan, merasa bahwa
berpikir atau mengenali bahwa subjek atau keadaan tertentu demikian

-어 보다 : 앞의 말이 나타내는 행동을 시험 삼아 함을 나타내는 표현.
mencoba
ungkapan yang menyatakan menjadikan tindakan dalam kalimat yang disebutkan di depan sebagai sebuah percobaan

-아 : (두루낮춤으로) 어떤 사실을 서술하거나 물음, 명령, 권유를 나타내는 종결 어미.
-kah, -lah
(dalam bentuk rendah) akhiran penutup untuk menyatakan suatu kenyataan atau menandai pertanyaan, perintah, dan ajakan <perintah>

< 2 절(bait) >

하늘+과 땅+이 <u>만나+(아)</u> ㄴ, ㅜ
만나

하늘 (nomina) : 땅 위로 펼쳐진 무한히 넓은 공간.
langit
ruang maha luas yang tak terbatasi dan membentang di atas bumi

과 : 앞과 뒤의 명사를 같은 자격으로 이어 줄 때 쓰는 조사.
dan, serta
partikel yang menyambung kata benda di depan dan di belakang dalam posisi yang sama

땅 (nomina) : 지구에서 물로 된 부분이 아닌 흙이나 돌로 된 부분.
tanah
bagian dari bumi yang tidak terbuat dari batu, dan tidak berada bersama dengan sungai maupun laut

이 : 어떤 상태나 상황의 대상이나 동작의 주체를 나타내는 조사.
Tiada Penjelasan Arti
partikel yang menyatakan objek dari suatu keadaan atau kondisi atau pelaku dari suatu tindakan

만나다 (verba) : 선이나 길, 강 등이 서로 마주 닿거나 연결되다.
bertemu
jalur atau jalan, sungai, dsb saling bersentuhan atau bersambung

-아 : 앞의 말이 뒤의 말보다 먼저 일어났거나 뒤의 말에 대한 방법이나 수단이 됨을 나타내는 연결 어미.
setelah, sesudah, selepas, lalu
akhiran penghubung untuk menyatakan bahwa anak kalimat terjadi lebih dahulu daripada kalimat induk atau menjadi cara atau alat terhadap kalimat induk

ㅗ **(nomina)** : 한글 자모의 열아홉째 글자. 이름은 '오'이고 중성으로 쓴다.
Tiada Penjelasan Arti
huruf kesembilanbelas dalam abjad Hangeul, vokal yang dilafalkan sebagai "오"

ㅜ **(nomina)** : 한글 자모의 스물한째 글자. 이름은 '우'이고 중성으로 쓴다.
Tiada Penjelasan Arti
huruf keduapuluh satu dalam abjad Hangeul, bernama '우' dan digunakan sebagai bunyi medial

사람+과 만나+ㄴ다면 ㅏ, ㅓ
만난다면

사람 (nomina) : 생각할 수 있으며 언어와 도구를 만들어 사용하고 사회를 이루어 사는 존재.
manusia, orang
keberadaan yang bisa berpikir, membuat bahasa dan alat lalu menggunakannya, dan membentuk masyarakat

과 : 누군가를 상대로 하여 어떤 일을 할 때 그 상대임을 나타내는 조사.
dengan
partikel yang menyatakan menjadi rekan dengan seseorang dan rekan dalam melakukan suatu pekerjaan

만나다 (verba) : 선이나 길, 강 등이 서로 마주 닿거나 연결되다.
bertemu
jalur atau jalan, sungai, dsb saling bersentuhan atau bersambung

-ㄴ다면 : 어떠한 사실이나 상황을 가정하는 뜻을 나타내는 연결 어미.
kalau, seandainya
akhiran kalimat penyambung yang menyatakan arti mengandaikan sebuah kenyataan atau keadaan

ㅏ (nomina) : 한글 자모의 열다섯째 글자. 이름은 '아'이고 중성으로 쓴다.
Tiada Penjelasan Arti
huruf kelimabelas dalam abjad Hangeul, bernama '아' dan digunakan sebagai bunyi medial

ㅓ (nomina) : 한글 자모의 열일곱째 글자. 이름은 '어'이고 중성으로 쓴다.
Tiada Penjelasan Arti
huruf ketujuhbelas dalam abjad Hangeul, bernama '어' dan digunakan sebagai bunyi medial

하루+(이)+면+은 충분하+여.
하루면은   충분해

하루 (nomina) : 밤 열두 시부터 다음 날 밤 열두 시까지의 스물네 시간.
satu hari, sehari
24 jam sejak jam 12 malam hingga jam 12 malam hari berikutnya

이다 : 주어가 지시하는 대상의 속성이나 부류를 지정하는 뜻을 나타내는 서술격 조사.
adalah
partikel kasus predikatif yang menyatakan maksud menentukan karakter atau jenis dari objek yang diindikasikan subjek

-면 : 뒤에 오는 말에 대한 근거나 조건이 됨을 나타내는 연결 어미.
kalau, seandainya, apabila
akhiran penghubung untuk menyatakan menjadi landasan atau syarat terhadap kalimat induk

은 : 강조의 뜻을 나타내는 조사.
Tiada Penjelasan Arti
partikel yang menyatakan maksud penekanan

충분하다 (adjektiva) : 모자리지 않고 넉넉하다.
cukup
tidak kurang dan berkecukupan

-여 : (두루낮춤으로) 어떤 사실을 서술하거나 물음, 명령, 권유를 나타내는 종결 어미.
-kah, -lah
(dalam bentuk rendah) akhiran penutup untuk menyatakan suatu kenyataan atau menandai pertanyaan, perintah, dan ajakan <penjabaran>

하늘, 땅, 사람+을 본뜨+ㄴ 아 어 오 우 야 여 요 유 으 이
본뜬

하늘 (nomina) : 땅 위로 펼쳐진 무한히 넓은 공간.

langit

ruang maha luas yang tak terbatasi dan membentang di atas bumi

땅 (nomina) : 지구에서 물로 된 부분이 아닌 흙이나 돌로 된 부분.

tanah

bagian dari bumi yang tidak terbuat dari batu, dan tidak berada bersama dengan sungai maupun laut

사람 (nomina) : 생각할 수 있으며 언어와 도구를 만들어 사용하고 사회를 이루어 사는 존재.

manusia, orang

keberadaan yang bisa berpikir, membuat bahasa dan alat lalu menggunakannya, dan membentuk masyarakat

을 : 동작이 직접적으로 영향을 미치는 대상을 나타내는 조사.

Tiada Penjelasan Arti

partikel yang menyatakan objek dari suatu gerakan yang secara langsung memberikan pengaruh

본뜨다 (verba) : 이미 있는 것을 그대로 따라서 만들다.

mencontoh, meniru, menyalin, mengopi

membuat begitu saja mengikuti apa yang sudah ada

-ㄴ : 앞의 말이 관형어의 기능을 하게 만들고 사건이나 동작이 완료되어 그 상태가 유지되고 있음을 나타내는 어미.

yang

akhiran yang membuat kata di depannya berfungsi sebagai kata pewatas, dan menyatakan bahwa tindakan atau peristiwa sudah selesai dan menahan keadaan itu

아 (nomina) : 한글 자모의 열다섯째 글자. 이름은 '아'이고 중성으로 쓴다.

Tiada Penjelasan Arti

huruf kelimabelas dalam abjad Hangeul, bernama '아' dan digunakan sebagai bunyi medial

어 (nomina) : 한글 자모의 열일곱째 글자. 이름은 '어'이고 중성으로 쓴다.

Tiada Penjelasan Arti

huruf ketujuhbelas dalam abjad Hangeul, bernama '어' dan digunakan sebagai bunyi medial

오 (nomina) : 한글 자모의 열아홉째 글자. 이름은 '오'이고 중성으로 쓴다.

Tiada Penjelasan Arti

huruf kesembilanbelas dalam abjad Hangeul, vokal yang dilafalkan sebagai "오"

우 (nomina) : 한글 자모의 스물한째 글자. 이름은 '우'이고 중성으로 쓴다.
Tiada Penjelasan Arti
huruf keduapuluh satu dalam abjad Hangeul, bernama '우' dan digunakan sebagai bunyi medial

야 (nomina) : 한글 자모의 열여섯째 글자. 이름은 '야'이고 중성으로 쓴다.
Tiada Penjelasan Arti
huruf keenambelas dalam abjad Hangeul, bernama '야' dan digunakan sebagai bunyi medial

여 (nomina) : 한글 자모의 열여덟째 글자. 이름은 '여'이고 중성으로 쓴다.
Tiada Penjelasan Arti
huruf kedelapanbelas dalam abjad Hangeul, bernama '여' dan digunakan sebagai bunyi medial

요 (nomina) : 한글 자모의 스무째 글자. 이름은 '요'이고 중성으로 쓴다.
Tiada Penjelasan Arti
huruf keduapuluh dalam abjad Hangeul, bernama '요' dan digunakan sebagai bunyi medial

유 (nomina) : 한글 자모의 스물두째 글자. 이름은 '유'이고 중성으로 쓴다.
Tiada Penjelasan Arti
huruf keduapuluh dua dalam abjad Hangeul, bernama '유' dan digunakan sebagai bunyi medial

으 (nomina) : 한글 자모의 스물셋째 글자. 이름은 '으'이고 중성으로 쓴다.
Tiada Penjelasan Arti
huruf keduapuluh tiga dalam abjad Hangeul, bernama '으' dan digunakan sebagai bunyi medial

이 (nomina) : 한글 자모의 스물넷째 글자. 이름은 '이'이고 중성으로 쓴다.
Tiada Penjelasan Arti
huruf keduapuluh empat dalam abjad Hangeul, bernama '이' dan digunakan sebagai bunyi medial

열 글자

열 (pewatas) : 아홉에 하나를 더한 수의.
sepuluh
angka yang ditambahkan satu angka di atas sembilan

글자 (nomina) : 말을 적는 기호.
huruf, abjad
sombol untuk menuliskan perkataan

세상+의 모든 소리+를 <u>듣(들)+[어 보]</u>+아.
들어 봐

세상 (nomina) : 지구 위 전체.
bumi
keseluruhan yang ada di atas bumi

의 : 앞의 말이 뒤의 말에 대하여 소유, 소속, 소재, 관계, 기원, 주체의 관계를 가짐을 나타내는 조사.
dari, milik
partikel yang menyatakan perkataan di depan memiliki hubungan kepemilikian, bagian tempat diri bekerja, bahan, hubungan, asal, topik dengan perkataan di belakang

모든 (pewatas) : 빠지거나 남는 것 없이 전부인.
semua, seluruh
semua tanpa ada yang terlewat atau tersisa

소리 (nomina) : 물체가 진동하여 생긴 음파가 귀에 들리는 것.
suara
hal terdengarnya di telinga gelombang suara yang muncul oleh getaran objek

를 : 동작이 직접적으로 영향을 미치는 대상을 나타내는 조사.
Tiada Penjelasan Arti
partikel yang menyatakan objek dari suatu gerakan yang secara langsung memberikan pengaruh

듣다 (verba) : 귀로 소리를 알아차리다.
mendengar
mengetahui suara atau bunyi dengan telinga

-어 보다 : 앞의 말이 나타내는 행동을 시험 삼아 함을 나타내는 표현.
mencoba
ungkapan yang menyatakan menjadikan tindakan dalam kalimat yang disebutkan di depan sebagai sebuah percobaan

-아 : (두루낮춤으로) 어떤 사실을 서술하거나 물음, 명령, 권유를 나타내는 종결 어미.
-kah, -lah
(dalam bentuk rendah) akhiran penutup untuk menyatakan suatu kenyataan atau menandai pertanyaan, perintah, dan ajakan <perintah>

또 하+[고 싶]+은 말+을 다 <u>외치+[어 보]</u>+아.
외쳐 봐

또 (adverbia) : 그 밖에 더.
lagi
di samping itu ada lagi

하다 (verba) : 어떤 행동이나 동작, 활동 등을 행하다.
melakukan, mengerjakan, menjalankan
melaksanakan suatu tindakan atau aksi, kegiatan, dsb

-고 싶다 : 앞의 말이 나타내는 행동을 하기를 원함을 나타내는 표현.
ingin, mau
ungkapan yang menyatakan bahwa pembicara ingin melakukan tindakan yang disebut dalam kalimat di depan

-은 : 앞의 말이 관형어의 기능을 하게 만들고 현재의 상태를 나타내는 어미.
yang
akhiran yang membuat kata di depannya berfungsi sebagai kata pewatas, dan menyatakan keadaan saat ini

말 (nomina) : 생각이나 느낌을 표현하고 전달하는 사람의 소리.
perkataan, kata-kata
bunyi atau suara manusia yang merupakan ungkapan perasaan atau pikiran

을 : 동작이 직접적으로 영향을 미치는 대상을 나타내는 조사.
Tiada Penjelasan Arti
partikel yang menyatakan objek dari suatu gerakan yang secara langsung memberikan pengaruh

다 (adverbia) : 남거나 빠진 것이 없이 모두.
semua, semuanya, seluruhnya
semua tanpa ada yang tersisa atau terlewat

외치다 (verba) : 큰 소리를 지르다.
menjerit, berteriak, memekik
berseru dengan suara keras

-어 보다 : 앞의 말이 나타내는 행동을 시험 삼아 함을 나타내는 표현.
mencoba
ungkapan yang menyatakan menjadikan tindakan dalam kalimat yang disebutkan di depan sebagai sebuah percobaan

-아 : (두루낮춤으로) 어떤 사실을 서술하거나 물음, 명령, 권유를 나타내는 종결 어미.
-kah, -lah
(dalam bentuk rendah) akhiran penutup untuk menyatakan suatu kenyataan atau menandai pertanyaan, perintah, dan ajakan <perintah>

신비롭(신비로우)+ㄴ 사연, 감추+었던 비밀
신비로운

신비롭다 (adjektiva) : 보통의 생각으로는 이해할 수 없을 정도로 놀랍고 신기한 느낌이 있다.
misterius, mistis, mistik
ada rasa terkejut dan ajaib yang tak dapat dipahami dengan pemikiran normal

-ㄴ : 앞의 말이 관형어의 기능을 하게 만들고 현재의 상태를 나타내는 어미.
yang
akhiran yang membuat kata di depannya berfungsi sebagai kata pewatas, dan menyatakan keadaan saat ini

사연 (nomina) : 일어난 일의 앞뒤 사정과 까닭.
cerita, kisah
asal mula dan sebab musabab suatu perkara yang Sudan terjadi

감추다 (verba) : 어떤 사실이나 감정을 남이 모르도록 알리지 않고 비밀로 하다.
merahasiakan, menutupi
tidak memberitahukan atau menyembunyikan kebenaran atau perasaan agar orang lain tidak mengetahuinya

-었던 : 과거의 사건이나 상태를 다시 떠올리거나 그 사건이나 상태가 완료되지 않고 중단되었다는 의미를 나타내는 표현.
yang sudah, yang pernah
ungkapan yang menunjukkan maksud mengingat kembali peristiwa atau kondisi di masa lalu atau perisitiwa atau kondisi tersebut tidak selesai dan terhenti di tengah-tengah

비밀 (nomina) : 숨기고 있어 남이 모르는 일.
rahasia
sesuatu yang disembunyikan dan tidak diketahui orang

진실+을 전하+[여 주]+어.
전해 줘

진실 (nomina) : 순수하고 거짓이 없는 마음.
perasaan tulus
hati yang suci tidak dinodai dengan kebohongan

을 : 동작이 직접적으로 영향을 미치는 대상을 나타내는 조사.
Tiada Penjelasan Arti
partikel yang menyatakan objek dari suatu gerakan yang secara langsung memberikan pengaruh

전하다 (verba) : 어떤 소식, 생각 등을 상대에게 알리다.
menyampaikan, memberitahukan
memberitahukan sebuah kabar, pikiran, dsb kepada orang lain atau pasangan

-여 주다 : 남을 위해 앞의 말이 나타내는 행동을 함을 나타내는 표현.
memberi
ungkapan yang menyatakan melakukan tindakan yang disebutkan dalam kalimat di depan untuk orang lain

-어 : (두루낮춤으로) 어떤 사실을 서술하거나 물음, 명령, 권유를 나타내는 종결 어미.
-kah, -lah
(dalam bentuk rendah) akhiran penutup untuk menyatakan suatu kenyataan atau menandai pertanyaan, perintah, dan ajakan <perintah>

< 후렴(refrein) >

아 야 어 여 오 요 우 유 으 이

가 나 다 라 마 바 사 아 자 차 카 타 파 하

이제+부터 들리+[어 주]+어 너+의 마음+을.
　　　　　들려 줘

이제 (nomina) : 말하고 있는 바로 이때.
sekarang, saat ini
langsung pada saat sedang berbicara

부터 : 어떤 일의 시작이나 처음을 나타내는 조사.
Tiada Penjelasan Arti
partikel yang menyatakan awal atau mula sebuah peristiwa

들리다 (verba) : 듣게 하다.
memperdengarkan, memberitahukan
membuat menjadi mendengar

-어 주다 : 남을 위해 앞의 말이 나타내는 행동을 함을 나타내는 표현.
membantu, menolong
ungkapan yang menyatakan melakukan tindakan yang disebutkan dalam kalimat di depan untuk orang lain

-어 : (두루낮춤으로) 어떤 사실을 서술하거나 물음, 명령, 권유를 나타내는 종결 어미.
-kah, -lah
(dalam bentuk rendah) akhiran penutup untuk menyatakan suatu kenyataan atau menandai pertanyaan, perintah, dan ajakan <perintah>

너 (pronomina) : 듣는 사람이 친구나 아랫사람일 때, 그 사람을 가리키는 말.
kamu
kata untuk menunjuk lawan bicara yang merupakan teman atau orang yang lebih muda

의 : 앞의 말이 뒤의 말에 대하여 소유, 소속, 소재, 관계, 기원, 주체의 관계를 가짐을 나타내는 조사.
dari, milik
partikel yang menyatakan perkataan di depan memiliki hubungan kepemilikian, bagian tempat diri bekerja, bahan, hubungan, asal, topik dengan perkataan di belakang

마음 (nomina) : 기분이나 느낌.
hati, perasaan
emosi, perasaan

을 : 동작이 직접적으로 영향을 미치는 대상을 나타내는 조사.
Tiada Penjelasan Arti
partikel yang menyatakan objek dari suatu gerakan yang secara langsung memberikan pengaruh

지금+부터 전하+[여 주]+어 너+의 사랑+을.
전해 줘

지금 (nomina) : 말을 하고 있는 바로 이때.
sekarang
saat sedang bicara

부터 : 어떤 일의 시작이나 처음을 나타내는 조사.
Tiada Penjelasan Arti
partikel yang menyatakan awal atau mula sebuah peristiwa

전하다 (verba) : 어떤 소식, 생각 등을 상대에게 알리다.
menyampaikan, memberitahukan
memberitahukan sebuah kabar, pikiran, dsb kepada orang lain atau pasangan

-여 주다 : 남을 위해 앞의 말이 나타내는 행동을 함을 나타내는 표현.

memberi

ungkapan yang menyatakan melakukan tindakan yang disebutkan dalam kalimat di depan untuk orang lain

-어 : (두루낮춤으로) 어떤 사실을 서술하거나 물음, 명령, 권유를 나타내는 종결 어미.

-kah, -lah

(dalam bentuk rendah) akhiran penutup untuk menyatakan suatu kenyataan atau menandai pertanyaan, perintah, dan ajakan <perintah>

너 (pronomina) : 듣는 사람이 친구나 아랫사람일 때, 그 사람을 가리키는 말.

kamu

kata untuk menunjuk lawan bicara yang merupakan teman atau orang yang lebih muda

의 : 앞의 말이 뒤의 말에 대하여 소유, 소속, 소재, 관계, 기원, 주체의 관계를 가짐을 나타내는 조사.

dari, milik

partikel yang menyatakan perkataan di depan memiliki hubungan kepemilikian, bagian tempat diri bekerja, bahan, hubungan, asal, topik dengan perkataan di belakang

사랑 (nomina) : 아끼고 소중히 여겨 정성을 다해 위하는 마음.

cinta, kasih sayang

hati yang sepenuh hati karena menyayangi dan menganggapnya berharga

을 : 동작이 직접적으로 영향을 미치는 대상을 나타내는 조사.

Tiada Penjelasan Arti

partikel yang menyatakan objek dari suatu gerakan yang secara langsung memberikan pengaruh

아 야 어 여 오 요 우 유 으 이

가 나 다 라 마 바 사 아 자 차 카 타 파 하

모음 스물하나+에 자음 열아홉+을 <u>더하+여</u>

더해

모음 (nomina) : 사람이 목청을 울려 내는 소리로, 공기의 흐름이 방해를 받지 않고 나는 소리.

huruf vokal, vokal

suara yang dihasilkan manusia, suara yang dihasilkan oleh aliran udara dari paru-paru tidak terhambat

스물하나 : 21

에 : 앞말에 무엇이 더해짐을 나타내는 조사.
pada, ke
partikel yang menyatakan menambahkan sesuatu pada kalimat di depan

자음 (nomina) : 목, 입, 혀 등의 발음 기관에 의해 장애를 받으며 나는 소리.
konsonan
suara yang timbul ketika organ pengucapan seperti tenggorokan, bibir, lidah, dsb mendapat hambatan

열아홉 : 19

을 : 동작 대상의 수량이나 동작의 순서를 나타내는 조사.
Tiada Penjelasan Arti
partikel yang menyatakan kuantitas atau urutan proses suatu objek

더하다 (verba) : 보태어 늘리거나 많게 하다.
menambah
menambahkan dan meningkatkan atau membuat banyak

-여 : 앞의 말이 뒤의 말보다 먼저 일어났거나 뒤의 말에 대한 방법이나 수단이 됨을 나타내는 연결 어미.
setelah, sesudah, selepas, lalu
akhiran penghubung untuk menyatakan bahwa anak kalimat terjadi lebih dahulu daripada kalimat induk atau menjadi cara atau alat terhadap kalimat induk

마흔 가지 소리+로 세상+을 느끼+[어 보]+아.
느껴 봐

마흔 (pewatas) : 열의 네 배가 되는 수의.
empatpuluh, 40
bilangan kelipatan empat dari sepuluh

가지 (nomina) : 사물의 종류를 헤아리는 말.
macam
kata untuk menghitung jenis benda

소리 (nomina) : 물체가 진동하여 생긴 음파가 귀에 들리는 것.
suara
hal terdengarnya di telinga gelombang suara yang muncul oleh getaran objek

로 : 어떤 일의 수단이나 도구를 나타내는 조사.
dengan
partikel yang menyatakan cara atau alat suatu pekerjaan

세상 (nomina) : 지구 위 전체.
bumi
keseluruhan yang ada di atas bumi

을 : 동작이 직접적으로 영향을 미치는 대상을 나타내는 조사.
Tiada Penjelasan Arti
partikel yang menyatakan objek dari suatu gerakan yang secara langsung memberikan pengaruh

느끼다 (verba) : 특정한 대상이나 상황을 어떻다고 생각하거나 인식하다.
merasakan, merasa bahwa
berpikir atau mengenali bahwa subjek atau keadaan tertentu demikian

-어 보다 : 앞의 말이 나타내는 행동을 시험 삼아 함을 나타내는 표현.
mencoba
ungkapan yang menyatakan menjadikan tindakan dalam kalimat yang disebutkan di depan sebagai sebuah percobaan

-아 : (두루낮춤으로) 어떤 사실을 서술하거나 물음, 명령, 권유를 나타내는 종결 어미.
-kah, -lah
(dalam bentuk rendah) akhiran penutup untuk menyatakan suatu kenyataan atau menandai pertanyaan, perintah, dan ajakan <perintah>

< 후렴(refrein) >

<u>들리+[어 주]+어요</u>.
　들려 줘요

들리다 (verba) : 듣게 하다.
memperdengarkan, memberitahukan
membuat menjadi mendengar

-어 주다 : 남을 위해 앞의 말이 나타내는 행동을 함을 나타내는 표현.
membantu, menolong
ungkapan yang menyatakan melakukan tindakan yang disebutkan dalam kalimat di depan untuk orang lain

-어요 : (두루높임으로) 어떤 사실을 서술하거나 질문, 명령, 권유함을 나타내는 종결 어미.
apakah, apa, ~saja, silakan
(dalam bentuk hormat) kata penutup final yang mengungkapkan suatu kenyataan atau menyatakan pertanyaan, perintah, atau ajakan <perintah>

이 소리 들리+나요?

이 (pewatas) : 말하는 사람에게 가까이 있거나 말하는 사람이 생각하고 있는 대상을 가리키는 말.
ini, si ini
kata yang digunakan saat menunjuk target yang berada di dekat atau yang dipikirkan si pembicara

소리 (nomina) : 물체가 진동하여 생긴 음파가 귀에 들리는 것.
suara
hal terdengarnya di telinga gelombang suara yang muncul oleh getaran objek

들리다 (verba) : 소리가 귀를 통해 알아차려지다.
terdengar, dikenali
suara dikenal melalui telinga

-나요 : (두루높임으로) 앞의 내용에 대해 상대방에게 물어볼 때 쓰는 표현.
apakah, apa
(dalam bentuk hormat) ungkapan yang digunakan saat bertanya kepada lawan bicara mengenai hal di depan

달콤하+게, 부드럽+게 우리 모두 말하+[여 보]+아요.
말해 봐요

달콤하다 (adjektiva) : 느낌이 좋고 기분이 좋다.
manis, hangat
merasa senang, dan berperasaan baik

-게 : 앞의 말이 뒤에서 가리키는 일의 목적이나 결과, 방식, 정도 등이 됨을 나타내는 연결 어미.
dengan
kata penutup sambung yang menyatakan isi kalimat di depan dibutuhkan sementara kalimat di belakang terus dilanjutkan(formal, kedudukan penerima sangat rendah) <cara>

부드럽다 (adjektiva) : 성격이나 마음씨, 태도 등이 다정하고 따뜻하다.
lembut, lemah lembut, halus
sifat atau sikap, kesan, dsb ramah dan lemah lembut

-게 : 앞의 말이 뒤에서 가리키는 일의 목적이나 결과, 방식, 정도 등이 됨을 나타내는 연결 어미.
dengan
kata penutup sambung yang menyatakan isi kalimat di depan dibutuhkan sementara kalimat di belakang terus dilanjutkan(formal, kedudukan penerima sangat rendah) <cara>

우리 (pronomina) : 말하는 사람이 자기와 듣는 사람 또는 이를 포함한 여러 사람들을 가리키는 말.
kita
kata untuk menyebutkan beberapa orang termasuk yang berbicara dan yang mendengar

모두 (adverbia) : 빠짐없이 다.
semua, seluruhnya
semua tanpa terkecuali

말하다 (verba) : 어떤 사실이나 자신의 생각 또는 느낌을 말로 나타내다.
mengatakan
menyampaikan sebuah kenyataan, pikiran, atau perasaan diri sendiri lewat kata-kata

-여 보다 : 앞의 말이 나타내는 행동을 시험 삼아 함을 나타내는 표현.
mencoba
ungkapan yang menyatakan menjadikan tindakan dalam kalimat yang disebutkan di depan sebagai sebuah percobaan

-아요 : (두루높임으로) 어떤 사실을 서술하거나 질문, 명령, 권유함을 나타내는 종결 어미.
cobalah, sebenarnya, apa
(dalam bentuk hormat) kata penutup final yang mengungkapkan suatu kenyataan atau menyatakan pertanyaan, perintah, atau ajakan <perintah>

아 야 어 여 오 요 우 유 으 이

가 나 다 라 마 바 사 아 자 차 카 타 파 하

이제+부터 들리+[어 주]+어 너+의 마음+을.
들려 줘

이제 (nomina) : 말하고 있는 바로 이때.
sekarang, saat ini
langsung pada saat sedang berbicara

부터 : 어떤 일의 시작이나 처음을 나타내는 조사.
Tiada Penjelasan Arti
partikel yang menyatakan awal atau mula sebuah peristiwa

들리다 (verba) : 듣게 하다.
memperdengarkan, memberitahukan
membuat menjadi mendengar

-어 주다 : 남을 위해 앞의 말이 나타내는 행동을 함을 나타내는 표현.
membantu, menolong
ungkapan yang menyatakan melakukan tindakan yang disebutkan dalam kalimat di depan untuk orang lain

-어 : (두루낮춤으로) 어떤 사실을 서술하거나 물음, 명령, 권유를 나타내는 종결 어미.
-kah, -lah
(dalam bentuk rendah) akhiran penutup untuk menyatakan suatu kenyataan atau menandai pertanyaan, perintah, dan ajakan <perintah>

너 (pronomina) : 듣는 사람이 친구나 아랫사람일 때, 그 사람을 가리키는 말.
kamu
kata untuk menunjuk lawan bicara yang merupakan teman atau orang yang lebih muda

의 : 앞의 말이 뒤의 말에 대하여 소유, 소속, 소재, 관계, 기원, 주체의 관계를 가짐을 나타내는 조사.
dari, milik
partikel yang menyatakan perkataan di depan memiliki hubungan kepemilikan, bagian tempat diri bekerja, bahan, hubungan, asal, topik dengan perkataan di belakang

마음 (nomina) : 기분이나 느낌.
hati, perasaan
emosi, perasaan

을 : 동작이 직접적으로 영향을 미치는 대상을 나타내는 조사.
Tiada Penjelasan Arti
partikel yang menyatakan objek dari suatu gerakan yang secara langsung memberikan pengaruh

지금+부터 전하+[여 주]+어 너+의 사랑+을.
전해 줘

지금 (nomina) : 말을 하고 있는 바로 이때.
sekarang
saat sedang bicara

부터 : 어떤 일의 시작이나 처음을 나타내는 조사.
Tiada Penjelasan Arti
partikel yang menyatakan awal atau mula sebuah peristiwa

전하다 (verba) : 어떤 소식, 생각 등을 상대에게 알리다.
menyampaikan, memberitahukan
memberitahukan sebuah kabar, pikiran, dsb kepada orang lain atau pasangan

-여 주다 : 남을 위해 앞의 말이 나타내는 행동을 함을 나타내는 표현.
memberi
ungkapan yang menyatakan melakukan tindakan yang disebutkan dalam kalimat di depan untuk orang lain

-어 : (두루낮춤으로) 어떤 사실을 서술하거나 물음, 명령, 권유를 나타내는 종결 어미.
-kah, -lah
(dalam bentuk rendah) akhiran penutup untuk menyatakan suatu kenyataan atau menandai pertanyaan, perintah, dan ajakan <perintah>

너 (pronomina) : 듣는 사람이 친구나 아랫사람일 때, 그 사람을 가리키는 말.
kamu
kata untuk menunjuk lawan bicara yang merupakan teman atau orang yang lebih muda

의 : 앞의 말이 뒤의 말에 대하여 소유, 소속, 소재, 관계, 기원, 주체의 관계를 가짐을 나타내는 조사.
dari, milik
partikel yang menyatakan perkataan di depan memiliki hubungan kepemilikian, bagian tempat diri bekerja, bahan, hubungan, asal, topik dengan perkataan di belakang

사랑 (nomina) : 아끼고 소중히 여겨 정성을 다해 위하는 마음.
cinta, kasih sayang
hati yang sepenuh hati karena menyayangi dan menganggapnya berharga

을 : 동작이 직접적으로 영향을 미치는 대상을 나타내는 조사.
Tiada Penjelasan Arti
partikel yang menyatakan objek dari suatu gerakan yang secara langsung memberikan pengaruh

아 야 어 여 오 요 우 유 으 이

가 나 다 라 마 바 사 아 자 차 카 타 파 하

모음 스물하나+에 자음 열아홉+을 <u>더하+여</u>
더해

모음 (nomina) : 사람이 목청을 울려 내는 소리로, 공기의 흐름이 방해를 받지 않고 나는 소리.
huruf vokal, vokal
suara yang dihasilkan manusia, suara yang dihasilkan oleh aliran udara dari paru-paru tidak terhambat

스물하나 : 21

에 : 앞말에 무엇이 더해짐을 나타내는 조사.
pada, ke
partikel yang menyatakan menambahkan sesuatu pada kalimat di depan

자음 (nomina) : 목, 입, 혀 등의 발음 기관에 의해 장애를 받으며 나는 소리.
konsonan
suara yang timbul ketika organ pengucapan seperti tenggorokan, bibir, lidah, dsb mendapat hambatan

열아홉 : 19

을 : 동작 대상의 수량이나 동작의 순서를 나타내는 조사.
Tiada Penjelasan Arti
partikel yang menyatakan kuantitas atau urutan proses suatu objek

더하다 (verba) : 보태어 늘리거나 많게 하다.
menambah
menambahkan dan meningkatkan atau membuat banyak

-여 : 앞의 말이 뒤의 말보다 먼저 일어났거나 뒤의 말에 대한 방법이나 수단이 됨을 나타내는 연결 어미.
setelah, sesudah, selepas, lalu
akhiran penghubung untuk menyatakan bahwa anak kalimat terjadi lebih dahulu daripada kalimat induk atau menjadi cara atau alat terhadap kalimat induk

마흔 가지 소리+로 세상+을 느끼+[어 보]+아.
느껴 봐

마흔 (pewatas) : 열의 네 배가 되는 수의.
empatpuluh, 40
bilangan kelipatan empat dari sepuluh

가지 (nomina) : 사물의 종류를 헤아리는 말.
macam
kata untuk menghitung jenis benda

소리 (nomina) : 물체가 진동하여 생긴 음파가 귀에 들리는 것.
suara
hal terdengarnya di telinga gelombang suara yang muncul oleh getaran objek

로 : 어떤 일의 수단이나 도구를 나타내는 조사.
dengan
partikel yang menyatakan cara atau alat suatu pekerjaan

세상 (nomina) : 지구 위 전체.
bumi
keseluruhan yang ada di atas bumi

을 : 동작이 직접적으로 영향을 미치는 대상을 나타내는 조사.
Tiada Penjelasan Arti
partikel yang menyatakan objek dari suatu gerakan yang secara langsung memberikan pengaruh

느끼다 (verba) : 특정한 대상이나 상황을 어떻다고 생각하거나 인식하다.
merasakan, merasa bahwa
berpikir atau mengenali bahwa subjek atau keadaan tertentu demikian

-어 보다 : 앞의 말이 나타내는 행동을 시험 삼아 함을 나타내는 표현.
mencoba
ungkapan yang menyatakan menjadikan tindakan dalam kalimat yang disebutkan di depan sebagai sebuah percobaan

-아 : (두루낮춤으로) 어떤 사실을 서술하거나 물음, 명령, 권유를 나타내는 종결 어미.
-kah, -lah
(dalam bentuk rendah) akhiran penutup untuk menyatakan suatu kenyataan atau menandai pertanyaan, perintah, dan ajakan <perintah>

< 2 >

과일송

과일(buah) 송(lagu)

[발음(pelafalan)]

< 1 절(bait) >

맛있는 과일 과일 과일
마신는 과일 과일 과일
masinneun gwail gwail gwail

아삭아삭 과일 과일
아삭아삭 과일 과일
asagasak gwail gwail

먹고 싶어 과일 과일
먹꼬 시퍼 과일 과일
meokgo sipeo gwail gwail

빨간색 딸기 사과 앵두
빨간색 딸기 사과 앵두
ppalgansaek ttalgi sagwa aengdu

노란색 참외 레몬 망고
노란색 참외 레몬 망고
noransaek chamoe remon manggo

초록색 수박 매실 멜론
초록쌕 수박 매실 멜론
choroksaek subak maesil mellon

보라색 포도 자두 오디
보라색 포도 자두 오디
borasaek podo jadu odi

맛이 어때요?
마시 어때요?
masi eottaeyo?

달아요 달아요 달아요
다라요 다라요 다라요
darayo darayo darayo

맛이 어때요?
마시 어때요?
masi eottaeyo?

달콤해 달콤해 달콤해
달콤해 달콤해 달콤해
dalkomhae dalkomhae dalkomhae

어때요? 어때요?
어때요? 어때요?
eottaeyo? eottaeyo?

달아요 셔요 달콤해 새콤해
다라요 셔요 달콤해 새콤해
darayo syeoyo dalkomhae saekomhae

< 2 절(bait) >

맛있는 과일 과일 과일
마신는 과일 과일 과일
masinneun gwail gwail gwail

아삭아삭 과일 과일
아삭아삭 과일 과일
asagasak gwail gwail

먹고 싶어 과일 과일
먹꼬 시퍼 과일 과일
meokgo sipeo gwail gwail

빨간색 딸기 사과 앵두
빨간색 딸기 사과 앵두
ppalgansaek ttalgi sagwa aengdu

노란색 참외 레몬 망고
노란색 참외 레몬 망고
noransaek chamoe remon manggo

초록색 수박 매실 멜론
초록쌕 수박 매실 멜론
choroksaek subak maesil mellon

보라색 포도 자두 오디
보라색 포도 자두 오디
borasaek podo jadu odi

맛이 어때요?
마시 어때요?
masi eottaeyo?

셔요 셔요 셔요

셔요 셔요 셔요

syeoyo syeoyo syeoyo

맛이 어때요?

마시 어때요?

masi eottaeyo?

새콤해 새콤해 새콤해

새콤해 새콤해 새콤해

saekomhae saekomhae saekomhae

어때요? 어때요?

어때요? 어때요?

eottaeyo? eottaeyo?

달아요 셔요 달콤해 새콤해

다라요 셔요 달콤해 새콤해

darayo syeoyo dalkomhae saekomhae

맛있는 과일 과일 과일

마신는 과일 과일 과일

masinneun gwail gwail gwail

아삭아삭 과일 과일

아삭아삭 과일 과일

asagasak gwail gwail

먹고 싶어 과일 과일

먹꼬 시퍼 과일 과일

meokgo sipeo gwail gwail

맛있는 과일 과일 과일

마신는 과일 과일 과일

masinneun gwail gwail gwail

아삭아삭 과일 과일

아삭아삭 과일 과일

asagasak gwail gwail

먹고 싶어 과일 과일

먹꼬 시퍼 과일 과일

meokgo sipeo gwail gwail

먹고 싶어 과일 과일
먹꼬 시퍼 과일 과일
meokgo sipeo gwail gwail

먹고 싶어 과일 과일
먹꼬 시퍼 과일 과일
meokgo sipeo gwail gwail

< 1 절(bait) >

맛있+는 과일 과일 과일.

맛있다 (adjektiva) : 맛이 좋다.
enak, lezat
rasanya enak

-는 : 앞의 말이 관형어의 기능을 하게 만들고 사건이나 동작이 현재 일어남을 나타내는 어미.
yang
akhiran untuk membuat kata di depannya berfungsi sebagai pewatas dan menyatakan kejadian atau tindakan terjadi sekarang

과일 (nomina) : 사과, 배, 포도, 밤 등과 같이 나뭇가지나 줄기에 열리는 먹을 수 있는 열매.
buah
buah-buahan yang dapat dimakan seperti apel, pir, anggur, chestnut, dsb

아삭아삭 과일 과일.

아삭아삭 (adverbia) : 연하고 싱싱한 과일이나 채소를 베어 물 때 나는 소리.
Tiada Penjelasan Arti
suara yang dikeluarkan ketika menggigit atau mengunyah buah atau sayuran yang sangat segar

과일 (nomina) : 사과, 배, 포도, 밤 등과 같이 나뭇가지나 줄기에 열리는 먹을 수 있는 열매.
buah
buah-buahan yang dapat dimakan seperti apel, pir, anggur, chestnut, dsb

먹+[고 싶]+어, 과일 과일.

먹다 (verba) : 음식 등을 입을 통하여 배 속에 들여보내다.
makan
memasukkan makanan ke dalam mulut lalu menelannya

-고 싶다 : 앞의 말이 나타내는 행동을 하기를 원함을 나타내는 표현.
ingin, mau
ungkapan yang menyatakan bahwa pembicara ingin melakukan tindakan yang disebut dalam kalimat di depan

-어 : (두루낮춤으로) 어떤 사실을 서술하거나 물음, 명령, 권유를 나타내는 종결 어미.
-kah, -lah
(dalam bentuk rendah) akhiran penutup untuk menyatakan suatu kenyataan atau menandai pertanyaan, perintah, dan ajakan <penjabaran>

과일 (nomina) : 사과, 배, 포도, 밤 등과 같이 나뭇가지나 줄기에 열리는 먹을 수 있는 열매.
buah
buah-buahan yang dapat dimakan seperti apel, pir, anggur, chestnut, dsb

빨간색 딸기 사과 앵두.

빨간색 (nomina) : 흐르는 피나 잘 익은 사과, 고추처럼 붉은 색.
warna merah
warna merah seperti darah yang mengalir, apel matang, atau cabe merah

딸기 (nomina) : 줄기가 땅 위로 뻗으며, 겉에 씨가 박혀 있는 빨간 열매가 열리는 여러해살이풀. 또는 그 열매.
tanaman perdu, stroberi, arbei
buah merah yang berbiji di luar dan cabang dari pohonnya menjalar ke atas tanah sepanjang tahun tumbuh, atau buah yang demikian

사과 (nomina) : 모양이 둥글고 붉으며 새콤하고 단맛이 나는 과일.
apel
buah yang berbentuk bulat, berwarna merah, dan berasa agak asam dan manis

앵두 (nomina) : 모양이 작고 둥글며 달콤하면서 신맛을 지닌 붉은색 과일.
ceri, buah ceri
buah dari pohon ceri yang kecil bulat dan berwarna merah

노란색 참외 레몬 망고.

노란색 (nomina) : 병아리나 바나나와 같은 색.
warna kuning
warna seperti anak ayam, atau seperti pisang

참외 (nomina) : 색이 노랗고 단맛이 나며 주로 여름에 먹는 열매.
Tiada Penjelasan Arti
buah sejenis melon kesturi, sejenis blewah Korea yang berwarna kuning, berasa manis, dan biasanya dimakan pada musim panas

레몬 (nomina) : 신맛이 강하고 새콤한 향기가 나는 타원형의 노란색 열매.
limau, lemon
buah berwarna kuning berbentuk lonjong yang rasa asamnya kuat dan memiliki bau yang keasaman

망고 (nomina) : 타원형에 과육이 노랗고 부드러우며 단맛이 나는 열대 과일.
mangga
buah tropik yang berbentuk lonjong, berdaging kuning dan lembut, serta rasanya manis

초록색 수박 매실 멜론.

초록색 (nomina) : 파랑과 노랑의 중간인, 짙은 풀과 같은 색.
warna hijau
warna yang sama dengan rumput, warna perpaduan dari warna biru dan warna kuning

수박 (nomina) : 둥글고 크며 초록 빛깔에 검푸른 줄무늬가 있으며 속이 붉고 수분이 많은 과일.
semangka
buah berbentuk bulat dan besar, berwarna hijau dengan garis-garis hitam kehijauan, dan bagian dalamnya berwarna merah serta berair banyak

매실 (nomina) : 달고 신맛이 나며 술이나 음료 등을 만들어 먹는 초록색의 둥근 열매.
Prunus Mume, Aprikot Jepang
buah berwarna hijau dengan rasa asam manis, dibuat menjadi minuman ringan atau arak dsb

멜론 (nomina) : 동그랗고 보통 녹색이며 겉에 그물 모양의 무늬가 있는, 향기가 좋고 단맛이 나는 과일.
melon
buah bulat yang biasanya berwarna hijau dengan kulit bermotif jaring, berbau sedap, serta berasa manis

보라색 포도 자두 오디.

보라색 (nomina) : 파랑과 빨강을 섞은 색.
warna ungu
warna campuran antara warna biru dan merah

포도 (nomina) : 달면서도 약간 신맛이 나는 작은 열매가 뭉쳐서 송이를 이루는 보라색 과일.

anggur

buah berwarna ungu yang memiliki rasa manis tetapi sedikit asam, berbentuk buah-buah kecil yang menyatu membentuk ikatan

자두 (nomina) : 살구보다 조금 크고 새콤하고 달콤한 맛이 나는 붉은색 과일.

plum, prem

buah berwarna merah yang lebih besar daripada buah aprikot dan berasa asam serta manis

오디 (nomina) : 뽕나무의 열매.

murbei

buah dari pohon murbei

맛+이 <u>어떻+어요</u>?
어때요

맛 (nomina) : 음식 등을 혀에 댈 때 느껴지는 감각.

rasa

rasa yang didapat saat menempelkan makanan dsb pada lidah

이 : 어떤 상태나 상황의 대상이나 동작의 주체를 나타내는 조사.

Tiada Penjelasan Arti

partikel yang menyatakan objek dari suatu keadaan atau kondisi atau pelaku dari suatu tindakan

어떻다 (adjektiva) : 생각, 느낌, 상태, 형편 등이 어찌 되어 있다.

begitu, bagaimana

pikiran, perasaan, situasi, keadaan, dsb berada dalam keadaan entah bagaimana

-어요 : (두루높임으로) 어떤 사실을 서술하거나 질문, 명령, 권유함을 나타내는 종결 어미.

apakah, apa, ~saja, silakan

(dalam bentuk hormat) kata penutup final yang mengungkapkan suatu kenyataan atau menyatakan pertanyaan, perintah, atau ajakan <pertanyaan>

달+아요. 달+아요. 달+아요.

달다 (adjektiva) : 꿀이나 설탕의 맛과 같다.

manis

rasanya sama dengan rasa madu atau gula

-아요 : (두루높임으로) 어떤 사실을 서술하거나 질문, 명령, 권유함을 나타내는 종결 어미.

cobalah, sebenarnya, apa

(dalam bentuk hormat) kata penutup final yang mengungkapkan suatu kenyataan atau menyatakan pertanyaan, perintah, atau ajakan <penjabaran>

맛+이 어떻+어요?
어때요

맛 (nomina) : 음식 등을 혀에 댈 때 느껴지는 감각.

rasa

rasa yang didapat saat menempelkan makanan dsb pada lidah

이 : 어떤 상태나 상황의 대상이나 동작의 주체를 나타내는 조사.

Tiada Penjelasan Arti

partikel yang menyatakan objek dari suatu keadaan atau kondisi atau pelaku dari suatu tindakan

어떻다 (adjektiva) : 생각, 느낌, 상태, 형편 등이 어찌 되어 있다.

begitu, bagaimana

pikiran, perasaan, situasi, keadaan, dsb berada dalam keadaan entah bagaimana

-어요 : (두루높임으로) 어떤 사실을 서술하거나 질문, 명령, 권유함을 나타내는 종결 어미.

apakah, apa, ~saja, silakan

(dalam bentuk hormat) kata penutup final yang mengungkapkan suatu kenyataan atau menyatakan pertanyaan, perintah, atau ajakan <pertanyaan>

달콤하+여. 달콤하+여. 달콤하+여.
달콤해   달콤해   달콤해

달콤하다 (adjektiva) : 맛이나 냄새가 기분 좋게 달다.

manis

rasa, wangi manis yang membuat perasaan senang

-여 : (두루낮춤으로) 어떤 사실을 서술하거나 물음, 명령, 권유를 나타내는 종결 어미.

-kah, -lah

(dalam bentuk rendah) akhiran penutup untuk menyatakan suatu kenyataan atau menandai pertanyaan, perintah, dan ajakan <penjabaran>

어떻+어요? 어떻+어요?
어때요 　　 어때요

어떻다 (adjektiva) : 생각, 느낌, 상태, 형편 등이 어찌 되어 있다.

begitu, bagaimana

pikiran, perasaan, situasi, keadaan, dsb berada dalam keadaan entah bagaimana

-어요 : (두루높임으로) 어떤 사실을 서술하거나 질문, 명령, 권유함을 나타내는 종결 어미.

apakah, apa, ~saja, silakan

(dalam bentuk hormat) kata penutup final yang mengungkapkan suatu kenyataan atau menyatakan pertanyaan, perintah, atau ajakan <pertanyaan>

달+아요. 시+어요. 달콤하+여. 새콤하+여.
　셔요　　 달콤해　　 새콤해

달다 (adjektiva) : 꿀이나 설탕의 맛과 같다.

manis

rasanya sama dengan rasa madu atau gula

-아요 : (두루높임으로) 어떤 사실을 서술하거나 질문, 명령, 권유함을 나타내는 종결 어미.

cobalah, sebenarnya, apa

(dalam bentuk hormat) kata penutup final yang mengungkapkan suatu kenyataan atau menyatakan pertanyaan, perintah, atau ajakan <penjabaran>

시다 (adjektiva) : 맛이 식초와 같다.

kecut

rasanya seperti cuka

-어요 : (두루높임으로) 어떤 사실을 서술하거나 질문, 명령, 권유함을 나타내는 종결 어미.

apakah, apa, ~saja, silakan

(dalam bentuk hormat) kata penutup final yang mengungkapkan suatu kenyataan atau menyatakan pertanyaan, perintah, atau ajakan <penjabaran>

달콤하다 (adjektiva) : 맛이나 냄새가 기분 좋게 달다.

manis

rasa, wangi manis yang membuat perasaan senang

-여 : (두루낮춤으로) 어떤 사실을 서술하거나 물음, 명령, 권유를 나타내는 종결 어미.

-kah, -lah

(dalam bentuk rendah) akhiran penutup untuk menyatakan suatu kenyataan atau menandai pertanyaan, perintah, dan ajakan <penjabaran>

새콤하다 (adjektiva) : 맛이 조금 시면서 상큼하다.
asam, kecut
rasanya sedikit asam dan segar

-여 : (두루낮춤으로) 어떤 사실을 서술하거나 물음, 명령, 권유를 나타내는 종결 어미.
-kah, -lah
(dalam bentuk rendah) akhiran penutup untuk menyatakan suatu kenyataan atau menandai
pertanyaan, perintah, dan ajakan **<penjabaran>**

< 2 절(bait) >

맛있+는 과일 과일 과일.

맛있다 (adjektiva) : 맛이 좋다.
enak, lezat
rasanya enak

-는 : 앞의 말이 관형어의 기능을 하게 만들고 사건이나 동작이 현재 일어남을 나타내는 어미.
yang
akhiran untuk membuat kata di depannya berfungsi sebagai pewatas dan menyatakan kejadian
atau tindakan terjadi sekarang

과일 (nomina) : 사과, 배, 포도, 밤 등과 같이 나뭇가지나 줄기에 열리는 먹을 수 있는 열매.
buah
buah-buahan yang dapat dimakan seperti apel, pir, anggur, chestnut, dsb

아삭아삭 과일 과일.

아삭아삭 (adverbia) : 연하고 싱싱한 과일이나 채소를 베어 물 때 나는 소리.
Tiada Penjelasan Arti
suara yang dikeluarkan ketika menggigit atau menggunyah buah atau sayuran yang sangat
segar

과일 (nomina) : 사과, 배, 포도, 밤 등과 같이 나뭇가지나 줄기에 열리는 먹을 수 있는 열매.
buah
buah-buahan yang dapat dimakan seperti apel, pir, anggur, chestnut, dsb

먹+[고 싶]+어, 과일 과일.

먹다 (verba) : 음식 등을 입을 통하여 배 속에 들여보내다.
makan
memasukkan makanan ke dalam mulut lalu menelannya

-고 싶다 : 앞의 말이 나타내는 행동을 하기를 원함을 나타내는 표현.
ingin, mau
ungkapan yang menyatakan bahwa pembicara ingin melakukan tindakan yang disebut dalam kalimat di depan

-어 : (두루낮춤으로) 어떤 사실을 서술하거나 물음, 명령, 권유를 나타내는 종결 어미.
-kah, -lah
(dalam bentuk rendah) akhiran penutup untuk menyatakan suatu kenyataan atau menandai pertanyaan, perintah, dan ajakan **<penjabaran>**

과일 (nomina) : 사과, 배, 포도, 밤 등과 같이 나뭇가지나 줄기에 열리는 먹을 수 있는 열매.
buah
buah-buahan yang dapat dimakan seperti apel, pir, anggur, chestnut, dsb

빨간색 딸기 사과 앵두.

빨간색 (nomina) : 흐르는 피나 잘 익은 사과, 고추처럼 붉은 색.
warna merah
warna merah seperti darah yang mengalir, apel matang, atau cabe merah

딸기 (nomina) : 줄기가 땅 위로 뻗으며, 겉에 씨가 박혀 있는 빨간 열매가 열리는 여러해살이풀. 또는
그 열매.
tanaman perdu, stroberi, arbei
buah merah yang berbiji di luar dan cabang dari pohonnya menjalar ke atas tanah sepanjang tahun tumbuh, atau buah yang demikian

사과 (nomina) : 모양이 둥글고 붉으며 새콤하고 단맛이 나는 과일.
apel
buah yang berbentuk bulat, berwarna merah, dan berasa agak asam dan manis

앵두 (nomina) : 모양이 작고 둥글며 달콤하면서 신맛을 지닌 붉은색 과일.
ceri, buah ceri
buah dari pohon ceri yang kecil bulat dan berwarna merah

노란색 참외 레몬 망고.

노란색 (nomina) : 병아리나 바나나와 같은 색.
warna kuning
warna seperti anak ayam, atau seperti pisang

참외 (nomina) : 색이 노랗고 단맛이 나며 주로 여름에 먹는 열매.
Tiada Penjelasan Arti
buah sejenis melon kesturi, sejenis blewah Korea yang berwarna kuning, berasa manis, dan biasanya dimakan pada musim panas

레몬 (nomina) : 신맛이 강하고 새콤한 향기가 나는 타원형의 노란색 열매.
limau, lemon
buah berwarna kuning berbentuk lonjong yang rasa asamnya kuat dan memiliki bau yang keasaman

망고 (nomina) : 타원형에 과육이 노랗고 부드러우며 단맛이 나는 열대 과일.
mangga
buah tropik yang berbentuk lonjong, berdaging kuning dan lembut, serta rasanya manis

초록색 수박 매실 멜론.

초록색 (nomina) : 파랑과 노랑의 중간인, 짙은 풀과 같은 색.
warna hijau
warna yang sama dengan rumput, warna perpaduan dari warna biru dan warna kuning

수박 (nomina) : 둥글고 크며 초록 빛깔에 검푸른 줄무늬가 있으며 속이 붉고 수분이 많은 과일.
semangka
buah berbentuk bulat dan besar, berwarna hijau dengan garis-garis hitam kehijauan, dan bagian dalamnya berwarna merah serta berair banyak

매실 (nomina) : 달고 신맛이 나며 술이나 음료 등을 만들어 먹는 초록색의 둥근 열매.
Prunus Mume, Aprikot Jepang
buah berwarna hijau dengan rasa asam manis, dibuat menjadi minuman ringan atau arak dsb

멜론 (nomina) : 동그랗고 보통 녹색이며 겉에 그물 모양의 무늬가 있는, 향기가 좋고 단맛이 나는 과일.
melon
buah bulat yang biasanya berwarna hijau dengan kulit bermotif jaring, berbau sedap, serta berasa manis

보라색 포도 자두 오디.

보라색 (nomina) : 파랑과 빨강을 섞은 색.
warna ungu
warna campuran antara warna biru dan merah

포도 (nomina) : 달면서도 약간 신맛이 나는 작은 열매가 뭉쳐서 송이를 이루는 보라색 과일.
anggur
buah berwarna ungu yang memiliki rasa manis tetapi sedikit asam, berbentuk buah-buah kecil yang menyatu membentuk ikatan

자두 (nomina) : 살구보다 조금 크고 새콤하고 달콤한 맛이 나는 붉은색 과일.
plum, prem
buah berwarna merah yang lebih besar daripada buah aprikot dan berasa asam serta manis

오디 (nomina) : 뽕나무의 열매.
murbei
buah dari pohon murbei

맛+이 어떻+어요?
어때요

맛 (nomina) : 음식 등을 혀에 댈 때 느껴지는 감각.
rasa
rasa yang didapat saat menempelkan makanan dsb pada lidah

이 : 어떤 상태나 상황의 대상이나 동작의 주체를 나타내는 조사.
Tiada Penjelasan Arti
partikel yang menyatakan objek dari suatu keadaan atau kondisi atau pelaku dari suatu tindakan

어떻다 (adjektiva) : 생각, 느낌, 상태, 형편 등이 어찌 되어 있다.
begitu, bagaimana
pikiran, perasaan, situasi, keadaan, dsb berada dalam keadaan entah bagaimana

-어요 : (두루높임으로) 어떤 사실을 서술하거나 질문, 명령, 권유함을 나타내는 종결 어미.
apakah, apa, ~saja, silakan
(dalam bentuk hormat) kata penutup final yang mengungkapkan suatu kenyataan atau menyatakan pertanyaan, perintah, atau ajakan <pertanyaan>

시+어요. 시+어요. 시+어요.
<u>시</u>+<u>어요</u>. <u>시</u>+<u>어요</u>. <u>시</u>+<u>어요</u>.
   셔요   셔요   셔요

시다 (adjektiva) : 맛이 식초와 같다.
kecut
rasanya seperti cuka

-어요 : (두루높임으로) 어떤 사실을 서술하거나 질문, 명령, 권유함을 나타내는 종결 어미.
apakah, apa, ~saja, silakan
(dalam bentuk hormat) kata penutup final yang mengungkapkan suatu kenyataan atau menyatakan pertanyaan, perintah, atau ajakan <penjabaran>

맛+이 어떻+어요?
<u>맛</u>+이 <u>어떻</u>+<u>어요</u>?
        어때요

맛 (nomina) : 음식 등을 혀에 댈 때 느껴지는 감각.
rasa
rasa yang didapat saat menempelkan makanan dsb pada lidah

이 : 어떤 상태나 상황의 대상이나 동작의 주체를 나타내는 조사.
Tiada Penjelasan Arti
partikel yang menyatakan objek dari suatu keadaan atau kondisi atau pelaku dari suatu tindakan

어떻다 (adjektiva) : 생각, 느낌, 상태, 형편 등이 어찌 되어 있다.
begitu, bagaimana
pikiran, perasaan, situasi, keadaan, dsb berada dalam keadaan entah bagaimana

-어요 : (두루높임으로) 어떤 사실을 서술하거나 질문, 명령, 권유함을 나타내는 종결 어미.
apakah, apa, ~saja, silakan
(dalam bentuk hormat) kata penutup final yang mengungkapkan suatu kenyataan atau menyatakan pertanyaan, perintah, atau ajakan <pertanyaan>

새콤하+여. 새콤하+여. 새콤하+여.
<u>새콤하</u>+여. <u>새콤하</u>+여. <u>새콤하</u>+여.
  새콤해   새콤해   새콤해

새콤하다 (adjektiva) : 맛이 조금 시면서 상큼하다.
asam, kecut
rasanya sedikit asam dan segar

-여 : (두루낮춤으로) 어떤 사실을 서술하거나 물음, 명령, 권유를 나타내는 종결 어미.
-kah, -lah
(dalam bentuk rendah) akhiran penutup untuk menyatakan suatu kenyataan atau menandai pertanyaan, perintah, dan ajakan <penjabaran>

어떻+어요? 어떻+어요?
어때요   어때요

어떻다 (adjektiva) : 생각, 느낌, 상태, 형편 등이 어찌 되어 있다.
begitu, bagaimana
pikiran, perasaan, situasi, keadaan, dsb berada dalam keadaan entah bagaimana

-어요 : (두루높임으로) 어떤 사실을 서술하거나 질문, 명령, 권유함을 나타내는 종결 어미.
apakah, apa, ~saja, silakan
(dalam bentuk hormat) kata penutup final yang mengungkapkan suatu kenyataan atau menyatakan pertanyaan, perintah, atau ajakan <pertanyaan>

달+아요. 시+어요. 달콤하+여. 새콤하+여.
서요   달콤해   새콤해

달다 (adjektiva) : 꿀이나 설탕의 맛과 같다.
manis
rasanya sama dengan rasa madu atau gula

-아요 : (두루높임으로) 어떤 사실을 서술하거나 질문, 명령, 권유함을 나타내는 종결 어미.
cobalah, sebenarnya, apa
(dalam bentuk hormat) kata penutup final yang mengungkapkan suatu kenyataan atau menyatakan pertanyaan, perintah, atau ajakan <penjabaran>

시다 (adjektiva) : 맛이 식초와 같다.
kecut
rasanya seperti cuka

-어요 : (두루높임으로) 어떤 사실을 서술하거나 질문, 명령, 권유함을 나타내는 종결 어미.

apakah, apa, ~saja, silakan

(dalam bentuk hormat) kata penutup final yang mengungkapkan suatu kenyataan atau menyatakan pertanyaan, perintah, atau ajakan <penjabaran>

달콤하다 (adjektiva) : 맛이나 냄새가 기분 좋게 달다.

manis

rasa, wangi manis yang membuat perasaan senang

-여 : (두루낮춤으로) 어떤 사실을 서술하거나 물음, 명령, 권유를 나타내는 종결 어미.

-kah, -lah

(dalam bentuk rendah) akhiran penutup untuk menyatakan suatu kenyataan atau menandai pertanyaan, perintah, dan ajakan <penjabaran>

새콤하다 (adjektiva) : 맛이 조금 시면서 상큼하다.

asam, kecut

rasanya sedikit asam dan segar

-여 : (두루낮춤으로) 어떤 사실을 서술하거나 물음, 명령, 권유를 나타내는 종결 어미.

-kah, -lah

(dalam bentuk rendah) akhiran penutup untuk menyatakan suatu kenyataan atau menandai pertanyaan, perintah, dan ajakan <penjabaran>

맛있+는 과일 과일 과일.

맛있다 (adjektiva) : 맛이 좋다.

enak, lezat

rasanya enak

-는 : 앞의 말이 관형어의 기능을 하게 만들고 사건이나 동작이 현재 일어남을 나타내는 어미.

yang

akhiran untuk membuat kata di depannya berfungsi sebagai pewatas dan menyatakan kejadian atau tindakan terjadi sekarang

과일 (nomina) : 사과, 배, 포도, 밤 등과 같이 나뭇가지나 줄기에 열리는 먹을 수 있는 열매.

buah

buah-buahan yang dapat dimakan seperti apel, pir, anggur, chestnut, dsb

아삭아삭 과일 과일.

아삭아삭 (adverbia) : 연하고 싱싱한 과일이나 채소를 베어 물 때 나는 소리.
Tiada Penjelasan Arti
suara yang dikeluarkan ketika menggigit atau menggunyah buah atau sayuran yang sangat segar

과일 (nomina) : 사과, 배, 포도, 밤 등과 같이 나뭇가지나 줄기에 열리는 먹을 수 있는 열매.
buah
buah-buahan yang dapat dimakan seperti apel, pir, anggur, chestnut, dsb

먹+[고 싶]+어, 과일 과일.

먹다 (verba) : 음식 등을 입을 통하여 배 속에 들여보내다.
makan
memasukkan makanan ke dalam mulut lalu menelannya

-고 싶다 : 앞의 말이 나타내는 행동을 하기를 원함을 나타내는 표현.
ingin, mau
ungkapan yang menyatakan bahwa pembicara ingin melakukan tindakan yang disebut dalam kalimat di depan

-어 : (두루낮춤으로) 어떤 사실을 서술하거나 물음, 명령, 권유를 나타내는 종결 어미.
-kah, -lah
(dalam bentuk rendah) akhiran penutup untuk menyatakan suatu kenyataan atau menandai pertanyaan, perintah, dan ajakan <penjabaran>

과일 (nomina) : 사과, 배, 포도, 밤 등과 같이 나뭇가지나 줄기에 열리는 먹을 수 있는 열매.
buah
buah-buahan yang dapat dimakan seperti apel, pir, anggur, chestnut, dsb

맛있+는 과일 과일 과일.

맛있다 (adjektiva) : 맛이 좋다.
enak, lezat
rasanya enak

-는 : 앞의 말이 관형어의 기능을 하게 만들고 사건이나 동작이 현재 일어남을 나타내는 어미.
yang
akhiran untuk membuat kata di depannya berfungsi sebagai pewatas dan menyatakan kejadian atau tindakan terjadi sekarang

과일 (nomina) : 사과, 배, 포도, 밤 등과 같이 나뭇가지나 줄기에 열리는 먹을 수 있는 열매.
buah

buah-buahan yang dapat dimakan seperti apel, pir, anggur, chestnut, dsb

아삭아삭 과일 과일.

아삭아삭 (adverbia) : 연하고 싱싱한 과일이나 채소를 베어 물 때 나는 소리.
Tiada Penjelasan Arti

suara yang dikeluarkan ketika menggigit atau menggunyah buah atau sayuran yang sangat segar

과일 (nomina) : 사과, 배, 포도, 밤 등과 같이 나뭇가지나 줄기에 열리는 먹을 수 있는 열매.
buah

buah-buahan yang dapat dimakan seperti apel, pir, anggur, chestnut, dsb

먹+[고 싶]+어, 과일 과일.

먹다 (verba) : 음식 등을 입을 통하여 배 속에 들여보내다.
makan

memasukkan makanan ke dalam mulut lalu menelannya

-고 싶다 : 앞의 말이 나타내는 행동을 하기를 원함을 나타내는 표현.
ingin, mau

ungkapan yang menyatakan bahwa pembicara ingin melakukan tindakan yang disebut dalam kalimat di depan

-어 : (두루낮춤으로) 어떤 사실을 서술하거나 물음, 명령, 권유를 나타내는 종결 어미.
-kah, -lah

(dalam bentuk rendah) akhiran penutup untuk menyatakan suatu kenyataan atau menandai pertanyaan, perintah, dan ajakan <penjabaran>

과일 (nomina) : 사과, 배, 포도, 밤 등과 같이 나뭇가지나 줄기에 열리는 먹을 수 있는 열매.
buah

buah-buahan yang dapat dimakan seperti apel, pir, anggur, chestnut, dsb

먹+[고 싶]+어, 과일 과일.

먹다 (verba) : 음식 등을 입을 통하여 배 속에 들여보내다.
makan
memasukkan makanan ke dalam mulut lalu menelannya

-고 싶다 : 앞의 말이 나타내는 행동을 하기를 원함을 나타내는 표현.
ingin, mau
ungkapan yang menyatakan bahwa pembicara ingin melakukan tindakan yang disebut dalam kalimat di depan

-어 : (두루낮춤으로) 어떤 사실을 서술하거나 물음, 명령, 권유를 나타내는 종결 어미.
-kah, -lah
(dalam bentuk rendah) akhiran penutup untuk menyatakan suatu kenyataan atau menandai pertanyaan, perintah, dan ajakan **<penjabaran>**

과일 (nomina) : 사과, 배, 포도, 밤 등과 같이 나뭇가지나 줄기에 열리는 먹을 수 있는 열매.
buah
buah-buahan yang dapat dimakan seperti apel, pir, anggur, chestnut, dsb

< 3 >

신체송

신체(tubuh, jasmani) 송(lagu)

[발음(pelafalan)]

< 1 절(bait) >

머리, 어깨, 무릎, 발, 무릎, 발, 머리, 어깨, 무릎, 발, 무릎, 발
머리, 어깨, 무릅, 발, 무릅, 발, 머리, 어깨, 무릅, 발, 무릅, 발
meori, eokkae, mureup, bal, mureup, bal, meori, eokkae, mureup, bal, mureup, bal

머리, 어깨, 무릎, 발, 머리, 어깨, 무릎, 발
머리, 어깨, 무릅, 발, 머리, 어깨, 무릅, 발
meori, eokkae, mureup, bal, meori, eokkae, mureup, bal

머리, 어깨, 무릎, 발, 머리, 어깨, 무릎, 발
머리, 어깨, 무릅, 발, 머리, 어깨, 무릅, 발
meori, eokkae, mureup, bal, meori, eokkae, mureup, bal

머리, 머리, 머리카락
머리, 머리, 머리카락
meori, meori, meorikarak

얼굴, 얼굴, 얼굴, 이마
얼굴, 얼굴, 얼굴, 이마
eolgul, eolgul, eolgul, ima

눈, 코, 입, 귀, 눈, 코, 입, 귀
눈, 코, 입, 귀, 눈, 코, 입, 귀
nun, ko, ip, gwi, nun, ko, ip, gwi

머리, 머리, 머리카락
머리, 머리, 머리카락
meori, meori, meorikarak

얼굴, 얼굴, 얼굴, 이마
얼굴, 얼굴, 얼굴, 이마
eolgul, eolgul, eolgul, ima

눈, 코, 입, 귀, 눈, 코, 입, 귀
눈, 코, 입, 귀, 눈, 코, 입, 귀
nun, ko, ip, gwi, nun, ko, ip, gwi

신나게 흔들어요
신나게 흔드러요
sinnage heundeureoyo

다 함께 춤을 춰요

다 함께 추믈 춰요

da hamkke chumeul chwoyo

즐겁게 흔들어요

즐겁께 흔드러요

jeulgeopge heundeureoyo

우리 모두 춤을 춰요

우리 모두 추믈 춰요

uri modu chumeul chwoyo

< 2 절(bait) >

머리, 어깨, 무릎, 발, 무릎, 발, 머리, 어깨, 무릎, 발, 무릎, 발

머리, 어깨, 무릎, 발, 무릎, 발, 머리, 어깨, 무릎, 발, 무릎, 발

meori, eokkae, mureup, bal, mureup, bal, meori, eokkae, mureup, bal, mureup, bal

머리, 어깨, 무릎, 발, 머리, 어깨, 무릎, 발

머리, 어깨, 무릎, 발, 머리, 어깨, 무릎, 발

meori, eokkae, mureup, bal, meori, eokkae, mureup, bal

팔, 팔, 팔, 손

팔, 팔, 팔, 손

pal, pal, pal, son

다리, 다리, 다리, 발

다리, 다리, 다리, 발

dari, dari, dari, bal

가슴, 허리, 엉덩이, 가슴, 허리, 엉덩이

가슴, 허리, 엉덩이, 가슴, 허리, 엉덩이

gaseum, heori, eongdeongi, gaseum, heori, eongdeongi

팔, 팔, 팔, 손

팔, 팔, 팔, 손

pal, pal, pal, son

다리, 다리, 다리, 발

다리, 다리, 다리, 발

dari, dari, dari, bal

가슴, 허리, 엉덩이, 가슴, 허리, 엉덩이

가슴, 허리, 엉덩이, 가슴, 허리, 엉덩이

gaseum, heori, eongdeongi, gaseum, heori, eongdeongi

신나게 흔들어요
신나게 흔드러요
sinnage heundeureoyo

다 함께 춤을 춰요
다 함께 추믈 춰요
da hamkke chumeul chwoyo

즐겁게 흔들어요
즐겁께 흔드러요
jeulgeopge heundeureoyo

우리 모두 춤을 춰요
우리 모두 추믈 춰요
uri modu chumeul chwoyo

< 3 절(bait) >

머리, 어깨, 무릎, 발, 무릎, 발, 머리, 어깨, 무릎, 발, 무릎, 발
머리, 어깨, 무릅, 발, 무릅, 발, 머리, 어깨, 무릅, 발, 무릅, 발
meori, eokkae, mureup, bal, mureup, bal, meori, eokkae, mureup, bal, mureup, bal

머리, 어깨, 무릎, 발, 머리, 어깨, 무릎, 발
머리, 어깨, 무릅, 발, 머리, 어깨, 무릅, 발
meori, eokkae, mureup, bal, meori, eokkae, mureup, bal

< 1 절(bait) >

머리, 어깨, 무릎, 발, 무릎, 발, 머리, 어깨, 무릎, 발, 무릎, 발

머리 (nomina) : 사람이나 동물의 몸에서 얼굴과 머리털이 있는 부분을 모두 포함한 목 위의 부분.
kepala
bagian mulai dari atas leher termasuk seluruh bagian yang ada wajah dan bulu di tubuh orang atau binatang

어깨 (nomina) : 목의 아래 끝에서 팔의 위 끝에 이르는 몸의 부분.
bahu, pundak
bagian tubuh mulai dari ujung bawah leher sampai ujung lengan

무릎 (nomina) : 허벅지와 종아리 사이에 앞쪽으로 둥글게 튀어나온 부분.
lutut, dengkul
bagian yang bulat menonjol ke depan di antara betis dan paha

발 (nomina) : 사람이나 동물의 다리 맨 끝부분.
kaki
bagian paling ujung dari kaki manusia atau binatang

머리, 어깨, 무릎, 발, 머리, 어깨, 무릎, 발

머리 (nomina) : 사람이나 동물의 몸에서 얼굴과 머리털이 있는 부분을 모두 포함한 목 위의 부분.
kepala
bagian mulai dari atas leher termasuk seluruh bagian yang ada wajah dan bulu di tubuh orang atau binatang

어깨 (nomina) : 목의 아래 끝에서 팔의 위 끝에 이르는 몸의 부분.
bahu, pundak
bagian tubuh mulai dari ujung bawah leher sampai ujung lengan

무릎 (nomina) : 허벅지와 종아리 사이에 앞쪽으로 둥글게 튀어나온 부분.
lutut, dengkul
bagian yang bulat menonjol ke depan di antara betis dan paha

발 (nomina) : 사람이나 동물의 다리 맨 끝부분.
kaki
bagian paling ujung dari kaki manusia atau binatang

머리, 어깨, 무릎, 발, 머리, 어깨, 무릎, 발

머리 (nomina) : 사람이나 동물의 몸에서 얼굴과 머리털이 있는 부분을 모두 포함한 목 위의 부분.
kepala
bagian mulai dari atas leher termasuk seluruh bagian yang ada wajah dan bulu di tubuh orang atau binatang

어깨 (nomina) : 목의 아래 끝에서 팔의 위 끝에 이르는 몸의 부분.
bahu, pundak
bagian tubuh mulai dari ujung bawah leher sampai ujung lengan

무릎 (nomina) : 허벅지와 종아리 사이에 앞쪽으로 둥글게 튀어나온 부분.
lutut, dengkul
bagian yang bulat menonjol ke depan di antara betis dan paha

발 (nomina) : 사람이나 동물의 다리 맨 끝부분.
kaki
bagian paling ujung dari kaki manusia atau binatang

머리, 머리, 머리카락

머리 (nomina) : 사람이나 동물의 몸에서 얼굴과 머리털이 있는 부분을 모두 포함한 목 위의 부분.
kepala
bagian mulai dari atas leher termasuk seluruh bagian yang ada wajah dan bulu di tubuh orang atau binatang

머리카락 (nomina) : 머리털 하나하나.
rambut
helai-helai rambut

얼굴, 얼굴, 얼굴, 이마

얼굴 (nomina) : 눈, 코, 입이 있는 머리의 앞쪽 부분.
wajah, muka
bagian depan dari kepala yang terdapat mata, hidung, dan mulut

이마 (nomina) : 얼굴의 눈썹 위부터 머리카락이 난 아래까지의 부분.
dahi
bagian wajah yang dimulai dari atas alis hingga bagian bawah tempat tumbuhnya rambut

눈, 코, 입, 귀, 눈, 코, 입, 귀

눈 (nomina) : 사람이나 동물의 얼굴에 있으며 빛의 자극을 받아 물체를 볼 수 있는 감각 기관.
mata
indera penglihatan yang ada di wajah orang atau binatang lalu bisa melihat benda setelah mendapat rangsangan cahaya

코 (nomina) : 숨을 쉬고 냄새를 맡는 몸의 한 부분.
hidung
anggota tubuh yang berfungsi untuk mencium bau dan bernapas

입 (nomina) : 음식을 먹고 소리를 내는 기관으로 입술에서 목구멍까지의 부분.
mulut
bagian dari bibir sampai pada kerongkongan yang merupakan organ untuk makan dan mengeluarkan suara

귀 (nomina) : 사람이나 동물의 머리 양옆에 있어 소리를 듣는 몸의 한 부분.
telinga, kuping
bagian tubuh manusia atau binatang yang berada di kedua sisi kepala yang berfungsi sebagai alat pendengaran

머리, 머리, 머리카락

머리 (nomina) : 사람이나 동물의 몸에서 얼굴과 머리털이 있는 부분을 모두 포함한 목 위의 부분.
kepala
bagian mulai dari atas leher termasuk seluruh bagian yang ada wajah dan bulu di tubuh orang atau binatang

머리카락 (nomina) : 머리털 하나하나.
rambut
helai-helai rambut

얼굴, 얼굴, 얼굴, 이마

얼굴 (nomina) : 눈, 코, 입이 있는 머리의 앞쪽 부분.
wajah, muka
bagian depan dari kepala yang terdapat mata, hidung, dan mulut

이마 (nomina) : 얼굴의 눈썹 위부터 머리카락이 난 아래까지의 부분.
dahi
bagian wajah yang dimulai dari atas alis hingga bagian bawah tempat tumbuhnya rambut

눈, 코, 입, 귀, 눈, 코, 입, 귀

눈 (nomina) : 사람이나 동물의 얼굴에 있으며 빛의 자극을 받아 물체를 볼 수 있는 감각 기관.
mata
indera penglihatan yang ada di wajah orang atau binatang lalu bisa melihat benda setelah mendapat rangsangan cahaya

코 (nomina) : 숨을 쉬고 냄새를 맡는 몸의 한 부분.
hidung
anggota tubuh yang berfungsi untuk mencium bau dan bernapas

입 (nomina) : 음식을 먹고 소리를 내는 기관으로 입술에서 목구멍까지의 부분.
mulut
bagian dari bibir sampai pada kerongkongan yang merupakan organ untuk makan dan mengeluarkan suara

귀 (nomina) : 사람이나 동물의 머리 양옆에 있어 소리를 듣는 몸의 한 부분.
telinga, kuping
bagian tubuh manusia atau binatang yang berada di kedua sisi kepala yang berfungsi sebagai alat pendengaran

신나+게 흔들+어요.

신나다 (verba) : 흥이 나고 기분이 아주 좋아지다.
gembira, riang, senang
merasa riang dan sangat senang

-게 : 앞의 말이 뒤에서 가리키는 일의 목적이나 결과, 방식, 정도 등이 됨을 나타내는 연결 어미.
dengan
kata penutup sambung yang menyatakan isi kalimat di depan dibutuhkan sementara kalimat di belakang terus dilanjutkan(formal, kedudukan penerima sangat rendah) <cara>

흔들다 (verba) : 무엇을 좌우, 앞뒤로 자꾸 움직이게 하다.
menggoyang
membuat sesuatu sering kali bergerak ke kanan ke kiri, ke depan ke belakang

-어요 : (두루높임으로) 어떤 사실을 서술하거나 질문, 명령, 권유함을 나타내는 종결 어미.

apakah, apa, ~saja, silakan

(dalam bentuk hormat) kata penutup final yang mengungkapkan suatu kenyataan atau menyatakan pertanyaan, perintah, atau ajakan <perintah>

다 함께 춤+을 추+어요.
춰요

다 (adverbia) : 남거나 빠진 것이 없이 모두.

semua, semuanya, seluruhnya

semua tanpa ada yang tersisa atau terlewat

함께 (adverbia) : 여럿이서 한꺼번에 같이.

bersama, bersama-sama, bareng-bareng

beberapa bersama-sama dalam satu kali

춤 (nomina) : 음악이나 규칙적인 박자에 맞춰 몸을 움직이는 것.

tari, tarian, dansa

gerakan tubuh yang mengikuti irama yang teratur atau iringan musik

을 : 서술어의 명사형 목적어임을 나타내는 조사.

Tiada Penjelasan Arti

partikel yang menyatakan objek berkata benda dari suatu predikat

추다 (verba) : 춤 동작을 하다.

menari

melakukan gerakan tarian

-어요 : (두루높임으로) 어떤 사실을 서술하거나 질문, 명령, 권유함을 나타내는 종결 어미.

apakah, apa, ~saja, silakan

(dalam bentuk hormat) kata penutup final yang mengungkapkan suatu kenyataan atau menyatakan pertanyaan, perintah, atau ajakan <perintah>

즐겁+게 흔들+어요.

즐겁다 (adjektiva) : 마음에 들어 흐뭇하고 기쁘다.

menyenangkan

berkenan di hati sehingga merasa puas dan gembira

-게 : 앞의 말이 뒤에서 가리키는 일의 목적이나 결과, 방식, 정도 등이 됨을 나타내는 연결 어미.

dengan

kata penutup sambung yang menyatakan isi kalimat di depan dibutuhkan sementara kalimat di belakang terus dilanjutkan(formal, kedudukan penerima sangat rendah) <cara>

흔들다 (verba) : 무엇을 좌우, 앞뒤로 자꾸 움직이게 하다.

menggoyang

membuat sesuatu sering kali bergerak ke kanan ke kiri, ke depan ke belakang

-어요 : (두루높임으로) 어떤 사실을 서술하거나 질문, 명령, 권유함을 나타내는 종결 어미.

apakah, apa, ~saja, silakan

(dalam bentuk hormat) kata penutup final yang mengungkapkan suatu kenyataan atau menyatakan pertanyaan, perintah, atau ajakan <perintah>

우리 모두 춤+을 추+어요.
춰요

우리 (pronomina) : 말하는 사람이 자기와 듣는 사람 또는 이를 포함한 여러 사람들을 가리키는 말.

kita

kata untuk menyebutkan beberapa orang termasuk yang berbicara dan yang mendengar

모두 (adverbia) : 빠짐없이 다.

semua, seluruhnya

semua tanpa terkecuali

춤 (nomina) : 음악이나 규칙적인 박자에 맞춰 몸을 움직이는 것

tari, tarian, dansa

gerakan tubuh yang mengikuti irama yang teratur atau iringan musik

을 : 서술어의 명사형 목적어임을 나타내는 조사.

Tiada Penjelasan Arti

partikel yang menyatakan objek berkata benda dari suatu predikat

추다 (verba) : 춤 동작을 하다.

menari

melakukan gerakan tarian

-어요 : (두루높임으로) 어떤 사실을 서술하거나 질문, 명령, 권유함을 나타내는 종결 어미.

apakah, apa, ~saja, silakan

(dalam bentuk hormat) kata penutup final yang mengungkapkan suatu kenyataan atau menyatakan pertanyaan, perintah, atau ajakan <perintah>

< 2 절(bait) >

머리, 어깨, 무릎, 발, 무릎, 발, 머리, 어깨, 무릎, 발, 무릎, 발

머리 (nomina) : 사람이나 동물의 몸에서 얼굴과 머리털이 있는 부분을 모두 포함한 목 위의 부분.
kepala
bagian mulai dari atas leher termasuk seluruh bagian yang ada wajah dan bulu di tubuh orang atau binatang

어깨 (nomina) : 목의 아래 끝에서 팔의 위 끝에 이르는 몸의 부분.
bahu, pundak
bagian tubuh mulai dari ujung bawah leher sampai ujung lengan

무릎 (nomina) : 허벅지와 종아리 사이에 앞쪽으로 둥글게 튀어나온 부분.
lutut, dengkul
bagian yang bulat menonjol ke depan di antara betis dan paha

발 (nomina) : 사람이나 동물의 다리 맨 끝부분.
kaki
bagian paling ujung dari kaki manusia atau binatang

머리, 어깨, 무릎, 발, 머리, 어깨, 무릎, 발

머리 (nomina) : 사람이나 동물의 몸에서 얼굴과 머리털이 있는 부분을 모두 포함한 목 위의 부분.
kepala
bagian mulai dari atas leher termasuk seluruh bagian yang ada wajah dan bulu di tubuh orang atau binatang

어깨 (nomina) : 목의 아래 끝에서 팔의 위 끝에 이르는 몸의 부분.
bahu, pundak
bagian tubuh mulai dari ujung bawah leher sampai ujung lengan

무릎 (nomina) : 허벅지와 종아리 사이에 앞쪽으로 둥글게 튀어나온 부분.
lutut, dengkul
bagian yang bulat menonjol ke depan di antara betis dan paha

발 (nomina) : 사람이나 동물의 다리 맨 끝부분.
kaki
bagian paling ujung dari kaki manusia atau binatang

머리, 어깨, 무릎, 발, 머리, 어깨, 무릎, 발

머리 (nomina) : 사람이나 동물의 몸에서 얼굴과 머리털이 있는 부분을 모두 포함한 목 위의 부분.
kepala
bagian mulai dari atas leher termasuk seluruh bagian yang ada wajah dan bulu di tubuh orang atau binatang

어깨 (nomina) : 목의 아래 끝에서 팔의 위 끝에 이르는 몸의 부분.
bahu, pundak
bagian tubuh mulai dari ujung bawah leher sampai ujung lengan

무릎 (nomina) : 허벅지와 종아리 사이에 앞쪽으로 둥글게 튀어나온 부분.
lutut, dengkul
bagian yang bulat menonjol ke depan di antara betis dan paha

발 (nomina) : 사람이나 동물의 다리 맨 끝부분.
kaki
bagian paling ujung dari kaki manusia atau binatang

팔, 팔, 팔, 손

팔 (nomina) : 어깨에서 손목까지의 신체 부위.
lengan
bagian tubuh dimulai dari pundak hingga pergelangan tangan

손 (nomina) : 팔목 끝에 있으며 무엇을 만지거나 잡을 때 쓰는 몸의 부분.
tangan
bagian tubuh yang berada di ujung lengan, digunakan untuk menyentuh, menggenggam sesuatu

다리, 다리, 다리, 발

다리 (nomina) : 사람이나 동물의 몸통 아래에 붙어, 서고 걷고 뛰는 일을 하는 신체 부위.
kaki
bagian tubuh yang menempel di bagian bawah badan manusia atau binatang, untuk melakukan pekerjaan seperti berdiri, berjalan, berlari

발 (nomina) : 사람이나 동물의 다리 맨 끝부분.
kaki
bagian paling ujung dari kaki manusia atau binatang

가슴, 허리, 엉덩이, 가슴, 허리, 엉덩이

가슴 (nomina) : 인간이나 동물의 목과 배 사이에 있는 몸의 앞 부분.
dada
bagian depan tubuh manusia atau hewan yang berada di antara leher dan perut

허리 (nomina) : 사람이나 동물의 신체에서 갈비뼈 아래에서 엉덩이뼈까지의 부분.
pinggang
bagian tubuh orang atau manusia yang terletak dari tulang rusuk sampai tulang pantat

엉덩이 (nomina) : 허리와 허벅지 사이의 부분으로 앉았을 때 바닥에 닿는, 살이 많은 부위.
pantat, bokong
bagian berdaging tebal di antara pinggang dan paha yang pada saat duduk menjadi dasar yang mengenai alas duduk

팔, 팔, 팔, 손

팔 (nomina) : 어깨에서 손목까지의 신체 부위.
lengan
bagian tubuh dimulai dari pundak hingga pergelangan tangan

손 (nomina) : 팔목 끝에 있으며 무엇을 만지거나 잡을 때 쓰는 몸의 부분.
tangan
bagian tubuh yang berada di ujung lengan, digunakan untuk menyentuh, menggenggam sesuatu

다리, 다리, 다리, 발

다리 (nomina) : 사람이나 동물의 몸통 아래에 붙어, 서고 걷고 뛰는 일을 하는 신체 부위.
kaki
bagian tubuh yang menempel di bagian bawah badan manusia atau binatang, untuk melakukan pekerjaan seperti berdiri, berjalan, berlari

발 (nomina) : 사람이나 동물의 다리 맨 끝부분.
kaki
bagian paling ujung dari kaki manusia atau binatang

가슴, 허리, 엉덩이, 가슴, 허리, 엉덩이

가슴 (nomina) : 인간이나 동물의 목과 배 사이에 있는 몸의 앞 부분.
dada
bagian depan tubuh manusia atau hewan yang berada di antara leher dan perut

허리 (nomina) : 사람이나 동물의 신체에서 갈비뼈 아래에서 엉덩이뼈까지의 부분.
pinggang
bagian tubuh orang atau manusia yang terletak dari tulang rusuk sampai tulang pantat

엉덩이 (nomina) : 허리와 허벅지 사이의 부분으로 앉았을 때 바닥에 닿는, 살이 많은 부위.
pantat, bokong
bagian berdaging tebal di antara pinggang dan paha yang pada saat duduk menjadi dasar yang mengenai alas duduk

신나+게 흔들+어요.

신나다 (verba) : 흥이 나고 기분이 아주 좋아지다.
gembira, riang, senang
merasa riang dan sangat senang

-게 : 앞의 말이 뒤에서 가리키는 일의 목적이나 결과, 방식, 정도 등이 됨을 나타내는 연결 어미.
dengan
kata penutup sambung yang menyatakan isi kalimat di depan dibutuhkan sementara kalimat di belakang terus dilanjutkan(formal, kedudukan penerima sangat rendah) <cara>

흔들다 (verba) : 무엇을 좌우, 앞뒤로 자꾸 움직이게 하다.
menggoyang
membuat sesuatu sering kali bergerak ke kanan ke kiri, ke depan ke belakang

-어요 : (두루높임으로) 어떤 사실을 서술하거나 질문, 명령, 권유함을 나타내는 종결 어미.

apakah, apa, ~saja, silakan

(dalam bentuk hormat) kata penutup final yang mengungkapkan suatu kenyataan atau menyatakan pertanyaan, perintah, atau ajakan <perintah>

다 함께 춤+을 추+어요.
춰요

다 (adverbia) : 남거나 빠진 것이 없이 모두.

semua, semuanya, seluruhnya

semua tanpa ada yang tersisa atau terlewat

함께 (adverbia) : 여럿이서 한꺼번에 같이.

bersama, bersama-sama, bareng-bareng

beberapa bersama-sama dalam satu kali

춤 (nomina) : 음악이나 규칙적인 박자에 맞춰 몸을 움직이는 것.

tari, tarian, dansa

gerakan tubuh yang mengikuti irama yang teratur atau iringan musik

을 : 서술어의 명사형 목적어임을 나타내는 조사.

Tiada Penjelasan Arti

partikel yang menyatakan objek berkata benda dari suatu predikat

추다 (verba) : 춤 동작을 하다.

menari

melakukan gerakan tarian

-어요 : (두루높임으로) 어떤 사실을 서술하거나 질문, 명령, 권유함을 나타내는 종결 어미.

apakah, apa, ~saja, silakan

(dalam bentuk hormat) kata penutup final yang mengungkapkan suatu kenyataan atau menyatakan pertanyaan, perintah, atau ajakan <perintah>

즐겁+게 흔들+어요.

즐겁다 (adjektiva) : 마음에 들어 흐뭇하고 기쁘다.

menyenangkan

berkenan di hati sehingga merasa puas dan gembira

-게 : 앞의 말이 뒤에서 가리키는 일의 목적이나 결과, 방식, 정도 등이 됨을 나타내는 연결 어미.

dengan

kata penutup sambung yang menyatakan isi kalimat di depan dibutuhkan sementara kalimat di belakang terus dilanjutkan(formal, kedudukan penerima sangat rendah) <cara>

흔들다 (verba) : 무엇을 좌우, 앞뒤로 자꾸 움직이게 하다.

menggoyang

membuat sesuatu sering kali bergerak ke kanan ke kiri, ke depan ke belakang

-어요 : (두루높임으로) 어떤 사실을 서술하거나 질문, 명령, 권유함을 나타내는 종결 어미.

apakah, apa, ~saja, silakan

(dalam bentuk hormat) kata penutup final yang mengungkapkan suatu kenyataan atau menyatakan pertanyaan, perintah, atau ajakan <perintah>

우리 모두 춤+을 추+어요.
춰요

우리 (pronomina) : 말하는 사람이 자기와 듣는 사람 또는 이를 포함한 여러 사람들을 가리키는 말.

kita

kata untuk menyebutkan beberapa orang termasuk yang berbicara dan yang mendengar

모두 (adverbia) : 빠짐없이 다.

semua, seluruhnya

semua tanpa terkecuali

춤 (nomina) : 음악이나 규칙적인 박자에 맞춰 몸을 움직이는 거

tari, tarian, dansa

gerakan tubuh yang mengikuti irama yang teratur atau iringan musik

을 : 서술어의 명사형 목적어임을 나타내는 조사.

Tiada Penjelasan Arti

partikel yang menyatakan objek berkata benda dari suatu predikat

추다 (verba) : 춤 동작을 하다.

menari

melakukan gerakan tarian

-어요 : (두루높임으로) 어떤 사실을 서술하거나 질문, 명령, 권유함을 나타내는 종결 어미.

apakah, apa, ~saja, silakan

(dalam bentuk hormat) kata penutup final yang mengungkapkan suatu kenyataan atau menyatakan pertanyaan, perintah, atau ajakan <perintah>

< 3 절(bait) >

머리, 어깨, 무릎, 발, 무릎, 발, 머리, 어깨, 무릎, 발, 무릎, 발

머리 (nomina) : 사람이나 동물의 몸에서 얼굴과 머리털이 있는 부분을 모두 포함한 목 위의 부분.
kepala
bagian mulai dari atas leher termasuk seluruh bagian yang ada wajah dan bulu di tubuh orang atau binatang

어깨 (nomina) : 목의 아래 끝에서 팔의 위 끝에 이르는 몸의 부분.
bahu, pundak
bagian tubuh mulai dari ujung bawah leher sampai ujung lengan

무릎 (nomina) : 허벅지와 종아리 사이에 앞쪽으로 둥글게 튀어나온 부분.
lutut, dengkul
bagian yang bulat menonjol ke depan di antara betis dan paha

발 (nomina) : 사람이나 동물의 다리 맨 끝부분.
kaki
bagian paling ujung dari kaki manusia atau binatang

머리, 어깨, 무릎, 발, 머리, 어깨, 무릎, 발

머리 (nomina) : 사람이나 동물의 몸에서 얼굴과 머리털이 있는 부분을 모두 포함한 목 위의 부분.
kepala
bagian mulai dari atas leher termasuk seluruh bagian yang ada wajah dan bulu di tubuh orang atau binatang

어깨 (nomina) : 목의 아래 끝에서 팔의 위 끝에 이르는 몸의 부분.
bahu, pundak
bagian tubuh mulai dari ujung bawah leher sampai ujung lengan

무릎 (nomina) : 허벅지와 종아리 사이에 앞쪽으로 둥글게 튀어나온 부분.
lutut, dengkul
bagian yang bulat menonjol ke depan di antara betis dan paha

발 (nomina) : 사람이나 동물의 다리 맨 끝부분.
kaki
bagian paling ujung dari kaki manusia atau binatang

머리, 어깨, 무릎, 발, 머리, 어깨, 무릎, 발

머리 (nomina) : 사람이나 동물의 몸에서 얼굴과 머리털이 있는 부분을 모두 포함한 목 위의 부분.
kepala
bagian mulai dari atas leher termasuk seluruh bagian yang ada wajah dan bulu di tubuh orang atau binatang

어깨 (nomina) : 목의 아래 끝에서 팔의 위 끝에 이르는 몸의 부분.
bahu, pundak
bagian tubuh mulai dari ujung bawah leher sampai ujung lengan

무릎 (nomina) : 허벅지와 종아리 사이에 앞쪽으로 둥글게 튀어나온 부분.
lutut, dengkul
bagian yang bulat menonjol ke depan di antara betis dan paha

발 (nomina) : 사람이나 동물의 다리 맨 끝부분.
kaki
bagian paling ujung dari kaki manusia atau binatang

< 4 >

어때요?

나 어때요?
(Bagaimana penampilanku?)

[발음(pelafalan)]

< 1 절(bait) >

청바지 입었는데 어때요?
청바지 이번는데 어때요?
cheongbaji ibeonneunde eottaeyo?

치마 입었는데 어때요?
치마 이번는데 어때요?
chima ibeonneunde eottaeyo?

반바지는?
반바지는?
banbajineun?

원피스는?
원피스는?
wonpiseuneun?

어때요? 어때요? 어때요? 어때요? 어때요?
어때요? 어때요? 어때요? 어때요? 어때요?
eottaeyo? eottaeyo? eottaeyo? eottaeyo? eottaeyo?

머리 묶었는데 어때요?
머리 무꺼느데 어때요?
meori mukkeonneunde eottaeyo?

머리 풀었는데 어때요?
머리 푸런는데 어때요?
meori pureonneunde eottaeyo?

긴 머리는?
긴 머리는?
gin meorineun?

짧은 머리는?
짤븐 머리는?
jjalbeun meorineun?

어때요? 어때요? 어때요? 어때요? 어때요?
어때요? 어때요? 어때요? 어때요? 어때요?
eottaeyo? eottaeyo? eottaeyo? eottaeyo? eottaeyo?

제 눈과 코와 입술이 얼마나 예뻐 보이나요?
제 눈과 코와 입쑤리 얼마나 예뻐 보이나요?
je nungwa kowa ipsuri eolmana yeppeo boinayo?

나 어때요?
나 어때요?
na eottaeyo?

나 예뻐요?
나 예뻐요?
na yeppeoyo?

어때요? 어때요? 어때요? 어때요? 어때요?
어때요? 어때요? 어때요? 어때요? 어때요?
eottaeyo? eottaeyo? eottaeyo? eottaeyo? eottaeyo?

< 2 절(bait) >

운동화 신었는데 어때요?
운동화 시넌는데 어때요?
undonghwa sineonneunde eottaeyo?

구두 신었는데 어때요?
구두 시넌는데 어때요?
gudu sineonneunde eottaeyo?

검은색은?
거믄새근?
geomeunsaegeun?

흰색은?
힌새근?
hinsaegeun?

어때요? 어때요? 어때요? 어때요? 어때요?
어때요? 어때요? 어때요? 어때요? 어때요?
eottaeyo? eottaeyo? eottaeyo? eottaeyo? eottaeyo?

목걸이 찼는데 어때요?
목꺼리 찬는데 어때요?
mokgeori channeunde eottaeyo?

반지 끼었는데 어때요?
반지 끼언는데 어때요?
banji kkieonneunde eottaeyo?

귀걸이는?
귀거리는?
gwigeorineun?

팔찌는?
팔찌는?
paljjineun?

어때요? 어때요? 어때요? 어때요? 어때요?
어때요? 어때요? 어때요? 어때요? 어때요?
eottaeyo? eottaeyo? eottaeyo? eottaeyo? eottaeyo?

제 눈과 코와 입술이 얼마나 예뻐 보이나요?
제 눈과 코와 입쑤리 얼마나 예뻐 보이나요?
je nungwa kowa ipsuri eolmana yeppeo boinayo?

나 어때요?
나 어때요?
na eottaeyo?

나 예뻐요?
나 예뻐요?
na yeppeoyo?

어때요? 어때요? 어때요? 어때요? 어때요?
어때요? 어때요? 어때요? 어때요? 어때요?
eottaeyo? eottaeyo? eottaeyo? eottaeyo? eottaeyo?

< 1 절(bait) >

청바지 입+었+는데 <u>어떻+어요</u>?
어때요

청바지 (nomina) : 질긴 무명으로 만든 푸른색 바지.
celana jeans
celana berwarna biru yang dibuat dengan bahan denim

입다 (verba) : 옷을 몸에 걸치거나 두르다.
memakai, mengenakan
memakai pakaian ke badan

-었- : 어떤 사건이 과거에 완료되었거나 그 사건의 결과가 현재까지 지속되는 상황을 나타내는 어미.
sudah, pasti, yakin
akhiran kalimat yang menyatakan sebuah peristiwa sudah selesai di masa lampau atau menyatakan keadaan di mana hasil peristiwa tersebut terus berlangsung hingga sekarang

-는데 : 뒤의 말을 하기 위하여 그 대상과 관련이 있는 상황을 미리 말함을 나타내는 연결 어미.
sebenarnya, nyatanya
akhiran kalimat penyambung yang menyatakan mengatakan terlebih dahulu keadaan yang berhubungan sebelum mengatakan kalimat yang berhubungan

어떻다 (adjektiva) : 생각, 느낌, 상태, 형편 등이 어찌 되어 있다.
begitu, bagaimana
pikiran, perasaan, situasi, keadaan, dsb berada dalam keadaan entah bagaimana

-어요 : (두루높임으로) 어떤 사실을 서술하거나 질문, 명령, 권유함을 나타내는 종결 어미.
apakah, apa, ~saja, silakan
(dalam bentuk hormat) kata penutup final yang mengungkapkan suatu kenyataan atau menyatakan pertanyaan, perintah, atau ajakan <pertanyaan>

치마 입+었+는데 <u>어떻+어요</u>?
어때요

치마 (nomina) : 여자가 입는 아래 겉옷으로 다리가 들어가도록 된 부분이 없는 옷.
rok
pakaian luar bagian bawah wanita yang tidak tertutup bagian bawahnya yang tidak memiliki bagian yang bisa dimasuki kaki (tidak seperti celana)

입다 (verba) : 옷을 몸에 걸치거나 두르다.
memakai, mengenakan
memakai pakaian ke badan

-었- : 어떤 사건이 과거에 완료되었거나 그 사건의 결과가 현재까지 지속되는 상황을 나타내는 어미.
sudah, pasti, yakin
akhiran kalimat yang menyatakan sebuah peristiwa sudah selesai di masa lampau atau menyatakan keadaan di mana hasil peristiwa tersebut terus berlangsung hingga sekarang

-는데 : 뒤의 말을 하기 위하여 그 대상과 관련이 있는 상황을 미리 말함을 나타내는 연결 어미.
sebenarnya, nyatanya
akhiran kalimat penyambung yang menyatakan mengatakan terlebih dahulu keadaan yang berhubungan sebelum mengatakan kalimat yang berhubungan

어떻다 (adjektiva) : 생각, 느낌, 상태, 형편 등이 어찌 되어 있다.
begitu, bagaimana
pikiran, perasaan, situasi, keadaan, dsb berada dalam keadaan entah bagaimana

-어요 : (두루높임으로) 어떤 사실을 서술하거나 질문, 명령, 권유함을 나타내는 종결 어미.
apakah, apa, ~saja, silakan
(dalam bentuk hormat) kata penutup final yang mengungkapkan suatu kenyataan atau menyatakan pertanyaan, perintah, atau ajakan <pertanyaan>

반바지+는?

반바지 (nomina) : 길이가 무릎 위나 무릎 정도까지 내려오는 짧은 바지.
celana pendek
celana pendek yang panjangnya hingga di atas atau sebatas lutut

는 : 문장 속에서 어떤 대상이 화제임을 나타내는 조사.
Tiada Penjelasan Arti
partikel yang menyatakan suatu subjek dalam kalimat menjadi bahan pembicaraan

원피스+는?

원피스 (nomina) : 윗옷과 치마가 하나로 붙어 있는 여자 겉옷.
one-piece, baju terusan
baju yang atasan dan roknya menempel menjadi satu potong pakaian

는 : 문장 속에서 어떤 대상이 화제임을 나타내는 조사.
Tiada Penjelasan Arti
partikel yang menyatakan suatu subjek dalam kalimat menjadi bahan pembicaraan

어떻+어요?
어때요

어떻다 (adjektiva) : 생각, 느낌, 상태, 형편 등이 어찌 되어 있다.
begitu, bagaimana
pikiran, perasaan, situasi, keadaan, dsb berada dalam keadaan entah bagaimana

-어요 : (두루높임으로) 어떤 사실을 서술하거나 질문, 명령, 권유함을 나타내는 종결 어미.
apakah, apa, ~saja, silakan
(dalam bentuk hormat) kata penutup final yang mengungkapkan suatu kenyataan atau menyatakan pertanyaan, perintah, atau ajakan <pertanyaan>

머리 묶+었+는데 어떻+어요?
어때요

머리 (nomina) : 머리에 난 털.
rambut
bulu yang tumbuh di kepala

묶다 (verba) : 끈 등으로 물건을 잡아매다.
mengikat
menahan dan menjerat barang dengan tali dsb

-었- : 어떤 사건이 과거에 완료되었거나 그 사건의 결과가 현재까지 지속되는 상황을 나타내는 어미.
sudah, pasti, yakin
akhiran kalimat yang menyatakan sebuah peristiwa sudah selesai di masa lampau atau menyatakan keadaan di mana hasil peristiwa tersebut terus berlangsung hingga sekarang

-는데 : 뒤의 말을 하기 위하여 그 대상과 관련이 있는 상황을 미리 말함을 나타내는 연결 어미.
sebenarnya, nyatanya
akhiran kalimat penyambung yang menyatakan mengatakan terlebih dahulu keadaan yang berhubungan sebelum mengatakan kalimat yang berhubungan

어떻다 (adjektiva) : 생각, 느낌, 상태, 형편 등이 어찌 되어 있다.

begitu, bagaimana

pikiran, perasaan, situasi, keadaan, dsb berada dalam keadaan entah bagaimana

-어요 : (두루높임으로) 어떤 사실을 서술하거나 질문, 명령, 권유함을 나타내는 종결 어미.

apakah, apa, ~saja, silakan

(dalam bentuk hormat) kata penutup final yang mengungkapkan suatu kenyataan atau menyatakan pertanyaan, perintah, atau ajakan <pertanyaan>

머리 풀+었+는데 어떻+어요?
어때요

머리 (nomina) : 머리에 난 털.

rambut

bulu yang tumbuh di kepala

풀다 (verba) : 매이거나 묶이거나 얽힌 것을 원래의 상태로 되게 하다.

melepaskan

mengembalikan ke posisi awal sesuatu yang terikat atau menyimpul

-었- : 어떤 사건이 과거에 완료되었거나 그 사건의 결과가 현재까지 지속되는 상황을 나타내는 어미.

sudah, pasti, yakin

akhiran kalimat yang menyatakan sebuah peristiwa sudah selesai di masa lampau atau menyatakan keadaan di mana hasil peristiwa tersebut terus berlangsung hingga sekarang

ㄴ데 : 뒤의 말을 하기 위하여 그 대상과 관련이 있는 상황을 미리 말함을 나타내는 연결 어미.

sebenarnya, nyatanya

akhiran kalimat penyambung yang menyatakan mengatakan terlebih dahulu keadaan yang berhubungan sebelum mengatakan kalimat yang berhubungan

어떻다 (adjektiva) : 생각, 느낌, 상태, 형편 등이 어찌 되어 있다.

begitu, bagaimana

pikiran, perasaan, situasi, keadaan, dsb berada dalam keadaan entah bagaimana

-어요 : (두루높임으로) 어떤 사실을 서술하거나 질문, 명령, 권유함을 나타내는 종결 어미.

apakah, apa, ~saja, silakan

(dalam bentuk hormat) kata penutup final yang mengungkapkan suatu kenyataan atau menyatakan pertanyaan, perintah, atau ajakan <pertanyaan>

길(기)+ㄴ 머리+는?
긴

길다 (adjektiva) : 물체의 한쪽 끝에서 다른 쪽 끝까지 두 끝이 멀리 떨어져 있다.
panjang
ujung satu benda sampai pada ujung satunya saling berada jauh, atau sangat berjauhan

-ㄴ : 앞의 말이 관형어의 기능을 하게 만들고 현재의 상태를 나타내는 어미.
yang
akhiran yang membuat kata di depannya berfungsi sebagai kata pewatas, dan menyatakan keadaan saat ini

머리 (nomina) : 머리에 난 털.
rambut
bulu yang tumbuh di kepala

는 : 문장 속에서 어떤 대상이 화제임을 나타내는 조사.
Tiada Penjelasan Arti
partikel yang menyatakan suatu subjek dalam kalimat menjadi bahan pembicaraan

짧+은 머리+는?

짧다 (adjektiva) : 공간이나 물체의 양 끝 사이가 가깝다.
pendek
dekatnya jarak antara sebelah ujung objek yang satu dengan ujung yang lain

-은 : 앞의 말이 관형어의 기능을 하게 만들고 현재의 상태를 나타내는 어미.
yang
akhiran yang membuat kata di depannya berfungsi sebagai kata pewatas, dan menyatakan keadaan saat ini

머리 (nomina) : 머리에 난 털.
rambut
bulu yang tumbuh di kepala

는 : 문장 속에서 어떤 대상이 화제임을 나타내는 조사.
Tiada Penjelasan Arti
partikel yang menyatakan suatu subjek dalam kalimat menjadi bahan pembicaraan

어떻+어요?
어때요

어떻다 (adjektiva) : 생각, 느낌, 상태, 형편 등이 어찌 되어 있다.
begitu, bagaimana
pikiran, perasaan, situasi, keadaan, dsb berada dalam keadaan entah bagaimana

-어요 : (두루높임으로) 어떤 사실을 서술하거나 질문, 명령, 권유함을 나타내는 종결 어미.
apakah, apa, ~saja, silakan
(dalam bentuk hormat) kata penutup final yang mengungkapkan suatu kenyataan atau menyatakan pertanyaan, perintah, atau ajakan <pertanyaan>

저+의 눈+과 코+와 입술+이 얼마나 예쁘(예뻐)+[어 보이]+나요?
제   예뻐 보이나요

저 (pronomina) : 말하는 사람이 듣는 사람에게 자신을 낮추어 가리키는 말.
saya
kata yang digunakan oleh pembicara untuk menunjuk dirinya sendiri sambil merendahkan diri

의 : 앞의 말이 뒤의 말에 대하여 소유, 소속, 소재, 관계, 기원, 주체의 관계를 가짐을 나타내는 조사.
dari, milik
partikel yang menyatakan perkataan di depan memiliki hubungan kepemilikian, bagian tempat diri bekerja, bahan, hubungan, asal, topik dengan perkataan di belakang

눈 (nomina) : 사람이나 동물의 얼굴에 있으며 빛의 자극을 받아 물체를 볼 수 있는 감각 기관.
mata
indera penglihatan yang ada di wajah orang atau binatang lalu bisa melihat benda setelah mendapat rangsangan cahaya

과 : 앞과 뒤의 명사를 같은 자격으로 이어 줄 때 쓰는 조사.
dan, serta
partikel yang menyambung kata benda di depan dan di belakang dalam posisi yang sama

코 (nomina) : 숨을 쉬고 냄새를 맡는 몸의 한 부분.
hidung
anggota tubuh yang berfungsi untuk mencium bau dan bernapas

와 : 앞과 뒤의 명사를 같은 자격으로 이어주는 조사.
dan
partikel yang menyambung kata benda di depan dan di belakang dalam posisi yang sama

입술 (nomina) : 사람의 입 주위를 둘러싸고 있는 붉고 부드러운 살.
bibir
daging berwarna merah dan lembut yang mengelilingi sekitar mulut manusia

이 : 어떤 상태나 상황의 대상이나 동작의 주체를 나타내는 조사.
Tiada Penjelasan Arti
partikel yang menyatakan objek dari suatu keadaan atau kondisi atau pelaku dari suatu tindakan

얼마나 (adverbia) : 어느 정도나.
seberapa
seukuran tertentu

예쁘다 (adjektiva) : 생긴 모양이 눈으로 보기에 좋을 만큼 아름답다.
cantik
sangat indah

-어 보이다 : 겉으로 볼 때 앞의 말이 나타내는 것처럼 느껴지거나 추측됨을 나타내는 표현.
tampak, terlihat
ungkapan yang menyatakan bahwa kalimat yang disebutkan di depan terasa atau diperkirakan seperti muncul atau terjadi

-나요 : (두루높임으로) 앞의 내용에 대해 상대방에게 물어볼 때 쓰는 표현.
apakah, apa
(dalam bentuk hormat) ungkapan yang digunakan saat bertanya kepada lawan bicara mengenai hal di depan

나 어떻+어요?
어때요

나 (pronomina) : 말하는 사람이 친구나 아랫사람에게 자기를 가리키는 말.
aku
kata yang digunakan orang yang berbicara untuk menunjuk dirinya sendiri kepada teman atau orang yang berada di bawahnya

어떻다 (adjektiva) : 생각, 느낌, 상태, 형편 등이 어찌 되어 있다.
begitu, bagaimana
pikiran, perasaan, situasi, keadaan, dsb berada dalam keadaan entah bagaimana

-어요 : (두루높임으로) 어떤 사실을 서술하거나 질문, 명령, 권유함을 나타내는 종결 어미.
apakah, apa, ~saja, silakan
(dalam bentuk hormat) kata penutup final yang mengungkapkan suatu kenyataan atau menyatakan pertanyaan, perintah, atau ajakan <pertanyaan>

나 <u>예쁘(예ㅃ)+어요</u>?
　　　　예뻐요

나 (pronomina) : 말하는 사람이 친구나 아랫사람에게 자기를 가리키는 말.
aku
kata yang digunakan orang yang berbicara untuk menunjuk dirinya sendiri kepada teman atau orang yang berada di bawahnya

예쁘다 (adjektiva) : 생긴 모양이 눈으로 보기에 좋을 만큼 아름답다.
cantik
sangat indah

-어요 : (두루높임으로) 어떤 사실을 서술하거나 질문, 명령, 권유함을 나타내는 종결 어미.
apakah, apa, ~saja, silakan
(dalam bentuk hormat) kata penutup final yang mengungkapkan suatu kenyataan atau menyatakan pertanyaan, perintah, atau ajakan <pertanyaan>

<u>어떻+어요</u>?
　어때요

어떻다 (adjektiva) : 생각, 느낌, 상태, 형편 등이 어찌 되어 있다.
begitu, bagaimana
pikiran, perasaan, situasi, keadaan, dsb berada dalam keadaan entah bagaimana

-어요 : (두루높임으로) 어떤 사실을 서술하거나 질문, 명령, 권유함을 나타내는 종결 어미.
apakah, apa, ~saja, silakan
(dalam bentuk hormat) kata penutup final yang mengungkapkan suatu kenyataan atau menyatakan pertanyaan, perintah, atau ajakan <pertanyaan>

< 2 절(bait) >

운동화 신+었+는데 <u>어떻+어요</u>?
　　　　　　　　어때요

운동화 (nomina) : 운동을 할 때 신도록 만든 신발.
sepatu olahraga, sepatu kets
sepatu yang dibuat untuk dipakai saat berolahraga

신다 (verba) : 신발이나 양말 등의 속으로 발을 넣어 발의 전부나 일부를 덮다.
memakai, mengenakan
menutupi seluruh atau sebagian kaki dengan sepatu, kaus kaki, dsb

-었- : 어떤 사건이 과거에 완료되었거나 그 사건의 결과가 현재까지 지속되는 상황을 나타내는 어미.
sudah, pasti, yakin
akhiran kalimat yang menyatakan sebuah peristiwa sudah selesai di masa lampau atau
menyatakan keadaan di mana hasil peristiwa tersebut terus berlangsung hingga sekarang

-는데 : 뒤의 말을 하기 위하여 그 대상과 관련이 있는 상황을 미리 말함을 나타내는 연결 어미.
sebenarnya, nyatanya
akhiran kalimat penyambung yang menyatakan mengatakan terlebih dahulu keadaan yang
berhubungan sebelum mengatakan kalimat yang berhubungan

어떻다 (adjektiva) : 생각, 느낌, 상태, 형편 등이 어찌 되어 있다.
begitu, bagaimana
pikiran, perasaan, situasi, keadaan, dsb berada dalam keadaan entah bagaimana

-어요 : (두루높임으로) 어떤 사실을 서술하거나 질문, 명령, 권유함을 나타내는 종결 어미.
apakah, apa, ~saja, silakan
(dalam bentuk hormat) kata penutup final yang mengungkapkan suatu kenyataan atau
menyatakan pertanyaan, perintah, atau ajakan **<pertanyaan>**

구두 신+었+는데 <u>어떻+어요</u>?
어때요

구두 (nomina) : 정장을 입었을 때 신는 가죽, 비닐 등으로 만든 신발.
sepatu
alas kaki yang dibuat dari kulit, atau plastik dsb yang dipakai saat berpakaian resmi

신다 (verba) : 신발이나 양말 등의 속으로 발을 넣어 발의 전부나 일부를 덮다.
memakai, mengenakan
menutupi seluruh atau sebagian kaki dengan sepatu, kaus kaki, dsb

-었- : 어떤 사건이 과거에 완료되었거나 그 사건의 결과가 현재까지 지속되는 상황을 나타내는 어미.
sudah, pasti, yakin
akhiran kalimat yang menyatakan sebuah peristiwa sudah selesai di masa lampau atau
menyatakan keadaan di mana hasil peristiwa tersebut terus berlangsung hingga sekarang

-는데 : 뒤의 말을 하기 위하여 그 대상과 관련이 있는 상황을 미리 말함을 나타내는 연결 어미.
sebenarnya, nyatanya
akhiran kalimat penyambung yang menyatakan mengatakan terlebih dahulu keadaan yang berhubungan sebelum mengatakan kalimat yang berhubungan

어떻다 (adjektiva) : 생각, 느낌, 상태, 형편 등이 어찌 되어 있다.
begitu, bagaimana
pikiran, perasaan, situasi, keadaan, dsb berada dalam keadaan entah bagaimana

-어요 : (두루높임으로) 어떤 사실을 서술하거나 질문, 명령, 권유함을 나타내는 종결 어미.
apakah, apa, ~saja, silakan
(dalam bentuk hormat) kata penutup final yang mengungkapkan suatu kenyataan atau menyatakan pertanyaan, perintah, atau ajakan <pertanyaan>

검은색+은?

검은색 (nomina) : 빛이 없을 때의 밤하늘과 같이 매우 어둡고 짙은 색.
warna hitam
warna sangat gelap dan malam seperti langit malam di saat tak ada cahaya

은 : 문장 속에서 어떤 대상이 화제임을 나타내는 조사.
Tiada Penjelasan Arti
partikel yang menyatakan suatu objek menjadi topik di dalam kalimat

흰색+은?

흰색 (nomina) : 눈이나 우유와 같은 밝은 색.
warna putih
warna cerah yang seperti salju atau susu

은 : 문장 속에서 어떤 대상이 화제임을 나타내는 조사.
Tiada Penjelasan Arti
partikel yang menyatakan suatu objek menjadi topik di dalam kalimat

어떻+어요?

어때요

어떻다 (adjektiva) : 생각, 느낌, 상태, 형편 등이 어찌 되어 있다.
begitu, bagaimana
pikiran, perasaan, situasi, keadaan, dsb berada dalam keadaan entah bagaimana

-어요 : (두루높임으로) 어떤 사실을 서술하거나 질문, 명령, 권유함을 나타내는 종결 어미.
apakah, apa, ~saja, silakan
(dalam bentuk hormat) kata penutup final yang mengungkapkan suatu kenyataan atau menyatakan pertanyaan, perintah, atau ajakan <pertanyaan>

목걸이 차+았+는데 어떻+어요?
찼는데   어때요

목걸이 (nomina) : 보석 등을 줄에 꿰어서 목에 거는 장식품.
kalung
aksesoris atau perhiasan yang terbuat dari batu berharga dsb yang diberi rantai atau tali untuk dikalungkan di leher

차다 (verba) : 물건을 허리나 팔목, 발목 등에 매어 달거나 걸거나 끼우다.
memakai, mengenakan
mengaitkan atau menggantungkan atau melingkarkan benda di pinggang atau pergelangan tangan, pergelangan kaki, dsb

-었- : 어떤 사건이 과거에 완료되었거나 그 사건의 결과가 현재까지 지속되는 상황을 나타내는 어미.
sudah, telah, pasti akan
akhiran kalimat yang menyatakan sebuah peristiwa sudah selesai di masa lampau atau menyatakan keadaan di mana hasil peristiwa tersebut terus berlangsung hingga sekarang

-는데 : 뒤의 말을 하기 위하여 그 대상과 관련이 있는 상황을 미리 말함을 나타내는 연결 어미.
sebenarnya, nyatanya
akhiran kalimat penyambung yang menyatakan mengatakan terlebih dahulu keadaan yang berhubungan sebelum mengatakan kalimat yang berhubungan

어떻다 (adjektiva) : 생각, 느낌, 상태, 형편 등이 어찌 되어 있다.
begitu, bagaimana
pikiran, perasaan, situasi, keadaan, dsb berada dalam keadaan entah bagaimana

-어요 : (두루높임으로) 어떤 사실을 서술하거나 질문, 명령, 권유함을 나타내는 종결 어미.
apakah, apa, ~saja, silakan
(dalam bentuk hormat) kata penutup final yang mengungkapkan suatu kenyataan atau menyatakan pertanyaan, perintah, atau ajakan <pertanyaan>

반지 끼+었+는데 어떻+어요?
어때요

반지 (nomina) : 손가락에 끼는 동그란 장신구.
cincin
aksesoris bundar yang diselipkan pada jari

끼다 (verba) : 무엇에 걸려 빠지지 않도록 꿰거나 꽂다.
memakai, menyelipkan
menusukkan atau memasukkan sampai menyangkut dan tidak terlepas

-었- : 어떤 사건이 과거에 완료되었거나 그 사건의 결과가 현재까지 지속되는 상황을 나타내는 어미.
sudah, pasti, yakin
akhiran kalimat yang menyatakan sebuah peristiwa sudah selesai di masa lampau atau menyatakan keadaan di mana hasil peristiwa tersebut terus berlangsung hingga sekarang

-는데 : 뒤의 말을 하기 위하여 그 대상과 관련이 있는 상황을 미리 말함을 나타내는 연결 어미.
sebenarnya, nyatanya
akhiran kalimat penyambung yang menyatakan mengatakan terlebih dahulu keadaan yang berhubungan sebelum mengatakan kalimat yang berhubungan

어떻다 (adjektiva) : 생각, 느낌, 상태, 형편 등이 어찌 되어 있다.
begitu, bagaimana
pikiran, perasaan, situasi, keadaan, dsb berada dalam keadaan entah bagaimana

-어요 : (두루높임으로) 어떤 사실을 서술하거나 질문, 명령, 권유함을 나타내는 종결 어미.
apakah, apa, ~saja, silakan
(dalam bentuk hormat) kata penutup final yang mengungkapkan suatu kenyataan atau menyatakan pertanyaan, perintah, atau ajakan <pertanyaan>

귀걸이+는?

귀걸이 (nomina) : 귀에 다는 장식품.
anting
aksesori yang dikenakan di telinga

는 : 문장 속에서 어떤 대상이 화제임을 나타내는 조사.
Tiada Penjelasan Arti
partikel yang menyatakan suatu subjek dalam kalimat menjadi bahan pembicaraan

팔찌+는?

팔찌 (nomina) : 팔목에 끼는, 금, 은, 가죽 등으로 만든 장식품.
gelang
barang hiasan yang dibuat dari emas, perak, kulit, dsb untuk dikenakan di pergelangan tangan

는 : 문장 속에서 어떤 대상이 화제임을 나타내는 조사.
Tiada Penjelasan Arti
partikel yang menyatakan suatu subjek dalam kalimat menjadi bahan pembicaraan

<u>어떻+어요</u>?
어때요

어떻다 (adjektiva) : 생각, 느낌, 상태, 형편 등이 어찌 되어 있다.
begitu, bagaimana
pikiran, perasaan, situasi, keadaan, dsb berada dalam keadaan entah bagaimana

-어요 : (두루높임으로) 어떤 사실을 서술하거나 질문, 명령, 권유함을 나타내는 종결 어미.
apakah, apa, ~saja, silakan
(dalam bentuk hormat) kata penutup final yang mengungkapkan suatu kenyataan atau menyatakan pertanyaan, perintah, atau ajakan <pertanyaan>

<u>저+의</u> 눈+과 코+와 입술+이 얼마나 <u>예쁘(예뻐)</u>+[<u>어 보이</u>]+나요?
제   예뻐 보이나요

저 (pronomina) : 말하는 사람이 듣는 사람에게 자신을 낮추어 가리키는 말.
saya
kata yang digunakan oleh pembicara untuk menunjuk dirinya sendiri sambil merendahkan diri

의 : 앞의 말이 뒤의 말에 대하여 소유, 소속, 소재, 관계, 기원, 주체의 관계를 가짐을 나타내는 조사.
dari, milik
partikel yang menyatakan perkataan di depan memiliki hubungan kepemilikian, bagian tempat diri bekerja, bahan, hubungan, asal, topik dengan perkataan di belakang

눈 (nomina) : 사람이나 동물의 얼굴에 있으며 빛의 자극을 받아 물체를 볼 수 있는 감각 기관.
mata
indera penglihatan yang ada di wajah orang atau binatang lalu bisa melihat benda setelah mendapat rangsangan cahaya

과 : 앞과 뒤의 명사를 같은 자격으로 이어 줄 때 쓰는 조사.
dan, serta
partikel yang menyambung kata benda di depan dan di belakang dalam posisi yang sama

코 (nomina) : 숨을 쉬고 냄새를 맡는 몸의 한 부분.
hidung
anggota tubuh yang berfungsi untuk mencium bau dan bernapas

와 : 앞과 뒤의 명사를 같은 자격으로 이어주는 조사.
dan
partikel yang menyambung kata benda di depan dan di belakang dalam posisi yang sama

입술 (nomina) : 사람의 입 주위를 둘러싸고 있는 붉고 부드러운 살.
bibir
daging berwarna merah dan lembut yang mengelilingi sekitar mulut manusia

이 : 어떤 상태나 상황의 대상이나 동작의 주체를 나타내는 조사.
Tiada Penjelasan Arti
partikel yang menyatakan objek dari suatu keadaan atau kondisi atau pelaku dari suatu tindakan

얼마나 (adverbia) : 어느 정도나.
seberapa
seukuran tertentu

예쁘다 (adjektiva) : 생긴 모양이 눈으로 보기에 좋을 만큼 아름답다.
cantik
sangat indah

-어 보이다 : 겉으로 볼 때 앞의 말이 나타내는 것처럼 느껴지거나 추측됨을 나타내는 표현.
tampak, terlihat
ungkapan yang menyatakan bahwa kalimat yang disebutkan di depan terasa atau diperkirakan seperti muncul atau terjadi

-나요 : (두루높임으로) 앞의 내용에 대해 상대방에게 물어볼 때 쓰는 표현.
apakah, apa
(dalam bentuk hormat) ungkapan yang digunakan saat bertanya kepada lawan bicara mengenai hal di depan

나 <u>어떻+어요</u>?
어때요

나 (pronomina) : 말하는 사람이 친구나 아랫사람에게 자기를 가리키는 말.
aku
kata yang digunakan orang yang berbicara untuk menunjuk dirinya sendiri kepada teman atau orang yang berada di bawahnya

어떻다 (adjektiva) : 생각, 느낌, 상태, 형편 등이 어찌 되어 있다.
begitu, bagaimana
pikiran, perasaan, situasi, keadaan, dsb berada dalam keadaan entah bagaimana

-어요 : (두루높임으로) 어떤 사실을 서술하거나 질문, 명령, 권유함을 나타내는 종결 어미.
apakah, apa, ~saja, silakan
(dalam bentuk hormat) kata penutup final yang mengungkapkan suatu kenyataan atau menyatakan pertanyaan, perintah, atau ajakan <pertanyaan>

나 <u>예쁘(예뻐)+어요</u>?
예뻐요

나 (pronomina) : 말하는 사람이 친구나 아랫사람에게 자기를 가리키는 말.
aku
kata yang digunakan orang yang berbicara untuk menunjuk dirinya sendiri kepada teman atau orang yang berada di bawahnya

예쁘다 (adjektiva) : 생긴 모양이 눈으로 보기에 좋을 만큼 아름답다.
cantik
sangat indah

-어요 : (두루높임으로) 어떤 사실을 서술하거나 질문, 명령, 권유함을 나타내는 종결 어미.
apakah, apa, ~saja, silakan
(dalam bentuk hormat) kata penutup final yang mengungkapkan suatu kenyataan atau menyatakan pertanyaan, perintah, atau ajakan <pertanyaan>

<u>어떻+어요</u>?
어때요

어떻다 (adjektiva) : 생각, 느낌, 상태, 형편 등이 어찌 되어 있다.

begitu, bagaimana

pikiran, perasaan, situasi, keadaan, dsb berada dalam keadaan entah bagaimana

-**어요** : (두루높임으로) 어떤 사실을 서술하거나 질문, 명령, 권유함을 나타내는 종결 어미.

apakah, apa, ~saja, silakan

(dalam bentuk hormat) kata penutup final yang mengungkapkan suatu kenyataan atau menyatakan pertanyaan, perintah, atau ajakan **<pertanyaan>**

< 5 >

하늘, 땅, 사람
(langit)
(tanah)
(manusia, orang)

[발음(pelafalan)]

< 1 절(bait) >

하늘에서 비가 내린다고 하는 걸 보니 하늘은 위인가요?
하느레서 비가 내린다고 하는 걸 보니 하느른 위인가요?
haneureseo biga naerindago haneun geol boni haneureun wiingayo?

그 비가 땅을 적신다고 하는 걸 보니 그럼 땅은 아래인가 보네요.
그 비가 땅을 적씬다고 하는 걸 보니 그럼 땅은 아래인가 보네요.
geu biga ttangeul jeoksindago haneun geol boni geureom ttangeun araeinga boneyo.

땅을 밟고 서서 하늘을 바라보는 사람은 하늘과 땅 사이에 있는 거겠군요.
땅을 밥꼬 서서 하느를 바라보는 사라믄 하늘과 땅 사이에 인는 거겐꾸뇨.
ttangeul bapgo seoseo haneureul baraboneun sarameun haneulgwa ttang saie inneun geogetgunyo.

그 사이에 갇혀 지지고 볶으며 오늘도 나는 살아가고 있네요.
그 사이에 가처 지지고 보끄며 오늘도 나는 사라가고 인네요.
geu saie gacheo jijigo bokkeumyeo oneuldo naneun saragago inneyo.

땅에 갇혀 사는 것은 이제 너무 지겨워요.
땅에 가처 사는 거슨 이제 너무 지겨워요.
ttange gacheo saneun geoseun ije neomu jigyeowoyo.

움츠린 가슴을 펴고 하늘 끝까지 날아올라 봐요
움츠린 가스믈 펴고 하늘 끝까지 나라올라 봐요.
umcheurin gaseumeul pyeogo haneul kkeutkkaji naraolla bwayo.

우리 모두 거기서 행복하게 살아 봐요.
우리 모두 거기서 행보카게 사라 봐요.
uri modu geogiseo haengbokage sara bwayo.

< 후렴(refrein) >

이제부터는 지금부터는
이제부터는 지금부터는
ijebuteoneun jigeumbuteoneun

가슴이 시키는 대로 살아 봐요.
가스미 시키는 대로 사라 봐요.
gaseumi sikineun daero sara bwayo.

이제부터는 지금부터는
이제부터는 지금부터는
ijebuteoneun jigeumbuteoneun

가슴이 느끼는 대로 자유롭게
가스미 느끼는 대로 자유롭께
gaseumi neukkineun daero jayuropge

아무것도 신경 쓰지 마요.
아무걷또 신경 쓰지 마요.
amugeotdo singyeong sseuji mayo.

< 2 절(bait) >

아직까지 해가 뜨고 진 적은 한 번도 없었어요.
아직까지 해가 뜨고 진 저근 한 번도 업써써요.
ajikkkaji haega tteugo jin jeogeun han beondo eopseosseoyo.

이 땅에 사는 우리들만 어제도 오늘도 쉼 없이 돌고 돌고 또 돌아요.
이 땅에 사는 우리들만 어제도 오늘도 쉼 업씨 돌고 돌고 또 도라요.
i ttange saneun urideulman eojedo oneuldo swim eopsi dolgo dolgo tto dorayo.

배운 대로 남들이 시키는 대로 그렇게 사람들 사이에 숨어 살아가고 있죠.
배운 대로 남드리 시키는 대로 그러케 사람들 사이에 수머 사라가고 읻쬬.
baeun daero namdeuri sikineun daero geureoke saramdeul saie sumeo saragago itjyo.

그 사이에 갇혀 지지고 볶으며 오늘도 나는 살아가고 있네요.
그 사이에 가처 지지고 보끄며 오늘도 나는 사라가고 인네요.
geu saie gacheo jijigo bokkeumyeo oneuldo naneun saragago inneyo.

누가 시키는 대로 사는 것은 이제 너무 짜증이 나요.
누가 시키는 대로 사는 거슨 이제 너무 짜증이 나요.
nuga sikineun daero saneun geoseun ije neomu jjajeungi nayo.

바라고 원하는 생각들을 하늘 너머로 떠나보내요.
바라고 원하는 생각뜨를 하늘 너머로 떠나보내요.
barago wonhaneun saenggakdeureul haneul neomeoro tteonabonaeyo.

우리 모두 거기서 자유롭게 살아 봐요.
우리 모두 거기서 자유롭께 사라 봐요.
uri modu geogiseo jayuropge sara bwayo.

< 후렴(refrein) >

우- 워- 이제부터는 지금부터는
우- 워- 이제부터는 지금부터는
u- wo- ijebuteoneun jigeumbuteoneun

이제부터는 지금부터는
이제부터는 지금부터는
ijebuteoneun jigeumbuteoneun

가슴이 시키는 대로 살아 봐요.
가스미 시키는 대로 사라 봐요.
gaseumi sikineun daero sara bwayo.

이제부터는 지금부터는
이제부터는 지금부터는
ijebuteoneun jigeumbuteoneun

가슴이 느끼는 대로 자유롭게
가스미 느끼는 대로 자유롭께
gaseumi neukkineun daero jayuropge

이제부터는 지금부터는
이제부터는 지금부터는
ijebuteoneun jigeumbuteoneun

(우리 모두 거기서)
(우리 모두 거기서)
(uri modu geogiseo)

가슴이 시키는 대로 살아 봐요.
가스미 시키는 대로 사라 봐요.
gaseumi sikineun daero sara bwayo.

(자유롭게 살아요)
(자유롭께 사라요)
(jayuropge sarayo)

이제부터는 지금부터는
이제부터는 지금부터는
ijebuteoneun jigeumbuteoneun

(우리 모두 거기서)
(우리 모두 거기서)
(uri modu geogiseo)

가슴이 느끼는 대로 자유롭게
가스미 느끼는 대로 자유롭께
gaseumi neukkineun daero jayuropge

(자유롭게)
(자유롭께)
(jayuropge)

그런 사람이었어요.
그런 사라미어써요.
geureon saramieosseoyo.

그런 인생이었어요.
그런 인생이어써요.
geureon insaengieosseoyo.

그렇게 기억해 줘요.
그러케 기어캐 줘요.
geureoke gieokae jwoyo.

< 1 절(bait) >

하늘+에서 비+가 <u>내리+ㄴ다고</u> <u>하+[는 것(거)]+을</u> 보+니
내린다고   하는 걸

하늘 (nomina) : 땅 위로 펼쳐진 무한히 넓은 공간.
langit
ruang maha luas yang tak terbatasi dan membentang di atas bumi

에서 : 앞말이 출발점의 뜻을 나타내는 조사.
Tiada Penjelasan Arti
partikel yang menyatakan arti kata di depannya adalah titik berangkat atau asal

비 (nomina) : 높은 곳에서 구름을 이루고 있던 수증기가 식어서 뭉쳐 떨어지는 물방울.
hujan
titik air yang membentuk awan di tempat yang tinggi, mendingin, menggumpal, dan akhirnya jatuh ke bumi

가 : 어떤 상태나 상황에 놓인 대상이나 동작의 주체를 나타내는 조사.
Tiada Penjelasan Arti
partikel yang menyatakan subjek sebuah keadaan atau situasi atau pelaku utama sebuah tindakan

내리다 (verba) : 눈이나 비 등이 오다.
turun
salju atau hujan dsb datang

-ㄴ다고 : 다른 사람에게서 들은 내용을 간접적으로 전달하거나 주어의 생각, 의견 등을 나타내는 표현.
katanya
ungkapan yang menyatakan menyampaikan keterangan atau penjelasan yang didengar dari orang lain atau menunjukkan pikiran, pendapat, dsb dari subjek

하다 (verba) : 무엇에 대해 말하다.
Tiada Penjelasan Arti
berbicara tentang sesuatu

-는 것 : 명사가 아닌 것을 문장에서 명사처럼 쓰이게 하거나 '이다' 앞에 쓰일 수 있게 할 때 쓰는 표현.
yang
ungkapan yang dapat membuat suatu kelas kata bisa digunakan sebagai kata benda dalam kalimat dan berfungsi sebagai subjek atau objek, atau dapat membuat suatu kelas kata bisa digunakan di depan '이다'

을 : 동작이 직접적으로 영향을 미치는 대상을 나타내는 조사.
Tiada Penjelasan Arti
partikel yang menyatakan objek dari suatu gerakan yang secara langsung memberikan pengaruh

보다 (verba) : 무엇을 근거로 판단하다.
melihat, menilai
menilai melalui sesuatu sebagai bukti

-니 : 뒤에 오는 말에 대하여 앞에 오는 말이 원인이나 근거, 전제가 됨을 나타내는 연결 어미.
karena, berhubung
akhiran kalimat penyambung yang menyatakan bahwa kalimat di depan menjadi alasan, dasar, atau premis dari kalimat di belakang

하늘+은 <u>위+이+ㄴ가요</u>?
위인가요

하늘 (nomina) : 땅 위로 펼쳐진 무한히 넓은 공간.
langit
ruang maha luas yang tak terbatasi dan membentang di atas bumi

은 : 문장 속에서 어떤 대상이 화제임을 나타내는 조사.
Tiada Penjelasan Arti
partikel yang menyatakan suatu objek menjadi topik di dalam kalimat

위 (nomina) : 어떤 기준보다 더 높은 쪽. 또는 중간보다 더 높은 쪽.
atas
sisi yang lebih tinggi daripada suatu standar, atau sisi yang lebih tinggi daripada pertengahan

이다 : 주어가 지시하는 대상의 속성이나 부류를 지정하는 뜻을 나타내는 서술격 조사.
adalah
partikel kasus predikatif yang menyatakan maksud menentukan karakter atau jenis dari objek yang diindikasikan subjek

-ㄴ가요 : (두루높임으로) 현재의 사실에 대한 물음을 나타내는 종결 어미.
Tiada Penjelasan Arti
(dalam bentuk hormat) kata penutup final yang menyatakan pertanyaan terhadap kenyataan di masa kini

그 비+가 땅+을 <u>적시+ㄴ다고</u> <u>하+[는 것(거)]+을</u> 보+니
적신다고   하는 걸

그 (pewatas) : 앞에서 이미 이야기한 대상을 가리킬 때 쓰는 말.
itu
kata yang digunakan saat menunjuk sesuatu yang sudah diceritakan di depan

비 (nomina) : 높은 곳에서 구름을 이루고 있던 수증기가 식어서 뭉쳐 떨어지는 물방울.
hujan
titik air yang membentuk awan di tempat yang tinggi, mendingin, menggumpal, dan akhirnya jatuh ke bumi

가 : 어떤 상태나 상황에 놓인 대상이나 동작의 주체를 나타내는 조사.
Tiada Penjelasan Arti
partikel yang menyatakan subjek sebuah keadaan atau situasi atau pelaku utama sebuah tindakan

땅 (nomina) : 지구에서 물로 된 부분이 아닌 흙이나 돌로 된 부분.
tanah
bagian dari bumi yang tidak terbuat dari batu, dan tidak berada bersama dengan sungai maupun laut

을 : 동작이 직접적으로 영향을 미치는 대상을 나타내는 조사.
Tiada Penjelasan Arti
partikel yang menyatakan objek dari suatu gerakan yang secara langsung memberikan pengaruh

적시다 (verba) : 물 등의 액체를 묻혀 젖게 하다.
membasahkan, membasahi
membuat menjadi basah dengan mengenakan cairan seperti air dsb

ㅣ다고 : 다른 사람에게서 들은 내용을 간접적으로 전달하거나 주어의 생각, 의견 등을 나타내는 표현.
katanya
ungkapan yang menyatakan menyampaikan keterangan atau penjelasan yang didengar dari orang lain atau menunjukkan pikiran, pendapat, dsb dari subjek

하다 (verba) : 무엇에 대해 말하다.
Tiada Penjelasan Arti
berbicara tentang sesuatu

-는 것 : 명사가 아닌 것을 문장에서 명사처럼 쓰이게 하거나 '이다' 앞에 쓰일 수 있게 할 때 쓰는 표현.
yang
ungkapan yang dapat membuat suatu kelas kata bisa digunakan sebagai kata benda dalam kalimat dan berfungsi sebagai subjek atau objek, atau dapat membuat suatu kelas kata bisa digunakan di depan '이다'

을 : 동작이 직접적으로 영향을 미치는 대상을 나타내는 조사.
Tiada Penjelasan Arti
partikel yang menyatakan objek dari suatu gerakan yang secara langsung memberikan pengaruh

보다 (verba) : 무엇을 근거로 판단하다.
melihat, menilai
menilai melalui sesuatu sebagai bukti

-니 : 뒤에 오는 말에 대하여 앞에 오는 말이 원인이나 근거, 전제가 됨을 나타내는 연결 어미.
karena, berhubung
akhiran kalimat penyambung yang menyatakan bahwa kalimat di depan menjadi alasan, dasar, atau premis dari kalimat di belakang

그럼 땅+은 아래+이+[ㄴ가 보]+네요.
아래인가 보네요

그럼 (adverbia) : 앞의 내용이 뒤의 내용의 조건이 될 때 쓰는 말.
kalau begitu
kata yang digunakan saat isi ucapan yang ada di depan menjadi syarat bagi isi ucapan yang di belakang

땅 (nomina) : 지구에서 물로 된 부분이 아닌 흙이나 돌로 된 부분.
tanah
bagian dari bumi yang tidak terbuat dari batu, dan tidak berada bersama dengan sungai maupun laut

은 : 문장 속에서 어떤 대상이 화제임을 나타내는 조사.
Tiada Penjelasan Arti
partikel yang menyatakan suatu objek menjadi topik di dalam kalimat

아래 (nomina) : 일정한 기준보다 낮은 위치.
bawah
lokasi yang lebih rendah daripada standar tertentu

이다 : 주어가 지시하는 대상의 속성이나 부류를 지정하는 뜻을 나타내는 서술격 조사.
adalah
partikel kasus predikatif yang menyatakan maksud menentukan karakter atau jenis dari objek yang diindikasikan subjek

-ㄴ가 보다 : 앞의 말이 나타내는 사실을 추측함을 나타내는 표현.
sepertinya, nampaknya, kelihatannya, kiranya, rasanya
ungkapan untuk menduga sebuah kenyataan dalam perkataan depan

-네요 : (두루높임으로) 말하는 사람이 직접 경험하여 새롭게 알게 된 사실에 대해 감탄함을 나타낼 때 쓰
　　　는 표현.

wah, ternyata

(dalam bentuk hormat) ungkapan yang digunakan saat menunjukkan orang yang berbicara berpengalaman langsung lalu terkejut atau terkagum dengan kenyataan yang baru diketahui itu

땅+을 밟+고 <u>서+(어)서</u> 하늘+을 바라보+는 사람+은
서서

땅 (nomina) : 지구에서 물로 된 부분이 아닌 흙이나 돌로 된 부분.

tanah

bagian dari bumi yang tidak terbuat dari batu, dan tidak berada bersama dengan sungai maupun laut

을 : 동작이 직접적으로 영향을 미치는 대상을 나타내는 조사.

Tiada Penjelasan Arti

partikel yang menyatakan objek dari suatu gerakan yang secara langsung memberikan pengaruh

밟다 (verba) : 어떤 대상에 발을 올려놓고 서거나 올려놓으면서 걷다.

menapaki, menginjak

menaikkan kaki pada suatu objek kemudian berdiri atau berjalan sambil menaikkannya

-고 : 앞의 말이 나타내는 행동이나 그 결과가 뒤에 오는 행동이 일어나는 동안에 그대로 지속됨을 나타
　　　내는 연결 어미

dan, dengan, sambil

akhiran penghubung yang menyatakan bahwa tindakan atau hasil di kalimat depan terus berjalan selama tindakan di kalimat belakang terjadi.

서다 (verba) : 사람이나 동물이 바닥에 발을 대고 몸을 곧게 하다.

berdiri

orang atau binatang menyentuhkan kaki ke lantai dan menegakkan badan

-어서 : 앞의 말과 뒤의 말이 순차적으로 일어남을 나타내는 연결 어미.

lalu, kemudian, karena, dengan

kata penutup sambung yang menyatakan kalimat di depan dan kalimat di belakang muncul secara berurutan

하늘 (nomina) : 땅 위로 펼쳐진 무한히 넓은 공간.

langit

ruang maha luas yang tak terbatasi dan membentang di atas bumi

을 : 동작이 직접적으로 영향을 미치는 대상을 나타내는 조사.
Tiada Penjelasan Arti
partikel yang menyatakan objek dari suatu gerakan yang secara langsung memberikan pengaruh

바라보다 (verba) : 바로 향해 보다.
menatap, memandang, menghadap
menghadap dan melihat tepat

-는 : 앞의 말이 관형어의 기능을 하게 만들고 사건이나 동작이 현재 일어남을 나타내는 어미.
yang
akhiran untuk membuat kata di depannya berfungsi sebagai pewatas dan menyatakan kejadian atau tindakan terjadi sekarang

사람 (nomina) : 생각할 수 있으며 언어와 도구를 만들어 사용하고 사회를 이루어 사는 존재.
manusia, orang
keberadaan yang bisa berpikir, membuat bahasa dan alat lalu menggunakannya, dan membentuk masyarakat

은 : 문장 속에서 어떤 대상이 화제임을 나타내는 조사.
Tiada Penjelasan Arti
partikel yang menyatakan suatu objek menjadi topik di dalam kalimat

하늘+과 땅 사이+에 있+[는 것(거)]+(이)+겠+군요.
있는 거겠군요

하늘 (nomina) : 땅 위로 펼쳐진 무한히 넓은 공간.
langit
ruang maha luas yang tak terbatasi dan membentang di atas bumi

과 : 앞과 뒤의 명사를 같은 자격으로 이어 줄 때 쓰는 조사.
dan, serta
partikel yang menyambung kata benda di depan dan di belakang dalam posisi yang sama

땅 (nomina) : 지구에서 물로 된 부분이 아닌 흙이나 돌로 된 부분.
tanah
bagian dari bumi yang tidak terbuat dari batu, dan tidak berada bersama dengan sungai maupun laut

사이 (nomina) : 한 물체에서 다른 물체까지 또는 한곳에서 다른 곳까지의 거리나 공간.
antara
jarak atau ruang dari satu benda sampai benda lain atau dari satu tempat sampai tempat lain

에 : 앞말이 어떤 장소나 자리임을 나타내는 조사.
di, pada
partikel yang menyatakan kalimat di depan adalah tempat atau lokasi

있다 (adjektiva) : 사람이나 동물이 어느 곳에 머무르거나 사는 상태이다.
tinggal, ada
ada dalam keadaan orang atau binatang berdiam di suatu tempat

-는 것 : 명사가 아닌 것을 문장에서 명사처럼 쓰이게 하거나 '이다' 앞에 쓰일 수 있게 할 때 쓰는 표현.
yang
ungkapan yang dapat membuat suatu kelas kata bisa digunakan sebagai kata benda dalam kalimat dan berfungsi sebagai subjek atau objek, atau dapat membuat suatu kelas kata bisa digunakan di depan '이다'

이다 : 주어가 지시하는 대상의 속성이나 부류를 지정하는 뜻을 나타내는 서술격 조사.
adalah
partikel kasus predikatif yang menyatakan maksud menentukan karakter atau jenis dari objek yang diindikasikan subjek

-겠- : 미래의 일이나 추측을 나타내는 어미.
barangkali, mungkin
akhiran untuk menyatakan dugaan atau peristiwa di masa depan

-군요 : (두루높임으로) 새롭게 알게 된 사실에 주목하거나 감탄함을 나타내는 표현.
wah, ternyata
(dalam bentuk hormat) ungkapan yang menunjukkan hal meyakinkan atau menyadari suatu hal dengan baru sehingga terkejut

그 사이+에 <u>갇히+어</u> [지지고 볶]+으며 오늘+도 나+는 살아가+[고 있]+네요.
　　　　　갇혀

그 (pewatas) : 앞에서 이미 이야기한 대상을 가리킬 때 쓰는 말.
itu
kata yang digunakan saat menunjuk sesuatu yang sudah diceritakan di depan

사이 (nomina) : 한 물체에서 다른 물체까지 또는 한곳에서 다른 곳까지의 거리나 공간.
antara
jarak atau ruang dari satu benda sampai benda lain atau dari satu tempat sampai tempat lain

에 : 앞말이 어떤 장소나 자리임을 나타내는 조사.
di, pada
partikel yang menyatakan kalimat di depan adalah tempat atau lokasi

갇히다 (verba) : 어떤 공간이나 상황에서 나가지 못하게 되다.
terkurung, terjebak, terperangkap
keadaan diri tidak bisa keluar dari sebuah ruangan atau situasi

-어 : 앞의 말이 뒤의 말보다 먼저 일어났거나 뒤의 말에 대한 방법이나 수단이 됨을 나타내는 연결 어미.
setelah, sesudah, selepas, lalu
akhiran penghubung untuk menyatakan bahwa anak kalimat terjadi lebih dahulu daripada kalimat induk atau menjadi cara atau alat terhadap kalimat induk

지지고 볶다 (idiom) : 온갖 것을 겪으며 함께 살아가다.
Tiada Penjelasan Arti
melewati segalanya kemudian hidup bersama

-으며 : 두 가지 이상의 동작이나 상태가 함께 일어남을 나타내는 연결 어미.
serta, dan, sambil
kata penutup sambung yang menyatakan dua atau lebih tindakan atau keadaan muncul bersamaan

오늘 (nomina) : 지금 지나가고 있는 이날.
hari ini
hari ini yang sekarang sedang dilalui sekarang

도 : 이미 있는 어떤 것에 다른 것을 더하거나 포함함을 나타내는 조사.
juga
partikel yang menyatakan menambahkan atau mengikutsertakan sesuatu yang lain pada sesuatu yang sudah ada

나 (pronomina) : 말하는 사람이 친구나 아랫사람에게 자기를 가리키는 말.
aku
kata yang digunakan orang yang berbicara untuk menunjuk dirinya sendiri kepada teman atau orang yang berada di bawahnya

는 : 문장 속에서 어떤 대상이 화제임을 나타내는 조사.
Tiada Penjelasan Arti
partikel yang menyatakan suatu subjek dalam kalimat menjadi bahan pembicaraan

살아가다 (verba) : 어떤 종류의 삶이나 시대 등을 견디며 생활해 나가다.
menjalani hidup
menjalani hidup, mengarungi kehidupan, memperjuangkan hidup

-고 있다 : 앞의 말이 나타내는 행동이 계속 진행됨을 나타내는 표현.
sedang
ungkapan yang menyatakan bahwa tindakan yang disebutkan dalam kalimat di depan terus berjalan

-네요 : (두루높임으로) 말하는 사람이 직접 경험하여 새롭게 알게 된 사실에 대해 감탄함을 나타낼 때 쓰는 표현.

wah, ternyata

(dalam bentuk hormat) ungkapan yang digunakan saat menunjukkan orang yang berbicara berpengalaman langsung lalu terkejut atau terkagum dengan kenyataan yang baru diketahui itu

땅+에 갇히+어 살(사)+[는 것]+은 이제 너무 지겹(지겨우)+어요.
　　　갇혀　　　사는 것은　　　　　　　　지겨워요

땅 (nomina) : 지구에서 물로 된 부분이 아닌 흙이나 돌로 된 부분.

tanah

bagian dari bumi yang tidak terbuat dari batu, dan tidak berada bersama dengan sungai maupun laut

에 : 앞말이 어떤 장소나 자리임을 나타내는 조사.

di, pada

partikel yang menyatakan kalimat di depan adalah tempat atau lokasi

갇히다 (verba) : 어떤 공간이나 상황에서 나가지 못하게 되다.

terkurung, terjebak, terperangkap

keadaan diri tidak bisa keluar dari sebuah ruangan atau situasi

-어 : 앞의 말이 뒤의 말보다 먼저 일어났거나 뒤의 말에 대한 방법이나 수단이 됨을 나타내는 연결 어미.

setelah, sesudah, selepas, lalu

akhiran penghubung untuk menyatakan bahwa anak kalimat terjadi lebih dahulu daripada kalimat induk atau menjadi cara atau alat terhadap kalimat induk

살다 (verba) : 사람이 생활을 하다.

hidup

manusia menjalani hidup

-는 것 : 명사가 아닌 것을 문장에서 명사처럼 쓰이게 하거나 '이다' 앞에 쓰일 수 있게 할 때 쓰는 표현.

yang

ungkapan yang dapat membuat suatu kelas kata bisa digunakan sebagai kata benda dalam kalimat dan berfungsi sebagai subjek atau objek, atau dapat membuat suatu kelas kata bisa digunakan di depan '이다'

은 : 문장 속에서 어떤 대상이 화제임을 나타내는 조사.

Tiada Penjelasan Arti

partikel yang menyatakan suatu objek menjadi topik di dalam kalimat

이제 (adverbia) : 지금의 시기가 되어.
saat ini
ketika saat ini tiba

너무 (adverbia) : 일정한 정도나 한계를 훨씬 넘어선 상태로.
terlalu, berlebihan
tarafnya melebihi batas tertentu

지겹다 (adjektiva) : 같은 상태나 일이 반복되어 재미가 없고 지루하고 싫다.
bosan, muak
tidak merasa senang dan bosan karena sesuatu atau keadaan selalu berulang

-어요 : (두루높임으로) 어떤 사실을 서술하거나 질문, 명령, 권유함을 나타내는 종결 어미.
apakah, apa, ~saja, silakan
(dalam bentuk hormat) kata penutup final yang mengungkapkan suatu kenyataan atau menyatakan pertanyaan, perintah, atau ajakan <penjabaran>

<u>움츠리+ㄴ</u> 가슴+을 펴+고 하늘 끝+까지 <u>날아오르(날아올ㄹ)+[아 보]+아요</u>.
　　움츠린　　　　　　　　　　　　　　　　　**날아올라 봐요**

움츠리다 (verba) : 몸이나 몸의 일부를 오그려 작아지게 하다.
menciut, meringkuk
mengerutkan dan mengecilkan tubuh atau sebagian tubuh

-ㄴ : 앞의 말이 관형어의 기능을 하게 만들고 사건이나 동작이 완료되어 그 상태가 유지되고 있음을 나타내는 어미.
yang
akhiran yang membuat kata di depannya berfungsi sebagai kata pewatas, dan menyatakan bahwa tindakan atau peristiwa sudah selesai dan menahan keadaan itu

가슴 (nomina) : 인간이나 동물의 목과 배 사이에 있는 몸의 앞 부분.
dada
bagian depan tubuh manusia atau hewan yang berada di antara leher dan perut

을 : 동작이 직접적으로 영향을 미치는 대상을 나타내는 조사.
Tiada Penjelasan Arti
partikel yang menyatakan objek dari suatu gerakan yang secara langsung memberikan pengaruh

펴다 (verba) : 굽은 것을 곧게 하다. 또는 움츠리거나 오므라든 것을 벌리다.
meluruskan, membentangkan
meluruskan hal yang bengkok, atau membentangkan hal yang mengkerut atau terlipat

-고 : 앞의 말이 나타내는 행동이나 그 결과가 뒤에 오는 행동이 일어나는 동안에 그대로 지속됨을 나타
　　내는 연결 어미.
dan, dengan, sambil
akhiran penghubung yang menyatakan bahwa tindakan atau hasil di kalimat depan terus
berjalan selama tindakan di kalimat belakang terjadi.

하늘 (nomina) : 땅 위로 펼쳐진 무한히 넓은 공간.
langit
ruang maha luas yang tak terbatasi dan membentang di atas bumi

끝 (nomina) : 공간에서의 마지막 장소.
ujung
tempat terakhir dalam ruang

까지 : 어떤 범위의 끝임을 나타내는 조사.
sampai
partikel yang menyatakan akhir dari suatu lingkup

날아오르다 (verba) : 날아서 위로 높이 올라가다.
terbang ke atas
terbang kemudian naik ke atas

-아 보다 : 앞의 말이 나타내는 행동을 시험 삼아 함을 나타내는 표현.
mencoba
ungkapan yang menyatakan menjadikan tindakan dalam kalimat yang disebutkan di depan
sebagai sebuah percobaan

-아요 : (두루높임으로) 어떤 사실을 서술하거나 질문, 명령, 권유함을 나타내는 종결 어미.
cobalah, sebenarnya, apa
(dalam bentuk hormat) kata penutup final yang mengungkapkan suatu kenyataan atau
menyatakan pertanyaan, perintah, atau ajakan <nasehat>

우리 모두 거기+서 행복하+게 살+[아 보]+아요.
살아 봐요

우리 (pronomina) : 말하는 사람이 자기와 듣는 사람 또는 이를 포함한 여러 사람들을 가리키는 말.
kita
kata untuk menyebutkan beberapa orang termasuk yang berbicara dan yang mendengar

모두 (adverbia) : 빠짐없이 다.
semua, seluruhnya
semua tanpa terkecuali

거기 (pronomina) : 앞에서 이미 이야기한 곳을 가리키는 말.
di sana, sana
kata untuk menunjukkan tempat yang diceritakan di depan

서 : 앞말이 행동이 이루어지고 있는 장소임을 나타내는 조사.
di
partikel yang menyatakan bahwa kata di depannya adalah tempat tindakan terjadi

행복하다 (adjektiva) : 삶에서 충분한 만족과 기쁨을 느껴 흐뭇하다.
bahagia, gembira
merasakan kepuasan dan kegembiraan yang cukup dari hidup dan merasa puas

-게 : 앞의 말이 뒤에서 가리키는 일의 목적이나 결과, 방식, 정도 등이 됨을 나타내는 연결 어미.
dengan
kata penutup sambung yang menyatakan isi kalimat di depan dibutuhkan sementara kalimat di belakang terus dilanjutkan(formal, kedudukan penerima sangat rendah) <cara>

살다 (verba) : 사람이 생활을 하다.
hidup
manusia menjalani hidup

-아 보다 : 앞의 말이 나타내는 행동을 시험 삼아 함을 나타내는 표현.
mencoba
ungkapan yang menyatakan menjadikan tindakan dalam kalimat yang disebutkan di depan sebagai sebuah percobaan

-아요 : (두루높임으로) 어떤 사실을 서술하거나 질문, 명령, 권유함을 나타내는 종결 어미.
cobalah, sebenarnya, apa
(dalam bentuk hormat) kata penutup final yang mengungkapkan suatu kenyataan atau menyatakan pertanyaan, perintah, atau ajakan <nasehat>

< 후렴(refrein) >

이제+부터+는 지금+부터+는

이제 (nomina) : 지금의 시기.
sekarang
waktu sekarang

부터 : 어떤 일의 시작이나 처음을 나타내는 조사.
Tiada Penjelasan Arti
partikel yang menyatakan awal atau mula sebuah peristiwa

는 : 어떤 대상이 다른 것과 대조됨을 나타내는 조사.
Tiada Penjelasan Arti
partikel yang menyatakan suatu subjek diperbandingkan dengan sesuatu yang lain

지금 (nomina) : 말을 하고 있는 바로 이때.
sekarang
saat sedang bicara

부터 : 어떤 일의 시작이나 처음을 나타내는 조사.
Tiada Penjelasan Arti
partikel yang menyatakan awal atau mula sebuah peristiwa

는 : 어떤 대상이 다른 것과 대조됨을 나타내는 조사.
Tiada Penjelasan Arti
partikel yang menyatakan suatu subjek diperbandingkan dengan sesuatu yang lain

가슴+이 시키+[는 대로] 살+[아 보]+아요.
살아 봐요

가슴 (nomina) : 마음이나 느낌.
hati, rasa, perasaan
hati atau perasaan

이 : 어떤 상태나 상황의 대상이나 동작의 주체를 나타내는 조사.
Tiada Penjelasan Arti
partikel yang menyatakan objek dari suatu keadaan atau kondisi atau pelaku dari suatu tindakan

시키다 (verba) : 어떤 일이나 행동을 하게 하다.
menyuruh, memerintah
membuat melakukan pekerjaan atau tindakan

-는 대로 : 앞에 오는 말이 뜻하는 현재의 행동이나 상황과 같음을 나타내는 표현.
sejauh, sesuai dengan
ungkapan yang menyatakan keadaan sesuai dengan tindakan atau keadaan masa lampau dalam perkataan depan

살다 (verba) : 사람이 생활을 하다.
hidup
manusia menjalani hidup

-아 보다 : 앞의 말이 나타내는 행동을 시험 삼아 함을 나타내는 표현.
mencoba
ungkapan yang menyatakan menjadikan tindakan dalam kalimat yang disebutkan di depan sebagai sebuah percobaan

-아요 : (두루높임으로) 어떤 사실을 서술하거나 질문, 명령, 권유함을 나타내는 종결 어미.
cobalah, sebenarnya, apa
(dalam bentuk hormat) kata penutup final yang mengungkapkan suatu kenyataan atau menyatakan pertanyaan, perintah, atau ajakan <nasehat>

이제+부터+는 지금+부터+는

이제 (nomina) : 지금의 시기.
sekarang
waktu sekarang

부터 : 어떤 일의 시작이나 처음을 나타내는 조사.
Tiada Penjelasan Arti
partikel yang menyatakan awal atau mula sebuah peristiwa

는 : 어떤 대상이 다른 것과 대조됨을 나타내는 조사.
Tiada Penjelasan Arti
partikel yang menyatakan suatu subjek diperbandingkan dengan sesuatu yang lain

지금 (nomina) : 말을 하고 있는 바로 이때.
sekarang
saat sedang bicara

부터 : 어떤 일의 시작이나 처음을 나타내는 조사.
Tiada Penjelasan Arti
partikel yang menyatakan awal atau mula sebuah peristiwa

는 : 어떤 대상이 다른 것과 대조됨을 나타내는 조사.
Tiada Penjelasan Arti
partikel yang menyatakan suatu subjek diperbandingkan dengan sesuatu yang lain

가슴+이 느끼+[는 대로] 자유롭+게

가슴 (nomina) : 마음이나 느낌.
hati, rasa, perasaan
hati atau perasaan

이 : 어떤 상태나 상황의 대상이나 동작의 주체를 나타내는 조사.
Tiada Penjelasan Arti
partikel yang menyatakan objek dari suatu keadaan atau kondisi atau pelaku dari suatu tindakan

느끼다 (verba) : 특정한 대상이나 상황을 어떻다고 생각하거나 인식하다.
merasakan, merasa bahwa
berpikir atau mengenali bahwa subjek atau keadaan tertentu demikian

-는 대로 : 앞에 오는 말이 뜻하는 현재의 행동이나 상황과 같음을 나타내는 표현.
sejauh, sesuai dengan
ungkapan yang menyatakan keadaan sesuai dengan tindakan atau keadaan masa lampau dalam perkataan depan

자유롭다 (adjektiva) : 무엇에 얽매이거나 구속되지 않고 자기 생각과 의지대로 할 수 있다.
bebas
dapat melakukanya seenak hati tanpa gangguan atau batasan

-게 : 앞의 말이 뒤에서 가리키는 일의 목적이나 결과, 방식, 정도 등이 됨을 나타내는 연결 어미.
dengan
kata penutup sambung yang menyatakan isi kalimat di depan dibutuhkan sementara kalimat di belakang terus dilanjutkan(formal, kedudukan penerima sangat rendah) <cara>

아무깃+노 [신경 쓰]+[시 밀(바)]+(아)요.
신경 쓰지 마요

아무것 (nomina) : 어떤 것의 조금이나 일부분.
apapun
sedikit atau sebagian dari sesuatu

도 : 극단적인 경우를 들어 다른 경우는 말할 것도 없음을 나타내는 조사.
saja
partikel yang menyatakan tidak dapat mengatakan perihal yang lain dengan mengangkat situasi yang ekstrem

신경 쓰다 (idiom) : 사소한 일까지 세심하게 생각하다.
memikirkan
memikirkan dengan dalam sampai pada hal-hal yang kecil

-지 말다 : 앞의 말이 나타내는 행동을 하지 못하게 함을 나타내는 표현.

tidak, jangan

ungkapan yang menyatakan menjadikan tidak dapat melakukan tindakan dalam kalimat yang disebutkan di depan

-아요 : (두루높임으로) 어떤 사실을 서술하거나 질문, 명령, 권유함을 나타내는 종결 어미.

cobalah, sebenarnya, apa

(dalam bentuk hormat) kata penutup final yang mengungkapkan suatu kenyataan atau menyatakan pertanyaan, perintah, atau ajakan <perintah>

< 2 절(bait) >

아직+까지 해+가 뜨+고 지+[ㄴ 적+은 한 번+도 없]+었+어요.
진 적은 한 번도 없었어요

아직 (adverbia) : 어떤 일이나 상태 또는 어떻게 되기까지 시간이 더 지나야 함을 나타내거나, 어떤 일이나 상태가 끝나지 않고 계속 이어지고 있음을 나타내는 말.

belum, masih

kata yang menunjukkan suatu hal atau keadaan, perlu waktu lagi sampai sesuatu terwujud, maupun suatu hal yang kondisinya belum berakhir dan terus berlanjut

까지 : 어떤 범위의 끝임을 나타내는 조사.

sampai

partikel yang menyatakan akhir dari suatu lingkup

해 (nomina) : 태양계의 중심에 있으며 온도가 매우 높고 스스로 빛을 내는 항성.

matahari

bintang yang ada di tengah tata surya dan memiliki panas yang sangat tinggi, bersinar dengan sendirinya

가 : 어떤 상태나 상황에 놓인 대상이나 동작의 주체를 나타내는 조사.

Tiada Penjelasan Arti

partikel yang menyatakan subjek sebuah keadaan atau situasi atau pelaku utama sebuah tindakan

뜨다 (verba) : 물 위나 공중에 있거나 위쪽으로 솟아오르다.

muncul, nongol, keluar

ada di atas air atau udara atau membumbung ke arah atas

-고 : 두 가지 이상의 대등한 사실을 나열할 때 쓰는 연결 어미.

dan

akhiran penghubung yang digunakan untuk menyusun dua atau lebih kenyataan yang setara

지다 (verba) : 해나 달이 서쪽으로 넘어가다.

terbenam, tenggelam

matahari atau bulan beralih ke arah barat

-ㄴ 적 없다 : 앞의 말이 나타내는 동작이 일어나거나 그 상태가 나타난 때가 없음을 나타내는 표현.

tidak pernah

ungkapan untuk menyatakan tidak ada waktunya yang tindakan atau keadaan yang disebutkan dalam perkataan depan berlangsung atau muncul

은 : 문장 속에서 어떤 대상이 화제임을 나타내는 조사.

Tiada Penjelasan Arti

partikel yang menyatakan suatu objek menjadi topik di dalam kalimat

한 (pewatas) : 하나의.

satu

satu

번 (nomina) : 일의 횟수를 세는 단위.

kali

kata untuk menunjukkan banyaknya jumlah berulangnya suatu hal

도 : 극단적인 경우를 들어 다른 경우는 말할 것도 없음을 나타내는 조사.

saja

partikel yang menyatakan tidak dapat mengatakan perihal yang lain dengan mengangkat situasi yang ekstrem

-었- : 어떤 사건이 과거에 완료되었거나 그 사건의 결과가 현재까지 지속되는 상황을 나타내는 어미.

sudah, pasti, yakin

akhiran kalimat yang menyatakan sebuah peristiwa sudah selesai di masa lampau atau menyatakan keadaan di mana hasil peristiwa tersebut terus berlangsung hingga sekarang

-어요 : (두루높임으로) 어떤 사실을 서술하거나 질문, 명령, 권유함을 나타내는 종결 어미.

apakah, apa, ~saja, silakan

(dalam bentuk hormat) kata penutup final yang mengungkapkan suatu kenyataan atau menyatakan pertanyaan, perintah, atau ajakan <penjabaran>

이 땅+에 살(사)+는 우리+들+만 어제+도 오늘+도
　　　　사는

이 (pewatas) : 바로 앞에서 이야기한 대상을 가리킬 때 쓰는 말.

ini

kata untuk menunjukkan sesuatu yang dinyatakan di kalimat sebelumnya

땅 (nomina) : 지구에서 물로 된 부분이 아닌 흙이나 돌로 된 부분.

tanah

bagian dari bumi yang tidak terbuat dari batu, dan tidak berada bersama dengan sungai maupun laut

에 : 앞말이 어떤 장소나 자리임을 나타내는 조사.

di, pada

partikel yang menyatakan kalimat di depan adalah tempat atau lokasi

살다 (verba) : 사람이 생활을 하다.

hidup

manusia menjalani hidup

-는 : 앞의 말이 관형어의 기능을 하게 만들고 사건이나 동작이 현재 일어남을 나타내는 어미.

yang

akhiran untuk membuat kata di depannya berfungsi sebagai pewatas dan menyatakan kejadian atau tindakan terjadi sekarang

우리 (pronomina) : 말하는 사람이 자기와 듣는 사람 또는 이를 포함한 여러 사람들을 가리키는 말.

kita

kata untuk menyebutkan beberapa orang termasuk yang berbicara dan yang mendengar

들 : '복수'의 뜻을 더하는 접미사.

Tiada Penjelasan Arti

akhiran yang menambahkan arti "jamak"

만 : 다른 것은 제외하고 어느 것을 한정함을 나타내는 조사.

hanya

partikel yang menyatakan membatasi sesuatu di luar sesuatu yang lain

어제 (nomina) : 오늘의 하루 전날.

kemarin

hari sebelum hari ini

도 : 둘 이상의 것을 나열함을 나타내는 조사.

juga, serta

partikel yang menyatakan mengurutkan dua atau lebih sesuatu

오늘 (nomina) : 지금 지나가고 있는 이날.

hari ini

hari ini yang sekarang sedang dilalui sekarang

도 : 둘 이상의 것을 나열함을 나타내는 조사.
juga, serta
partikel yang menyatakan mengurutkan dua atau lebih sesuatu

<u>쉬+ㅁ</u> 없이 돌+고 돌+고 또 돌+아요.
쉼

쉬다 (verba) : 하던 일이나 활동 등을 잠시 멈추다. 또는 그렇게 하다.
libur, berhenti, istirahat
hal atau kegiatan dsb yang sedang dilakukan berhenti sebentar, atau membuat jadi demikian

-ㅁ : 앞의 말이 명사의 기능을 하게 하는 어미.
Tiada Penjelasan Arti
akhiran kalimat yang membuat kata di depannya berfungsi sebagai kata benda

없이 (adverbia) : 어떤 일이나 증상 등이 나타나지 않게.
tanpa
tidak dengan munculnya suatu peristiwa atau fenomena dsb

돌다 (veba) : 무엇을 중심으로 원을 그리면서 움직이다.
berputar
menggerakkan untuk menggambar lingkaran dengan berpusat pada sesuatu

-고 : 두 가지 이상의 대등한 사실을 나열할 때 쓰는 연결 어미.
dan
akhiran penghubung yang digunakan untuk menyusun dua atau lebih kenyataan yang setara

돌다 (verba) : 무엇을 중심으로 원을 그리면서 움직이다.
berputar
menggerakkan untuk menggambar lingkaran dengan berpusat pada sesuatu

-고 : 두 가지 이상의 대등한 사실을 나열할 때 쓰는 연결 어미.
dan
akhiran penghubung yang digunakan untuk menyusun dua atau lebih kenyataan yang setara

또 (adverbia) : 어떤 일이나 행동이 다시.
lagi
suatu hal atau tindakan lagi

돌다 (verba) : 무엇을 중심으로 원을 그리면서 움직이다.
berputar
menggerakkan untuk menggambar lingkaran dengan berpusat pada sesuatu

-아요 : (두루높임으로) 어떤 사실을 서술하거나 질문, 명령, 권유함을 나타내는 종결 어미.

cobalah, sebenarnya, apa

(dalam bentuk hormat) kata penutup final yang mengungkapkan suatu kenyataan atau menyatakan pertanyaan, perintah, atau ajakan <penjabaran>

배우+[ㄴ 대로] 남+들+이 시키+[는 대로]
배운 대로

배우다 (verba) : 남의 행동이나 태도를 그대로 따르다.

belajar

mengikuti dengan sama tindakan atau sikap orang lain

-ㄴ 대로 : 앞에 오는 말이 뜻하는 과거의 행동이나 상황과 같음을 나타내는 표현.

seperti, sesuai dengan, sebagaimana

ungkapan yang menyatakan keadaan sesuai dengan tindakan atau keadaan masa lampau dalam perkataan depan

남 (nomina) : 내가 아닌 다른 사람.

orang lain

orang selain kita

들 : '복수'의 뜻을 더하는 접미사.

Tiada Penjelasan Arti

akhiran yang menambahkan arti "jamak"

이 : 어떤 상태나 상황의 대상이나 동작의 주체를 나타내는 조사.

Tiada Penjelasan Arti

partikel yang menyatakan objek dari suatu keadaan atau kondisi atau pelaku dari suatu tindakan

시키다 (verba) : 어떤 일이나 행동을 하게 하다.

menyuruh, memerintah

membuat melakukan pekerjaan atau tindakan

-는 대로 : 앞에 오는 말이 뜻하는 현재의 행동이나 상황과 같음을 나타내는 표현.

sejauh, sesuai dengan

ungkapan yang menyatakan keadaan sesuai dengan tindakan atau keadaan masa lampau dalam perkataan depan

그렇+게 사람+들 사이+에 숨+어 살아가+[고 있]+죠.

그렇다 (adjektiva) : 상태, 모양, 성질 등이 그와 같다.
begitu, demikian
keadaan, bentuk, karakter, dsb sama dengan isi kalimat di depan atau di belakang

-게 : 앞의 말이 뒤에서 가리키는 일의 목적이나 결과, 방식, 정도 등이 됨을 나타내는 연결 어미.
dengan
kata penutup sambung yang menyatakan isi kalimat di depan dibutuhkan sementara kalimat di belakang terus dilanjutkan(formal, kedudukan penerima sangat rendah) <cara>

사람 (nomina) : 특별히 정해지지 않은 자기 외의 남을 가리키는 말.
orang
kata untuk menunjukkan orang lain selain diri sendiri yang tidak ditentukan secara khusus

들 : '복수'의 뜻을 더하는 접미사.
Tiada Penjelasan Arti
akhiran yang menambahkan arti "jamak"

사이 (nomina) : 한 물체에서 다른 물체까지 또는 한곳에서 다른 곳까지의 거리나 공간.
antara
jarak atau ruang dari satu benda sampai benda lain atau dari satu tempat sampai tempat lain

에 : 앞말이 어떤 장소나 자리임을 나타내는 조사.
di, pada
partikel yang menyatakan kalimat di depan adalah tempat atau lokasi

숨다 (verba) : 남이 볼 수 없게 몸을 감추다.
bersembunyi, mengumpet
menyembunyikan tubuh sampai tidak terlihat orang lain

-어 : 앞의 말이 뒤의 말보다 먼저 일어났거나 뒤의 말에 대한 방법이나 수단이 됨을 나타내는 연결 어미.
setelah, sesudah, selepas, lalu
akhiran penghubung untuk menyatakan bahwa anak kalimat terjadi lebih dahulu daripada kalimat induk atau menjadi cara atau alat terhadap kalimat induk

살아가다 (verba) : 어떤 종류의 삶이나 시대 등을 견디며 생활해 나가다.
menjalani hidup
menjalani hidup, mengarungi kehidupan, memperjuangkan hidup

-고 있다 : 앞의 말이 나타내는 행동이 계속 진행됨을 나타내는 표현.
sedang
ungkapan yang menyatakan bahwa tindakan yang disebutkan dalam kalimat di depan terus berjalan

-죠 : (두루높임으로) 말하는 사람이 자신에 대한 이야기나 자신의 생각을 친근하게 말할 때 쓰는 종결 어미.

kan?, bukan?

(dalam bentuk hormat) kata penutup final yang digunakan saat pembicara berbicara tentang dirinya atau saat mengatakan pikirannya secara akrab

그 사이+에 <u>갇히</u>+어 [지지고 볶]+으며 오늘+도 나+는 살아가+[고 있]+네요.
갇혀

그 (pewatas) : 앞에서 이미 이야기한 대상을 가리킬 때 쓰는 말.
itu
kata yang digunakan saat menunjuk sesuatu yang sudah diceritakan di depan

사이 (nomina) : 한 물체에서 다른 물체까지 또는 한곳에서 다른 곳까지의 거리나 공간.
antara
jarak atau ruang dari satu benda sampai benda lain atau dari satu tempat sampai tempat lain

에 : 앞말이 어떤 장소나 자리임을 나타내는 조사.
di, pada
partikel yang menyatakan kalimat di depan adalah tempat atau lokasi

갇히다 (verba) : 어떤 공간이나 상황에서 나가지 못하게 되다.
terkurung, terjebak, terperangkap
keadaan diri tidak bisa keluar dari sebuah ruangan atau situasi

-어 : 앞의 말이 뒤의 말보다 먼저 일어났거나 뒤의 말에 대한 방법이나 수단이 됨을 나타내는 연결 어미.
setelah, sesudah, selepas, lalu
akhiran penghubung untuk menyatakan bahwa anak kalimat terjadi lebih dahulu daripada kalimat induk atau menjadi cara atau alat terhadap kalimat induk

지지고 볶다 (idiom) : 온갖 것을 겪으며 함께 살아가다.
Tiada Penjelasan Arti
melewati segalanya kemudian hidup bersama

-으며 : 두 가지 이상의 동작이나 상태가 함께 일어남을 나타내는 연결 어미.
serta, dan, sambil
kata penutup sambung yang menyatakan dua atau lebih tindakan atau keadaan muncul bersamaan

오늘 (nomina) : 지금 지나가고 있는 이날.
hari ini
hari ini yang sekarang sedang dilalui sekarang

도 : 이미 있는 어떤 것에 다른 것을 더하거나 포함함을 나타내는 조사.
juga
partikel yang menyatakan menambahkan atau mengikutsertakan sesuatu yang lain pada
sesuatu yang sudah ada

나 (pronomina) : 말하는 사람이 친구나 아랫사람에게 자기를 가리키는 말.
aku
kata yang digunakan orang yang berbicara untuk menunjuk dirinya sendiri kepada teman
atau orang yang berada di bawahnya

는 : 문장 속에서 어떤 대상이 화제임을 나타내는 조사.
Tiada Penjelasan Arti
partikel yang menyatakan suatu subjek dalam kalimat menjadi bahan pembicaraan

살아가다 (verba) : 어떤 종류의 삶이나 시대 등을 견디며 생활해 나가다.
menjalani hidup
menjalani hidup, mengarungi kehidupan, memperjuangkan hidup

-고 있다 : 앞의 말이 나타내는 행동이 계속 진행됨을 나타내는 표현.
sedang
ungkapan yang menyatakan bahwa tindakan yang disebutkan dalam kalimat di depan terus
berjalan

-네요 : (두루높임으로) 말하는 사람이 직접 경험하여 새롭게 알게 된 사실에 대해 감탄함을 나타낼 때 쓰
       는 표현.
wah, ternyata
(dalam bentuk hormat) ungkapan yang digunakan saat menunjukkan orang yang berbicara
berpengalaman langsung lalu terkejut atau terkagum dengan kenyataan yang baru diketahui
itu

누(구)+가 시키+[는 대로] 살(사)+[는 것]+은 이제 너무 짜증+이 나+(아)요.
   누가   사는 것은   나요

누구 (pronomina) : 굳이 이름을 밝힐 필요가 없는 사람을 가리키는 말.
seseorang
kata untuk menunjuk orang yang tidak perlu disebutkan namanya secara tegas

가 : 어떤 상태나 상황에 놓인 대상이나 동작의 주체를 나타내는 조사.
Tiada Penjelasan Arti
partikel yang menyatakan subjek sebuah keadaan atau situasi atau pelaku utama sebuah
tindakan

시키다 (verba) : 어떤 일이나 행동을 하게 하다.
menyuruh, memerintah
membuat melakukan pekerjaan atau tindakan

-는 대로 : 앞에 오는 말이 뜻하는 현재의 행동이나 상황과 같음을 나타내는 표현.
sejauh, sesuai dengan
ungkapan yang menyatakan keadaan sesuai dengan tindakan atau keadaan masa lampau dalam perkataan depan

살다 (verba) : 사람이 생활을 하다.
hidup
manusia menjalani hidup

-는 것 : 명사가 아닌 것을 문장에서 명사처럼 쓰이게 하거나 '이다' 앞에 쓰일 수 있게 할 때 쓰는 표현.
yang
ungkapan yang dapat membuat suatu kelas kata bisa digunakan sebagai kata benda dalam kalimat dan berfungsi sebagai subjek atau objek, atau dapat membuat suatu kelas kata bisa digunakan di depan '이다'

은 : 문장 속에서 어떤 대상이 화제임을 나타내는 조사.
Tiada Penjelasan Arti
partikel yang menyatakan suatu objek menjadi topik di dalam kalimat

이제 (adverbia) : 지금의 시기가 되어.
saat ini
ketika saat ini tiba

너무 (adverbia) : 일정한 정도나 한계를 훨씬 넘어선 상태로.
terlalu, berlebihan
tarafnya melebihi batas tertentu

짜증 (nomina) : 마음에 들지 않아서 화를 내거나 싫은 느낌을 겉으로 드러내는 일. 또는 그런 성미.
kejengkelan, kekesalan, kesebalan
tindakan memarahi karena tidak berkenan di hati atau menampakkan perasaan tidak suka, atau watak yang demikian

이 : 어떤 상태나 상황의 대상이나 동작의 주체를 나타내는 조사.
Tiada Penjelasan Arti
partikel yang menyatakan objek dari suatu keadaan atau kondisi atau pelaku dari suatu tindakan

나다 (verba) : 어떤 감정이나 느낌이 생기다.
muncul, timbul
munculnya suatu emosi atau perasaan

-아요 : (두루높임으로) 어떤 사실을 서술하거나 질문, 명령, 권유함을 나타내는 종결 어미.

cobalah, sebenarnya, apa

(dalam bentuk hormat) kata penutup final yang mengungkapkan suatu kenyataan atau menyatakan pertanyaan, perintah, atau ajakan <penjabaran>

바라+고 원하+는 생각+들+을 하늘 너머+로 <u>떠나보내+(어)요</u>.
떠나보내요

바라다 (verba) : 생각이나 희망대로 어떤 일이 이루어지기를 기대하다.

berharap, mengharapkan

berharap sesuatu terwujud sesuai dengan pikiran atau harapan

-고 : 두 가지 이상의 대등한 사실을 나열할 때 쓰는 연결 어미.

dan

akhiran penghubung yang digunakan untuk menyusun dua atau lebih kenyataan yang setara

원하다 (verba) : 무엇을 바라거나 하고자 하다.

menginginkan, mengharapkan

berharap atau ingin melakukan sesuatu

-는 : 앞의 말이 관형어의 기능을 하게 만들고 사건이나 동작이 현재 일어남을 나타내는 어미.

yang

akhiran untuk membuat kata di depannya berfungsi sebagai pewatas dan menyatakan kejadian atau tindakan terjadi sekarang

생각 (nomina) : 사람이 머리를 써서 판단하거나 인식하는 것

pikiran

hal orang menggunakan otaknya lalu menilai atau mengenali

들 : '복수'의 뜻을 더하는 접미사.

Tiada Penjelasan Arti

akhiran yang menambahkan arti "jamak"

을 : 동작이 직접적으로 영향을 미치는 대상을 나타내는 조사.

Tiada Penjelasan Arti

partikel yang menyatakan objek dari suatu gerakan yang secara langsung memberikan pengaruh

하늘 (nomina) : 땅 위로 펼쳐진 무한히 넓은 공간.

langit

ruang maha luas yang tak terbatas dan membentang di atas bumi

너머 (nomina) : 경계나 가로막은 것을 넘어선 건너편.
di balik, di belakang
di bagian belakang benda

로 : 움직임의 방향을 나타내는 조사.
ke
partikel yang menyatakan arah gerakan

떠나보내다 (verba) : 있던 곳을 떠나 다른 곳으로 가게 하다.
mengirim, melepas
membuat meninggalkan tempat berada sekarang dan pergi ke tempat lain

-어요 : (두루높임으로) 어떤 사실을 서술하거나 질문, 명령, 권유함을 나타내는 종결 어미.
apakah, apa, ~saja, silakan
(dalam bentuk hormat) kata penutup final yang mengungkapkan suatu kenyataan atau menyatakan pertanyaan, perintah, atau ajakan <nasehat>

우리 모두 거기+서 자유롭+게 살+[아 보]+아요.
살아 봐요

우리 (pronomina) : 말하는 사람이 자기와 듣는 사람 또는 이를 포함한 여러 사람들을 가리키는 말.
kita
kata untuk menyebutkan beberapa orang termasuk yang berbicara dan yang mendengar

모두 (adverbia) : 빠짐없이 다.
semua, seluruhnya
semua tanpa terkecuali

거기 (pronomina) : 앞에서 이미 이야기한 곳을 가리키는 말.
di sana, sana
kata untuk menunjukkan tempat yang diceritakan di depan

서 : 앞말이 행동이 이루어지고 있는 장소임을 나타내는 조사.
di
partikel yang menyatakan bahwa kata di depannya adalah tempat tindakan terjadi

자유롭다 (adjektiva) : 무엇에 얽매이거나 구속되지 않고 자기 생각과 의지대로 할 수 있다.
bebas
dapat melakukanya seenak hati tanpa gangguan atau batasan

-게 : 앞의 말이 뒤에서 가리키는 일의 목적이나 결과, 방식, 정도 등이 됨을 나타내는 연결 어미.
dengan
kata penutup sambung yang menyatakan isi kalimat di depan dibutuhkan sementara kalimat di belakang terus dilanjutkan(formal, kedudukan penerima sangat rendah) <cara>

살다 (verba) : 사람이 생활을 하다.
hidup
manusia menjalani hidup

-아 보다 : 앞의 말이 나타내는 행동을 시험 삼아 함을 나타내는 표현.
mencoba
ungkapan yang menyatakan menjadikan tindakan dalam kalimat yang disebutkan di depan sebagai sebuah percobaan

-아요 : (두루높임으로) 어떤 사실을 서술하거나 질문, 명령, 권유함을 나타내는 종결 어미.
cobalah, sebenarnya, apa
(dalam bentuk hormat) kata penutup final yang mengungkapkan suatu kenyataan atau menyatakan pertanyaan, perintah, atau ajakan <nasehat>

< 후렴(refrein) >

이제+부터+는 지금+부터+는

이제 (nomina) : 지금의 시기
sekarang
waktu sekarang

부터 : 어떤 일의 시작이나 처음을 나타내는 조사.
Tiada Penjelasan Arti
partikel yang menyatakan awal atau mula sebuah peristiwa

는 : 어떤 대상이 다른 것과 대조됨을 나타내는 조사.
Tiada Penjelasan Arti
partikel yang menyatakan suatu subjek diperbandingkan dengan sesuatu yang lain

지금 (nomina) : 말을 하고 있는 바로 이때.
sekarang
saat sedang bicara

부터 : 어떤 일의 시작이나 처음을 나타내는 조사.
Tiada Penjelasan Arti
partikel yang menyatakan awal atau mula sebuah peristiwa

는 : 어떤 대상이 다른 것과 대조됨을 나타내는 조사.
Tiada Penjelasan Arti
partikel yang menyatakan suatu subjek diperbandingkan dengan sesuatu yang lain

이제+부터+는 지금+부터+는

이제 (nomina) : 지금의 시기.
sekarang
waktu sekarang

부터 : 어떤 일의 시작이나 처음을 나타내는 조사.
Tiada Penjelasan Arti
partikel yang menyatakan awal atau mula sebuah peristiwa

는 : 어떤 대상이 다른 것과 대조됨을 나타내는 조사.
Tiada Penjelasan Arti
partikel yang menyatakan suatu subjek diperbandingkan dengan sesuatu yang lain

지금 (nomina) : 말을 하고 있는 바로 이때.
sekarang
saat sedang bicara

부터 : 어떤 일의 시작이나 처음을 나타내는 조사.
Tiada Penjelasan Arti
partikel yang menyatakan awal atau mula sebuah peristiwa

는 : 어떤 대상이 다른 것과 대조됨을 나타내는 조사.
Tiada Penjelasan Arti
partikel yang menyatakan suatu subjek diperbandingkan dengan sesuatu yang lain

가슴+이 시키+[는 대로] 살+[아 보]+아요.
살아 봐요

가슴 (nomina) : 마음이나 느낌.
hati, rasa, perasaan
hati atau perasaan

이 : 어떤 상태나 상황의 대상이나 동작의 주체를 나타내는 조사.
Tiada Penjelasan Arti
partikel yang menyatakan objek dari suatu keadaan atau kondisi atau pelaku dari suatu tindakan

시키다 (verba) : 어떤 일이나 행동을 하게 하다.
menyuruh, memerintah
membuat melakukan pekerjaan atau tindakan

-는 대로 : 앞에 오는 말이 뜻하는 현재의 행동이나 상황과 같음을 나타내는 표현.
sejauh, sesuai dengan
ungkapan yang menyatakan keadaan sesuai dengan tindakan atau keadaan masa lampau dalam perkataan depan

살다 (verba) : 사람이 생활을 하다.
hidup
manusia menjalani hidup

-아 보다 : 앞의 말이 나타내는 행동을 시험 삼아 함을 나타내는 표현.
mencoba
ungkapan yang menyatakan menjadikan tindakan dalam kalimat yang disebutkan di depan sebagai sebuah percobaan

-아요 : (두루높임으로) 어떤 사실을 서술하거나 질문, 명령, 권유함을 나타내는 종결 어미.
cobalah, sebenarnya, apa
(dalam bentuk hormat) kata penutup final yang mengungkapkan suatu kenyataan atau menyatakan pertanyaan, perintah, atau ajakan <nasehat>

이제+부터+는 지금+부터+는

이제 (nomina) : 지금의 시기.
sekarang
waktu sekarang

부터 : 어떤 일의 시작이나 처음을 나타내는 조사.
Tiada Penjelasan Arti
partikel yang menyatakan awal atau mula sebuah peristiwa

는 : 어떤 대상이 다른 것과 대조됨을 나타내는 조사.
Tiada Penjelasan Arti
partikel yang menyatakan suatu subjek diperbandingkan dengan sesuatu yang lain

지금 (nomina) : 말을 하고 있는 바로 이때.
sekarang
saat sedang bicara

부터 : 어떤 일의 시작이나 처음을 나타내는 조사.
Tiada Penjelasan Arti
partikel yang menyatakan awal atau mula sebuah peristiwa

는 : 어떤 대상이 다른 것과 대조됨을 나타내는 조사.
Tiada Penjelasan Arti
partikel yang menyatakan suatu subjek diperbandingkan dengan sesuatu yang lain

가슴+이 느끼+[는 대로] 자유롭+게

가슴 (nomina) : 마음이나 느낌.
hati, rasa, perasaan
hati atau perasaan

이 : 어떤 상태나 상황의 대상이나 동작의 주체를 나타내는 조사.
Tiada Penjelasan Arti
partikel yang menyatakan objek dari suatu keadaan atau kondisi atau pelaku dari suatu tindakan

느끼다 (verba) : 특정한 대상이나 상황을 어떻다고 생각하거나 인식하다.
merasakan, merasa bahwa
berpikir atau mengenali bahwa subjek atau keadaan tertentu demikian

-는 대로 : 앞에 오는 말이 뜻하는 현재의 행동이나 상황과 같음을 나타내는 표현.
sejauh, sesuai dengan
ungkapan yang menyatakan keadaan sesuai dengan tindakan atau keadaan masa lampau dalam perkataan depan

자유롭다 (adjektiva) : 무엇에 얽매이거나 구속되지 않고 자기 생각과 의지대로 할 수 있다.
bebas
dapat melakukanya seenak hati tanpa gangguan atau batasan

-게 : 앞의 말이 뒤에서 가리키는 일의 목적이나 결과, 방식, 정도 등이 됨을 나타내는 연결 어미.
dengan
kata penutup sambung yang menyatakan isi kalimat di depan dibutuhkan sementara kalimat di belakang terus dilanjutkan(formal, kedudukan penerima sangat rendah) <cara>

이제+부터+는 지금+부터+는

이제 (nomina) : 지금의 시기.
sekarang
waktu sekarang

부터 : 어떤 일의 시작이나 처음을 나타내는 조사.
Tiada Penjelasan Arti
partikel yang menyatakan awal atau mula sebuah peristiwa

는 : 어떤 대상이 다른 것과 대조됨을 나타내는 조사.
Tiada Penjelasan Arti
partikel yang menyatakan suatu subjek diperbandingkan dengan sesuatu yang lain

지금 (nomina) : 말을 하고 있는 바로 이때.
sekarang
saat sedang bicara

부터 : 어떤 일의 시작이나 처음을 나타내는 조사.
Tiada Penjelasan Arti
partikel yang menyatakan awal atau mula sebuah peristiwa

는 : 어떤 대상이 다른 것과 대조됨을 나타내는 조사.
Tiada Penjelasan Arti
partikel yang menyatakan suatu subjek diperbandingkan dengan sesuatu yang lain

(우리 모두 거기+서)

우리 (pronomina) : 말하는 사람이 자기와 듣는 사람 또는 이를 포함한 여러 사람들을 가리키는 말.
kita
kata untuk menyebutkan beberapa orang termasuk yang berbicara dan yang mendengar

모두 (adverbia) : 빠짐없이 다.
semua, seluruhnya
semua tanpa terkecuali

거기 (pronomina) : 앞에서 이미 이야기한 곳을 가리키는 말.
di sana, sana
kata untuk menunjukkan tempat yang diceritakan di depan

서 : 앞말이 행동이 이루어지고 있는 장소임을 나타내는 조사.
di
partikel yang menyatakan bahwa kata di depannya adalah tempat tindakan terjadi

가슴+이 시키+[는 대로] 살+[아 보]+아요.
살아 봐요

가슴 (nomina) : 마음이나 느낌.
hati, rasa, perasaan
hati atau perasaan

이 : 어떤 상태나 상황의 대상이나 동작의 주체를 나타내는 조사.
Tiada Penjelasan Arti
partikel yang menyatakan objek dari suatu keadaan atau kondisi atau pelaku dari suatu tindakan

시키다 (verba) : 어떤 일이나 행동을 하게 하다.
menyuruh, memerintah
membuat melakukan pekerjaan atau tindakan

-는 대로 : 앞에 오는 말이 뜻하는 현재의 행동이나 상황과 같음을 나타내는 표현.
sejauh, sesuai dengan
ungkapan yang menyatakan keadaan sesuai dengan tindakan atau keadaan masa lampau dalam perkataan depan

살다 (verba) : 사람이 생활을 하다.
hidup
manusia menjalani hidup

-아 보다 : 앞의 말이 나타내는 행동을 시험 삼아 함을 나타내는 표현.
mencoba
ungkapan yang menyatakan menjadikan tindakan dalam kalimat yang disebutkan di depan sebagai sebuah percobaan

-아요 : (두루높임으로) 어떤 사실을 서술하거나 질문, 명령, 권유함을 나타내는 종결 어미.
cobalah, sebenarnya, apa
(dalam bentuk hormat) kata penutup final yang mengungkapkan suatu kenyataan atau menyatakan pertanyaan, perintah, atau ajakan <nasehat>

(자유롭+게 살+아요)

자유롭다 (adjektiva) : 무엇에 얽매이거나 구속되지 않고 자기 생각과 의지대로 할 수 있다.
bebas
dapat melakukanya seenak hati tanpa gangguan atau batasan

-게 : 앞의 말이 뒤에서 가리키는 일의 목적이나 결과, 방식, 정도 등이 됨을 나타내는 연결 어미.
dengan
kata penutup sambung yang menyatakan isi kalimat di depan dibutuhkan sementara kalimat di belakang terus dilanjutkan(formal, kedudukan penerima sangat rendah) <cara>

살다 (verba) : 사람이 생활을 하다.
hidup
manusia menjalani hidup

-아요 : (두루높임으로) 어떤 사실을 서술하거나 질문, 명령, 권유함을 나타내는 종결 어미.
cobalah, sebenarnya, apa
(dalam bentuk hormat) kata penutup final yang mengungkapkan suatu kenyataan atau menyatakan pertanyaan, perintah, atau ajakan <nasehat>

이제+부터+는 지금+부터+는

이제 (nomina) : 지금의 시기.
sekarang
waktu sekarang

부터 : 어떤 일의 시작이나 처음을 나타내는 조사.
Tiada Penjelasan Arti
partikel yang menyatakan awal atau mula sebuah peristiwa

는 : 어떤 대상이 다른 것과 대조됨을 나타내는 조사.
Tiada Penjelasan Arti
partikel yang menyatakan suatu subjek diperbandingkan dengan sesuatu yang lain

지금 (nomina) : 말을 하고 있는 바로 이때.
sekarang
saat sedang bicara

부터 : 어떤 일의 시작이나 처음을 나타내는 조사.
Tiada Penjelasan Arti
partikel yang menyatakan awal atau mula sebuah peristiwa

는 : 어떤 대상이 다른 것과 대조됨을 나타내는 조사.
Tiada Penjelasan Arti
partikel yang menyatakan suatu subjek diperbandingkan dengan sesuatu yang lain

(우리 모두 거기+서)

우리 (pronomina) : 말하는 사람이 자기와 듣는 사람 또는 이를 포함한 여러 사람들을 가리키는 말.
kita
kata untuk menyebutkan beberapa orang termasuk yang berbicara dan yang mendengar

모두 (adverbia) : 빠짐없이 다.
semua, seluruhnya
semua tanpa terkecuali

거기 (pronomina) : 앞에서 이미 이야기한 곳을 가리키는 말.
di sana, sana
kata untuk menunjukkan tempat yang diceritakan di depan

서 : 앞말이 행동이 이루어지고 있는 장소임을 나타내는 조사.
di
partikel yang menyatakan bahwa kata di depannya adalah tempat tindakan terjadi

가슴+이 느끼+[는 대로] 자유롭+게

가슴 (nomina) : 마음이나 느낌.
hati, rasa, perasaan
hati atau perasaan

이 : 어떤 상태나 상황의 대상이나 동작의 주체를 나타내는 조사.
Tiada Penjelasan Arti
partikel yang menyatakan objek dari suatu keadaan atau kondisi atau pelaku dari suatu tindakan

느끼다 (verba) : 특정한 대상이나 상황을 어떻다고 생각하거나 인식하다.
merasakan, merasa bahwa
berpikir atau mengenali bahwa subjek atau keadaan tertentu demikian

-는 대로 : 앞에 오는 말이 뜻하는 현재의 행동이나 상황과 같음을 나타내는 표현.
sejauh, sesuai dengan
ungkapan yang menyatakan keadaan sesuai dengan tindakan atau keadaan masa lampau dalam perkataan depan

자유롭다 (adjektiva) : 무엇에 얽매이거나 구속되지 않고 자기 생각과 의지대로 할 수 있다.
bebas
dapat melakukanya seenak hati tanpa gangguan atau batasan

-게 : 앞의 말이 뒤에서 가리키는 일의 목적이나 결과, 방식, 정도 등이 됨을 나타내는 연결 어미.
dengan
kata penutup sambung yang menyatakan isi kalimat di depan dibutuhkan sementara kalimat di belakang terus dilanjutkan(formal, kedudukan penerima sangat rendah) <cara>

(자유롭+게)

자유롭다 (adjektiva) : 무엇에 얽매이거나 구속되지 않고 자기 생각과 의지대로 할 수 있다.
bebas
dapat melakukanya seenak hati tanpa gangguan atau batasan

-게 : 앞의 말이 뒤에서 가리키는 일의 목적이나 결과, 방식, 정도 등이 됨을 나타내는 연결 어미.
dengan
kata penutup sambung yang menyatakan isi kalimat di depan dibutuhkan sementara kalimat di belakang terus dilanjutkan(formal, kedudukan penerima sangat rendah) <cara>

그런 사람+이+었+어요.

그런 (pewatas) : 상태, 모양, 성질 등이 그러한.
seperti itu
yang bersifat kondisi, bentuk, karakter, dsb demikian

사람 (nomina) : 생각할 수 있으며 언어와 도구를 만들어 사용하고 사회를 이루어 사는 존재.
manusia, orang
keberadaan yang bisa berpikir, membuat bahasa dan alat lalu menggunakannya, dan membentuk masyarakat

이다 : 주어가 지시하는 대상의 속성이나 부류를 지정하는 뜻을 나타내는 서술격 조사.
adalah
partikel kasus predikatif yang menyatakan maksud menentukan karakter atau jenis dari objek yang diindikasikan subjek

-었- : 어떤 사건이 과거에 완료되었거나 그 사건의 결과가 현재까지 지속되는 상황을 나타내는 어미.
sudah, pasti, yakin
akhiran kalimat yang menyatakan sebuah peristiwa sudah selesai di masa lampau atau menyatakan keadaan di mana hasil peristiwa tersebut terus berlangsung hingga sekarang

-어요 : (두루높임으로) 어떤 사실을 서술하거나 질문, 명령, 권유함을 나타내는 종결 어미.
apakah, apa, ~saja, silakan
(dalam bentuk hormat) kata penutup final yang mengungkapkan suatu kenyataan atau menyatakan pertanyaan, perintah, atau ajakan <penjabaran>

그런 인생+이+었+어요.

그런 (pewatas) : 상태, 모양, 성질 등이 그러한.
seperti itu
yang bersifat kondisi, bentuk, karakter, dsb demikian

인생 (nomina) : 사람이 세상을 살아가는 일.
kehidupan
hal di mana orang hidup di dunia

이다 : 주어가 지시하는 대상의 속성이나 부류를 지정하는 뜻을 나타내는 서술격 조사.
adalah
partikel kasus predikatif yang menyatakan maksud menentukan karakter atau jenis dari objek yang diindikasikan subjek

-었- : 어떤 사건이 과거에 완료되었거나 그 사건의 결과가 현재까지 지속되는 상황을 나타내는 어미.
sudah, pasti, yakin
akhiran kalimat yang menyatakan sebuah peristiwa sudah selesai di masa lampau atau menyatakan keadaan di mana hasil peristiwa tersebut terus berlangsung hingga sekarang

-어요 : (두루높임으로) 어떤 사실을 서술하거나 질문, 명령, 권유함을 나타내는 종결 어미.
apakah, apa, ~saja, silakan
(dalam bentuk hormat) kata penutup final yang mengungkapkan suatu kenyataan atau menyatakan pertanyaan, perintah, atau ajakan <penjabaran>

그렇+게 기억하+[여 주]+어요.
기억해 줘요

그렇다 (adjektiva) : 상태, 모양, 성질 등이 그와 같다.
begitu, demikian
keadaan, bentuk, karakter, dsb sama dengan isi kalimat di depan atau di belakang

-게 : 앞의 말이 뒤에서 가리키는 일의 목적이나 결과, 방식, 정도 등이 됨을 나타내는 연결 어미.
dengan
kata penutup sambung yang menyatakan isi kalimat di depan dibutuhkan sementara kalimat di belakang terus dilanjutkan(formal, kedudukan penerima sangat rendah) <cara>

기억하다 (verba) : 이전의 모습, 사실, 지식, 경험 등을 잊지 않거나 다시 생각해 내다.
mengingat
tidak melupakan sosok, kenyataan, bentuk, pengetahuan, pengalaman, dsb sebelumnya, atau mengingat kembali

-여 주다 : 남을 위해 앞의 말이 나타내는 행동을 함을 나타내는 표현.

memberi

ungkapan yang menyatakan melakukan tindakan yang disebutkan dalam kalimat di depan untuk orang lain

-어요 : (두루높임으로) 어떤 사실을 서술하거나 질문, 명령, 권유함을 나타내는 종결 어미.

apakah, apa, ~saja, silakan

(dalam bentuk hormat) kata penutup final yang mengungkapkan suatu kenyataan atau menyatakan pertanyaan, perintah, atau ajakan **\<perintah\>**

< 6 >

독주
(arak keras)

[발음(pelafalan)]

< 1 절(bait) >

누구라도 한 잔 술을 따라 줘요
누구라도 한 잔 수를 따라 줘요
nugurado han jan sureul ttara jwoyo

비우고 싶은 것이 많아서
비우고 시픈 거시 마나서
biugo sipeun geosi manaseo

이 한 잔 마시고 나면 잊을 수 있을까요?
이 한 잔 마시고 나면 이즐 쑤 이쓸까요?
i han jan masigo namyeon ijeul su isseulkkayo?

버리고 싶은 것이 가득해서
버리고 시픈 거시 가드캐서
beorigo sipeun geosi gadeukaeseo

뜨거웠던 가슴, 마지막 온기가 사라지기 전에
뜨거월떤 가슴, 마지막 온기가 사라지기 저네
tteugeowotdeon gaseum, majimak ongiga sarajigi jeone

누구라도 독한 술 한 잔 따라 줘요.
누구라도 도칸 술 한 잔 따라 줘요
nugurado dokan sul han jan ttara jwoyo.

< 후렴(refrein) >

이제부터 하얀 여백에 가득 찬
이제부터 하얀 여배게 가득 찬
ijebuteo hayan yeobaege gadeuk chan

내가 모르는 나를 지울 거예요
내가 모르는 나를 지울 꺼예요
naega moreuneun nareul jiul geoyeyo

오늘은 꼭 당신이 따라 준
오느른 꼭 당시니 따라 준
oneureun kkok dangsini ttara jun

한 잔의 가득한 독주를 비울 거예요.
한 자네 가드칸 독쭈를 비울 꺼예요.
han jane gadeukan dokjureul biul geoyeyo.

< 2 절(bait) >

누구라도 술 한 잔 따라 줘요
누구라도 술 한 잔 따라 줘요
nugurado sul han jan ttara jwoyo

추억에 취해 비틀거리기 전에
추어게 취해 비틀거리기 저네
chueoge chwihae biteulgeorigi jeone

이 한 잔 마시고 나면 지울 수 있을까요?
이 한 잔 마시고 나면 지울 쑤 이쓸까요?
i han jan masigo namyeon jiul su isseulkkayo?

그리움에 취해 잠들기 전에
그리우메 취해 잠들기 저네
geuriume chwihae jamdeulgi jeone

아직 어제를 살고 있는 이 꿈속에서 깨지 않도록
아직 어제를 살고 인는 이 꿈쏘게서 깨지 안토록
ajik eojereul salgo inneun i kkumsogeseo kkaeji antorok

누구라도 지독한 술 한 잔 따라 줘요.
누구라도 지도칸 술 한 잔 따라 줘요.
nugurado jidokan sul han jan ttara jwoyo.

< 후렴(refrein) >

이제부터 하얀 여백에 가득 찬
이제부터 하얀 여배게 가득 찬
ijebuteo hayan yeobaege gadeuk chan

내가 모르는 나를 지울 거예요
내가 모르는 나를 지울 꺼예요
naega moreuneun nareul jiul geoyeyo

오늘은 꼭 당신이 따라 준
오느른 꼭 당시니 따라 준
oneureun kkok dangsini ttara jun

한 잔의 가득한 독주를 비울 거예요.
한 자네 가드칸 독쭈를 비울 꺼예요.
han jane gadeukan dokjureul biul geoyeyo.

이제부터 하얀 여백에 가득 찬
이제부터 하얀 여배게 가득 찬
ijebuteo hayan yeobaege gadeuk chan

내가 모르는 나를 지울 거예요
내가 모르는 나를 지울 꺼예요
naega moreuneun nareul jiul geoyeyo

오늘은 꼭 당신이 따라 준
오느른 꼭 당시니 따라 준
oneureun kkok dangsini ttara jun

한 잔의 가득한 독주를 비울 거예요.
한 자네 가드칸 독쭈를 비울 꺼예요.
han jane gadeukan dokjureul biul geoyeyo.

< 1 절(bait) >

누구+라도 한 잔 술+을 <u>따르(따ㄹ)+[아 주]</u>+어요.
따라 줘요

누구 (pronomina) : 정해지지 않은 어떤 사람을 가리키는 말.
siapa
kata untuk menunjuk seseorang yang belum ditentukan

라도 : 그것이 최선은 아니나 여럿 중에서는 그런대로 괜찮음을 나타내는 조사.
Tiada Penjelasan Arti
partikel yang menyatakan hal sesuatu bukanlah yang terbaik tetapi di antara beberapa yang begitu pun tidak apa-apa

한 (pewatas) : 하나의.
satu
satu

잔 (nomina) : 음료나 술 등을 담은 그릇을 기준으로 그 분량을 세는 단위.
gelas, cangkir
satuan untuk menghitung jumlah gelas dari minuman ringan, minuman beralkohol yang diminum

술 (nomina) : 맥주나 소주 등과 같이 알코올 성분이 들어 있어서 마시면 취하는 음료.
alkohol, minuman beralkohol, minuman keras, miras
minuman seperti bir, soju, dsb yang dapat membuat mabuk bila diminum karena mengandung alkohol

을 : 동작이 직접적으로 영향을 미치는 대상을 나타내는 조사.
Tiada Penjelasan Arti
partikel yang menyatakan objek dari suatu gerakan yang secara langsung memberikan pengaruh

따르다 (verba) : 액체가 담긴 물건을 기울여 액체를 밖으로 조금씩 흐르게 하다.
menuang, menuangkan
memiringkan benda yang berisikan cairan kemudian mengalirkannya sedikit demi sedikit ke luar

-아 주다 : 남을 위해 앞의 말이 나타내는 행동을 함을 나타내는 표현.

mohon, minta, karena

ungkapan yang menyatakan melakukan tindakan yang disebutkan dalam kalimat di depan untuk orang lain

-어요 : (두루높임으로) 어떤 사실을 서술하거나 질문, 명령, 권유함을 나타내는 종결 어미.

apakah, apa, ~saja, silakan

(dalam bentuk hormat) kata penutup final yang mengungkapkan suatu kenyataan atau menyatakan pertanyaan, perintah, atau ajakan <perintah>

비우+[고 싶]+[은 것]+이 많+아서

비우다 (verba) : 욕심이나 집착을 버리다.

mengosongkan

membuang nafsu atau obsesi

-고 싶다 : 앞의 말이 나타내는 행동을 하기를 원함을 나타내는 표현.

ingin, mau

ungkapan yang menyatakan bahwa pembicara ingin melakukan tindakan yang disebut dalam kalimat di depan

-은 것 : 명사가 아닌 것을 문장에서 명사처럼 쓰이게 하거나 '이다' 앞에 쓰일 수 있게 할 때 쓰는 표현.

yang, sesuatu yang, hal yang

ungkapan yang digunakan saat membuat sesuatu yang bukan kata benda seperti kata benda di dalam kalimat atau membuat sesuatu bisa digunakan di depan kata '이다'

이 : 어떤 상태나 상황의 대상이나 동작의 주체를 나타내는 조사.

Tiada Penjelasan Arti

partikel yang menyatakan objek dari suatu keadaan atau kondisi atau pelaku dari suatu tindakan

많다 (adjektiva) : 수나 양, 정도 등이 일정한 기준을 넘다.

banyak

angka atau jumlah, volume, tingkat, dsb melebihi standar tertentu

-아서 : 이유나 근거를 나타내는 연결 어미.

karena, akibat

kata penutup sambung yang menyatakan alasan atau landasan

이 한 잔 마시+[고 나]+면 잊+[을 수 있]+을까요?

이 (pewatas) : 바로 앞에서 이야기한 대상을 가리킬 때 쓰는 말.
yang ini, ini
kata yang digunakan saat menunjuk target yang baru dikatakan sebelumnya

한 (pewatas) : 하나의.
satu
satu

잔 (nomina) : 음료나 술 등을 담은 그릇을 기준으로 그 분량을 세는 단위.
gelas, cangkir
satuan untuk menghitung jumlah gelas dari minuman ringan, minuman beralkohol yang diminum

마시다 (verba) : 물 등의 액체를 목구멍으로 넘어가게 하다.
minum
mengalirkan cairan seperti air dsb ke tenggorokan

-고 나다 : 앞에 오는 말이 나타내는 행동이 끝났음을 나타내는 표현.
seusai, sesudah, setelah
ungkapan yang menyatakan bahwa tindakan yang disebutkan dalam kalimat di depan sudah berakhir

-면 : 뒤에 오는 말에 대한 근거나 조건이 됨을 나타내는 연결 어미.
kalau, seandainya, apabila
akhiran penghubung untuk menyatakan menjadi landasan atau syarat terhadap kalimat induk

잊다 (verba) : 어려움이나 고통, 또는 좋지 않은 지난 일을 마음속에 두지 않거나 신경 쓰지 않다.
melupakan, menghapus
tidak meletakkan di hati atau tidak memikirkan kesulitan atau luka, atau hal yang tidak baik yang telah berlalu

-을 수 있다 : 어떤 행동이나 상태가 가능함을 나타내는 표현.
bisa, mungkin
ungkapan yang memunculkan arti bahwa suatu peristiwa atau keadaan mungkin untuk terjadi

-을까요 : (두루높임으로) 아직 일어나지 않았거나 모르는 일에 대해서 말하는 사람이 추측하며 질문할 때
　　　쓰는 표현.
apakah,bagaimana kalau
(dalam bentuk hormat) ungkapan yang digunakan ketika orang yang berbicara memperkirakan dan mempertanyakan mengenai hal yang tidak diketahui atau belum terjadi

버리+[고 싶]+[은 것]+이 <u>가득하+여서</u>
가득해서

버리다 (verba) : 마음속에 가졌던 생각을 스스로 잊다.
membuang, melepas
melupakan pikiran yang dimiliki dalam hati dengan sendirinya

-고 싶다 : 앞의 말이 나타내는 행동을 하기를 원함을 나타내는 표현.
ingin, mau
ungkapan yang menyatakan bahwa pembicara ingin melakukan tindakan yang disebut dalam kalimat di depan

-은 것 : 명사가 아닌 것을 문장에서 명사처럼 쓰이게 하거나 '이다' 앞에 쓰일 수 있게 할 때 쓰는 표현.
yang, sesuatu yang, hal yang
ungkapan yang digunakan saat membuat sesuatu yang bukan kata benda seperti kata benda di dalam kalimat atau membuat sesuatu bisa digunakan di depan kata '이다'

이 : 어떤 상태나 상황의 대상이나 동작의 주체를 나타내는 조사.
Tiada Penjelasan Arti
partikel yang menyatakan objek dari suatu keadaan atau kondisi atau pelaku dari suatu tindakan

가득하다 (adjektiva) : 어떤 감정이나 생각이 강하다.
penuh, dipenuhi
perasaan yang muncul dari dalam hati kuat

-여서 : 이유나 근거를 나타내는 연결 어미.
karena, lalu, kemudian
kata penutup sambung yang menyatakan alasan atau landasan

뜨겁(뜨거우)+있던 가슴, 바지믹 온기+가 사라시+[기 진에]
뜨거웠던

뜨겁다 (adjektiva) : (비유적으로) 감정이나 열정 등이 격렬하고 강하다.
bergelora, bergolak, bergejolak
(dalam bentuk kiasan) perasaan atau gairah dsb bergelora dan kuat

-었던 : 과거의 사건이나 상태를 다시 떠올리거나 그 사건이나 상태가 완료되지 않고 중단되었다는 의미
        를 나타내는 표현.
yang sudah, yang pernah
ungkapan yang menunjukkan maksud mengingat kembali peristiwa atau kondisi di masa lalu atau perisitiwa atau kondisi tersebut tidak selesai dan terhenti di tengah-tengah

가슴 (nomina) : 마음이나 느낌.
hati, rasa, perasaan
hati atau perasaan

마지막 (nomina) : 시간이나 순서의 맨 끝.
terakhir
akhir atau ujung dari waktu atau urutan

온기 (nomina) : (비유적으로) 다정하거나 따뜻하게 베푸는 분위기나 마음.
kehangatan
(dalam bentuk kiasan) suasana atau hati yang diberikan dengan bersahabat atau hangat

가 : 어떤 상태나 상황에 놓인 대상이나 동작의 주체를 나타내는 조사.
Tiada Penjelasan Arti
partikel yang menyatakan subjek sebuah keadaan atau situasi atau pelaku utama sebuah tindakan

사라지다 (verba) : 생각이나 감정 등이 없어지다.
menghilang, sirna, tidak ada
pikiran atau perasaan dsb menjadi tidak ada

-기 전에 : 뒤에 오는 말이 나타내는 행동이 앞에 오는 말이 나타내는 행동보다 앞서는 것을 나타내는 표현.
sebelum
ungkapan untuk menunjukkan suatu tindakan di belakang telah mendahului tindakan di belakang

누구+라도 독하+ㄴ 술 한 잔 따르(따르)+[아 주]+어요.
독한   따라 줘요

누구 (pronomina) : 정해지지 않은 어떤 사람을 가리키는 말.
siapa
kata untuk menunjuk seseorang yang belum ditentukan

라도 : 그것이 최선은 아니나 여럿 중에서는 그런대로 괜찮음을 나타내는 조사.
Tiada Penjelasan Arti
partikel yang menyatakan hal sesuatu bukanlah yang terbaik tetapi di antara beberapa yang begitu pun tidak apa-apa

독하다 (adjektiva) : 맛이나 냄새 등이 지나치게 자극적이다.
tajam
rasa, bau, dsb yang berlebihan dan merangsang

-ㄴ : 앞의 말이 관형어의 기능을 하게 만들고 현재의 상태를 나타내는 어미.
yang
akhiran yang membuat kata di depannya berfungsi sebagai kata pewatas, dan menyatakan keadaan saat ini

술 (nomina) : 맥주나 소주 등과 같이 알코올 성분이 들어 있어서 마시면 취하는 음료.
alkohol, minuman beralkohol, minuman keras, miras
minuman seperti bir, soju, dsb yang dapat membuat mabuk bila diminum karena mengandung alkohol

한 (pewatas) : 하나의.
satu
satu

잔 (nomina) : 음료나 술 등을 담은 그릇을 기준으로 그 분량을 세는 단위.
gelas, cangkir
satuan untuk menghitung jumlah gelas dari minuman ringan, minuman beralkohol yang diminum

따르다 (verba) : 액체가 담긴 물건을 기울여 액체를 밖으로 조금씩 흐르게 하다.
menuang, menuangkan
memiringkan benda yang berisikan cairan kemudian mengalirkannya sedikit demi sedikit ke luar

-아 주다 : 남을 위해 앞의 말이 나타내는 행동을 함을 나타내는 표현.
mohon, minta, karena
ungkapan yang menyatakan melakukan tindakan yang disebutkan dalam kalimat di depan untuk orang lain

-어요 : (두루높임으로) 어떤 사실을 서술하거나 질문, 명령, 권유함을 나타내는 종결 어미.
apakah, apa, ~saja, silakan
(dalam bentuk hormat) kata penutup final yang mengungkapkan suatu kenyataan atau menyatakan pertanyaan, perintah, atau ajakan <perintah>

< 후렴(refrein) >

이제+부터 <u>하얗(하야)</u>+ㄴ 여백+에 가득 <u>차</u>+ㄴ
　　　　　하얀　　　　　　　　　　찬

이제 (nomina) : 말하고 있는 바로 이때.
sekarang, saat ini
langsung pada saat sedang berbicara

부터 : 어떤 일의 시작이나 처음을 나타내는 조사.
Tiada Penjelasan Arti
partikel yang menyatakan awal atau mula sebuah peristiwa

하얗다 (adjektiva) : 눈이나 우유의 빛깔과 같이 밝고 선명하게 희다.
putih, putih bersih, putih salju
putih dengan cerah dan jelas seperti warna salju atau susu

-ㄴ : 앞의 말이 관형어의 기능을 하게 만들고 현재의 상태를 나타내는 어미.
yang
akhiran yang membuat kata di depannya berfungsi sebagai kata pewatas, dan menyatakan keadaan saat ini

여백 (nomina) : 종이 등에 글씨를 쓰거나 그림을 그리고 남은 빈 자리.
bagian kosong, sisi kosong
ruang kosong yang tersisa pada kertas dsb untuk menulis atau menggambar

에 : 앞말이 어떤 장소나 자리임을 나타내는 조사.
di, pada
partikel yang menyatakan kalimat di depan adalah tempat atau lokasi

가득 (adverbia) : 어떤 감정이나 생각이 강한 모양.
penuh
suatu emosi atau pikiran dengan kuat

차다 (verba) : 감정이나 느낌 등이 가득하게 되다.
penuh
rasa atau perasaan menjadi sangat penuh

-ㄴ : 앞의 말이 관형어의 기능을 하게 만들고 사건이나 동작이 완료되어 그 상태가 유지되고 있음을 나타내는 어미.
yang
akhiran yang membuat kata di depannya berfungsi sebagai kata pewatas, dan menyatakan bahwa tindakan atau peristiwa sudah selesai dan menahan keadaan itu

내+가 모르+는 나+를 지우+[ㄹ 것(거)]+이+에요.
지울 거예요

내 (pronomina) : '나'에 조사 '가'가 붙을 때의 형태.
aku, saya
bentuk saat partikel '가' melekat pada '나'

가 : 어떤 상태나 상황에 놓인 대상이나 동작의 주체를 나타내는 조사.
Tiada Penjelasan Arti
partikel yang menyatakan subjek sebuah keadaan atau situasi atau pelaku utama sebuah tindakan

모르다 (verba) : 사람이나 사물, 사실 등을 알지 못하거나 이해하지 못하다.
tidak tahu
tidak bisa mengetahui atau mengerti orang atau benda, fakta, dsb

-는 : 앞의 말이 관형어의 기능을 하게 만들고 사건이나 동작이 현재 일어남을 나타내는 어미.
yang
akhiran untuk membuat kata di depannya berfungsi sebagai pewatas dan menyatakan kejadian atau tindakan terjadi sekarang

나 (pronomina) : 말하는 사람이 친구나 아랫사람에게 자기를 가리키는 말.
aku
kata yang digunakan orang yang berbicara untuk menunjuk dirinya sendiri kepada teman atau orang yang berada di bawahnya

를 : 동작이 직접적으로 영향을 미치는 대상을 나타내는 조사.
Tiada Penjelasan Arti
partikel yang menyatakan objek dari suatu gerakan yang secara langsung memberikan pengaruh

지우다 (verba) : 생각이나 기억을 없애거나 잊다.
menghapus
menghilangkan, melupakan hal yang menjadi pikiran, atau ingatan

ㅁ 것 : 명사가 아닌 것을 문장에서 명사처럼 쓰이게 하거나 '이다' 앞에 쓰일 수 있게 할 때 쓰는 표현.
minta, mohon, yang
ungkapan yang dapat membuat suatu kelas kata bisa digunakan sebagai kata benda dalam kalimat dan berfungsi sebagai subjek atau objek, atau dapat membuat suatu kelas kata bisa digunakan di depan '이다'

이다 : 주어가 지시하는 대상의 속성이나 부류를 지정하는 뜻을 나타내는 서술격 조사.
adalah
partikel kasus predikatif yang menyatakan maksud menentukan karakter atau jenis dari objek yang diindikasikan subjek

-에요 : (두루높임으로) 어떤 사실을 서술하거나 질문함을 나타내는 종결 어미.
apakah, adalah
(dalam bentuk hormat) kata penutup final yang mengungkapkan suatu kenyataan atau menyatakan pertanyaan, perintah, atau ajakan <penjabaran>

오늘+은 꼭 당신+이 <u>따르(따르)+[아 주]+ㄴ</u>
따라 준

오늘 (nomina) : 지금 지나가고 있는 이날.
hari ini
hari ini yang sekarang sedang dilalui sekarang

은 : 문장 속에서 어떤 대상이 화제임을 나타내는 조사.
Tiada Penjelasan Arti
partikel yang menyatakan suatu objek menjadi topik di dalam kalimat

꼭 (adverbia) : 어떤 일이 있어도 반드시.
sudah tentu, pasti
apapun yang terjadi pasti

당신 (pronomina) : (조금 높이는 말로) 듣는 사람을 가리키는 말.
Anda
(dalam sebutan agak hormat) kata untuk menunjuk orang yang mendengar

이 : 어떤 상태나 상황의 대상이나 동작의 주체를 나타내는 조사.
Tiada Penjelasan Arti
partikel yang menyatakan objek dari suatu keadaan atau kondisi atau pelaku dari suatu tindakan

따르다 (verba) : 액체가 담긴 물건을 기울여 액체를 밖으로 조금씩 흐르게 하다.
menuang, menuangkan
memiringkan benda yang berisikan cairan kemudian mengalirkannya sedikit demi sedikit ke luar

-아 주다 : 남을 위해 앞의 말이 나타내는 행동을 함을 나타내는 표현.
mohon, minta, karena
ungkapan yang menyatakan melakukan tindakan yang disebutkan dalam kalimat di depan untuk orang lain

-ㄴ : 앞의 말이 관형어의 기능을 하게 만들고 사건이나 동작이 완료되어 그 상태가 유지되고 있음을 나타내는 어미.
yang
akhiran yang membuat kata di depannya berfungsi sebagai kata pewatas, dan menyatakan bahwa tindakan atau peristiwa sudah selesai dan menahan keadaan itu

한 잔+의 <u>가득하+ㄴ</u> 독주+를 <u>비우+[ㄹ 것(거)]+이+에요</u>.
가득한   비울 거예요

한 (pewatas) : 하나의.

satu

satu

잔 (nomina) : 음료나 술 등을 담은 그릇을 기준으로 그 분량을 세는 단위.

gelas, cangkir

satuan untuk menghitung jumlah gelas dari minuman ringan, minuman beralkohol yang diminum

의 : 앞의 말이 뒤의 말에 대하여 속성이나 수량을 한정하거나 같은 자격임을 나타내는 조사.

dari

perkataan yang menyatakan perkataan di depan membatasi karakter atau kuantitas atau kualifikasi yang sama dengan perkataan yang ada di belakang

가득하다 (adjektiva) : 양이나 수가 정해진 범위에 꽉 차 있다.

penuh, dipenuhi, keras

ada sampai penuh

-ㄴ : 앞의 말이 관형어의 기능을 하게 만들고 현재의 상태를 나타내는 어미.

yang

akhiran yang membuat kata di depannya berfungsi sebagai kata pewatas, dan menyatakan keadaan saat ini

독주 (nomina) : 매우 독한 술.

arak keras, minuman beralkohol keras

arak yang sangat keras

를 : 동작이 직접적으로 영향을 미치는 대상을 나타내는 조사.

Tiada Penjelasan Arti

partikel yang menyatakan objek dari suatu gerakan yang secara langsung memberikan pengaruh

비우다 (verba) : 안에 든 것을 없애 속을 비게 하다.

mengosongkan

menghilangkan sesuatu yang terkandung di dalam alat atau wadah lalu mengosongkan isinya

-ㄹ 것 : 명사가 아닌 것을 문장에서 명사처럼 쓰이게 하거나 '이다' 앞에 쓰일 수 있게 할 때 쓰는 표현.

minta, mohon, yang

ungkapan yang dapat membuat suatu kelas kata bisa digunakan sebagai kata benda dalam kalimat dan berfungsi sebagai subjek atau objek, atau dapat membuat suatu kelas kata bisa digunakan di depan '이다'

이다 : 주어가 지시하는 대상의 속성이나 부류를 지정하는 뜻을 나타내는 서술격 조사.

adalah

partikel kasus predikatif yang menyatakan maksud menentukan karakter atau jenis dari objek yang diindikasikan subjek

-에요 : (두루높임으로) 어떤 사실을 서술하거나 질문함을 나타내는 종결 어미.

apakah, adalah

(dalam bentuk hormat) kata penutup final yang mengungkapkan suatu kenyataan atau menyatakan pertanyaan, perintah, atau ajakan <penjabaran>

< 2 절(bait) >

누구+라도 술 한 잔 따르(따르)+[아 주]+어요.
따라 줘요

누구 (pronomina) : 정해지지 않은 어떤 사람을 가리키는 말.

siapa

kata untuk menunjuk seseorang yang belum ditentukan

라도 : 그것이 최선은 아니나 여럿 중에서는 그런대로 괜찮음을 나타내는 조사.

Tiada Penjelasan Arti

partikel yang menyatakan hal sesuatu bukanlah yang terbaik tetapi di antara beberapa yang begitu pun tidak apa-apa

술 (nomina) : 맥주나 소주 등과 같이 알코올 성분이 들어 있어서 마시면 취하는 음료.

alkohol, minuman beralkohol, minuman keras, miras

minuman seperti bir, soju, dsb yang dapat membuat mabuk bila diminum karena mengandung alkohol

한 (pewatas) : 하나의.

satu

satu

잔 (nomina) : 음료나 술 등을 담은 그릇을 기준으로 그 분량을 세는 단위.

gelas, cangkir

satuan untuk menghitung jumlah gelas dari minuman ringan, minuman beralkohol yang diminum

따르다 (verba) : 액체가 담긴 물건을 기울여 액체를 밖으로 조금씩 흐르게 하다.
menuang, menuangkan
memiringkan benda yang berisikan cairan kemudian mengalirkannya sedikit demi sedikit ke luar

-아 주다 : 남을 위해 앞의 말이 나타내는 행동을 함을 나타내는 표현.
mohon, minta, karena
ungkapan yang menyatakan melakukan tindakan yang disebutkan dalam kalimat di depan untuk orang lain

-어요 : (두루높임으로) 어떤 사실을 서술하거나 질문, 명령, 권유함을 나타내는 종결 어미.
apakah, apa, ~saja, silakan
(dalam bentuk hormat) kata penutup final yang mengungkapkan suatu kenyataan atau menyatakan pertanyaan, perintah, atau ajakan <perintah>

추억+에 취하+여 비틀거리+[기 전에]
취해

추억 (nomina) : 지난 일을 생각함. 또는 그런 생각이나 일.
memori
hal mengingat peristiwa yang telah lewat. Atau hal atau pikiran yang demikian

에 : 앞말이 어떤 행위나 감정 등의 대상임을 나타내는 조사.
karena, dengan, akibat, oleh
partikel yang menyatakan kalimat di depan adalah objek suatu tindakan atau perasaan dsb

취하다 (verba) : 무엇에 매우 깊이 빠져 마음을 빼앗기다.
jatuh, terbawa, terhanyut
jatuh ke sesuatu dengan mendalam sehingga hatinya tercuri

-여 : 앞에 오는 말이 뒤에 오는 말에 대한 원인이나 이유임을 나타내는 연결 어미.
karena, sebab
akhiran penghubung untuk menyatakan bahwa anak kalimat menjadi sebab atau alasan terhadap kalimat induk.

비틀거리다 (verba) : 몸을 가누지 못하고 계속 이리저리 쓰러질 듯이 걷다.
terhuyung
berjalan dengan tidak bisa menstabilkan tubuh dan seolah terus-menerus akan jatuh ke sana sini

-기 전에 : 뒤에 오는 말이 나타내는 행동이 앞에 오는 말이 나타내는 행동보다 앞서는 것을 나타내는 표현.

sebelum

ungkapan untuk menunjukkan suatu tindakan di belakang telah mendahului tindakan di belakang

이 한 잔 마시+[고 나]+면 지우+[ㄹ 수 있]+을까요?
지울 수 있을까요

이 (pewatas) : 바로 앞에서 이야기한 대상을 가리킬 때 쓰는 말.

yang ini, ini

kata yang digunakan saat menunjuk target yang baru dikatakan sebelumnya

한 (pewatas) : 하나의.

satu

satu

잔 (nomina) : 음료나 술 등을 담은 그릇을 기준으로 그 분량을 세는 단위.

gelas, cangkir

satuan untuk menghitung jumlah gelas dari minuman ringan, minuman beralkohol yang diminum

마시다 (verba) : 물 등의 액체를 목구멍으로 넘어가게 하다.

minum

mengalirkan cairan seperti air dsb ke tenggorokan

-고 나다 : 앞에 오는 말이 나타내는 행동이 끝났음을 나타내는 표현.

seusai, sesudah, setelah

ungkapan yang menyatakan bahwa tindakan yang disebutkan dalam kalimat di depan sudah berakhir

-면 : 뒤에 오는 말에 대한 근거나 조건이 됨을 나타내는 연결 어미.

kalau, seandainya, apabila

akhiran penghubung untuk menyatakan menjadi landasan atau syarat terhadap kalimat induk

지우다 (verba) : 생각이나 기억을 없애거나 잊다.

menghapus

menghilangkan, melupakan hal yang menjadi pikiran, atau ingatan

-ㄹ 수 있다 : 어떤 행동이나 상태가 가능함을 나타내는 표현.

bisa, mungkin

ungkapan yang memunculkan arti bahwa suatu tingkah laku atau keadaan mungkin untuk terjadi

-을까요 : (두루높임으로) 아직 일어나지 않았거나 모르는 일에 대해서 말하는 사람이 추측하며 질문할 때 쓰는 표현.
apakah,bagaimana kalau
(dalam bentuk hormat) ungkapan yang digunakan ketika orang yang berbicara memperkirakan dan mempertanyakan mengenai hal yang tidak diketahui atau belum terjadi

그리움+에 취하+여 잠들+[기 전에]
취해

그리움 (nomina) : 어떤 대상을 몹시 보고 싶어 하는 안타까운 마음.
kerinduan
hati yang rindu atau ingin bertemu

에 : 앞말이 어떤 행위나 감정 등의 대상임을 나타내는 조사.
karena, dengan, akibat, oleh
partikel yang menyatakan kalimat di depan adalah objek suatu tindakan atau perasaan dsb

취하다 (verba) : 무엇에 매우 깊이 빠져 마음을 빼앗기다.
jatuh, terbawa, terhanyut
jatuh ke sesuatu dengan mendalam sehingga hatinya tercuri

-여 : 앞에 오는 말이 뒤에 오는 말에 대한 원인이나 이유임을 나타내는 연결 어미.
karena, sebab
akhiran penghubung untuk menyatakan bahwa anak kalimat menjadi sebab atau alasan terhadap kalimat induk.

잠들다 (verba) : 잠을 자는 상태가 되다.
tidur, tertidur
menjadi berada dalam kondisi tidur

-기 전에 : 뒤에 오는 말이 나타내는 행동이 앞에 오는 말이 나타내는 행동보다 앞서는 것을 나타내는 표현.
sebelum
ungkapan untuk menunjukkan suatu tindakan di belakang telah mendahului tindakan di belakang

아직 어제+를 살+[고 있]+는 이 꿈속+에서 깨+[지 않]+도록

아직 (adverbia) : 어떤 일이나 상태 또는 어떻게 되기까지 시간이 더 지나야 함을 나타내거나, 어떤 일이나 상태가 끝나지 않고 계속 이어지고 있음을 나타내는 말.

belum, masih

kata yang menunjukkan suatu hal atau keadaan, perlu waktu lagi sampai sesuatu terwujud, maupun suatu hal yang kondisinya belum berakhir dan terus berlanjut

어제 (nomina) : 지나간 때.

masa yang lalu, dahulu

masa yang telah lewat

를 : 동작이 직접적으로 영향을 미치는 대상을 나타내는 조사.

Tiada Penjelasan Arti

partikel yang menyatakan objek dari suatu gerakan yang secara langsung memberikan pengaruh

살다 (verba) : 사람이 생활을 하다.

hidup

manusia menjalani hidup

-고 있다 : 앞의 말이 나타내는 행동이 계속 진행됨을 나타내는 표현.

sedang

ungkapan yang menyatakan bahwa tindakan yang disebutkan dalam kalimat di depan terus berjalan

-는 : 앞의 말이 관형어의 기능을 하게 만들고 사건이나 동작이 현재 일어남을 나타내는 어미.

yang

akhiran untuk membuat kata di depannya berfungsi sebagai pewatas dan menyatakan kejadian atau tindakan terjadi sekarang

이 (pewatas) : 말하는 사람에게 가까이 있거나 말하는 사람이 생각하고 있는 대상을 가리킬 때 쓰는 말.

ini, si ini

kata yang digunakan saat menunjuk target yang berada di dekat atau yang dipikirkan si pembicara

꿈속 (nomina) : 현실과 동떨어진 환상 속.

dalam impian

dalam fantasi atau khayalan yang jauh dari kenyataan

에서 : 앞말이 행동이 이루어지고 있는 장소임을 나타내는 조사.

Tiada Penjelasan Arti

partikel yang menyatakan bahwa kata di depannya adalah tempat tindakan terjadi

깨다 (verba) : 잠이 든 상태에서 벗어나 정신을 차리다. 또는 그렇게 하다.

terbuka

kesadaran atau mental terbuka sampai bisa menyadari suatu pikiran atau kebijaksanaan dsb

-지 않다 : 앞의 말이 나타내는 행위나 상태를 부정하는 뜻을 나타내는 표현.
tidak
ungkapan yang menyatakan arti menidakkan tindakan atau keadaan dalam kalimat yang disebutkan di depan

-도록 : 앞에 오는 말이 뒤에 오는 말에 대한 목적이나 결과, 방식, 정도임을 나타내는 연결 어미.
agar, supaya
kata penutup sambung yang menyatakan bahwa kalimat di depan adalah tujuan, hasil, cara, atau taraf dari kalimat di belakang <arah>

누구+라도 지독하+ㄴ 술 한 잔 따르(따르)+[아 주]+어요.
지독한   따라 줘요

누구 (pronomina) : 정해지지 않은 어떤 사람을 가리키는 말.
siapa
kata untuk menunjuk seseorang yang belum ditentukan

라도 : 그것이 최선은 아니나 여럿 중에서는 그런대로 괜찮음을 나타내는 조사.
Tiada Penjelasan Arti
partikel yang menyatakan hal sesuatu bukanlah yang terbaik tetapi di antara beberapa yang begitu pun tidak apa-apa

지독하다 (adjektiva) : 맛이나 냄새 등이 해롭거나 참기 어려울 정도로 심하다.
parah, menyengat
rasa atau bau dsb parah karena merugikan tubuh atau tidak dapat ditahan

-ㄴ : 앞의 말이 관형어의 기능을 하게 만들고 현재의 상태를 나타내는 어미.
yang
akhiran yang membuat kata di depannya berfungsi sebagai kata pewatas, dan menyatakan keadaan saat ini

술 (nomina) : 맥주나 소주 등과 같이 알코올 성분이 들어 있어서 마시면 취하는 음료.
alkohol, minuman beralkohol, minuman keras, miras
minuman seperti bir, soju, dsb yang dapat membuat mabuk bila diminum karena mengandung alkohol

한 (pewatas) : 하나의.
satu
satu

잔 (nomina) : 음료나 술 등을 담은 그릇을 기준으로 그 분량을 세는 단위.
gelas, cangkir
satuan untuk menghitung jumlah gelas dari minuman ringan, minuman beralkohol yang diminum

따르다 (verba) : 액체가 담긴 물건을 기울여 액체를 밖으로 조금씩 흐르게 하다.
menuang, menuangkan
memiringkan benda yang berisikan cairan kemudian mengalirkannya sedikit demi sedikit ke luar

-아 주다 : 남을 위해 앞의 말이 나타내는 행동을 함을 나타내는 표현.
mohon, minta, karena
ungkapan yang menyatakan melakukan tindakan yang disebutkan dalam kalimat di depan untuk orang lain

-어요 : (두루높임으로) 어떤 사실을 서술하거나 질문, 명령, 권유함을 나타내는 종결 어미.
apakah, apa, ~saja, silakan
(dalam bentuk hormat) kata penutup final yang mengungkapkan suatu kenyataan atau menyatakan pertanyaan, perintah, atau ajakan <perintah>

< 후렴(refrein) >

이제+부터 <u>하얗(하야)</u>+ㄴ 여백+에 가득 <u>차</u>+ㄴ
　　　　　　하얀　　　　　　　　　　　찬

이제 (nomina) : 말하고 있는 바로 이때.
sekarang, saat ini
langsung pada saat sedang berbicara

부터 : 어떤 일의 시작이나 처음을 나타내는 조사.
Tiada Penjelasan Arti
partikel yang menyatakan awal atau mula sebuah peristiwa

하얗다 (adjektiva) : 눈이나 우유의 빛깔과 같이 밝고 선명하게 희다.
putih, putih bersih, putih salju
putih dengan cerah dan jelas seperti warna salju atau susu

-ㄴ : 앞의 말이 관형어의 기능을 하게 만들고 현재의 상태를 나타내는 어미.
yang
akhiran yang membuat kata di depannya berfungsi sebagai kata pewatas, dan menyatakan keadaan saat ini

여백 (nomina) : 종이 등에 글씨를 쓰거나 그림을 그리고 남은 빈 자리.
bagian kosong, sisi kosong
ruang kosong yang tersisa pada kertas dsb untuk menulis atau menggambar

에 : 앞말이 어떤 장소나 자리임을 나타내는 조사.
di, pada
partikel yang menyatakan kalimat di depan adalah tempat atau lokasi

가득 (adverbia) : 어떤 감정이나 생각이 강한 모양.
penuh
suatu emosi atau pikiran dengan kuat

차다 (verba) : 감정이나 느낌 등이 가득하게 되다.
penuh
rasa atau perasaan menjadi sangat penuh

-ㄴ : 앞의 말이 관형어의 기능을 하게 만들고 사건이나 동작이 완료되어 그 상태가 유지되고 있음을 나타내는 어미.
yang
akhiran yang membuat kata di depannya berfungsi sebagai kata pewatas, dan menyatakan bahwa tindakan atau peristiwa sudah selesai dan menahan keadaan itu

내+가 모드+는 나+를 시우+[ㄹ 깃(서)]+이+에요.
지울 거예요

내 (pronomina) : '나'에 조사 '가'가 붙을 때의 형태.
aku, saya
bentuk saat partikel '가' melekat pada '나'

가 : 어떤 상태나 상황에 놓인 대상이나 동작의 주체를 나타내는 조사.
Tiada Penjelasan Arti
partikel yang menyatakan subjek sebuah keadaan atau situasi atau pelaku utama sebuah tindakan

모르다 (verba) : 사람이나 사물, 사실 등을 알지 못하거나 이해하지 못하다.
tidak tahu
tidak bisa mengetahui atau mengerti orang atau benda, fakta, dsb

-는 : 앞의 말이 관형어의 기능을 하게 만들고 사건이나 동작이 현재 일어남을 나타내는 어미.

yang

akhiran untuk membuat kata di depannya berfungsi sebagai pewatas dan menyatakan kejadian atau tindakan terjadi sekarang

나 (pronomina) : 말하는 사람이 친구나 아랫사람에게 자기를 가리키는 말.

aku

kata yang digunakan orang yang berbicara untuk menunjuk dirinya sendiri kepada teman atau orang yang berada di bawahnya

를 : 동작이 직접적으로 영향을 미치는 대상을 나타내는 조사.

Tiada Penjelasan Arti

partikel yang menyatakan objek dari suatu gerakan yang secara langsung memberikan pengaruh

지우다 (verba) : 생각이나 기억을 없애거나 잊다.

menghapus

menghilangkan, melupakan hal yang menjadi pikiran, atau ingatan

-ㄹ 것 : 명사가 아닌 것을 문장에서 명사처럼 쓰이게 하거나 '이다' 앞에 쓰일 수 있게 할 때 쓰는 표현.

minta, mohon, yang

ungkapan yang dapat membuat suatu kelas kata bisa digunakan sebagai kata benda dalam kalimat dan berfungsi sebagai subjek atau objek, atau dapat membuat suatu kelas kata bisa digunakan di depan '이다'

이다 : 주어가 지시하는 대상의 속성이나 부류를 지정하는 뜻을 나타내는 서술격 조사.

adalah

partikel kasus predikatif yang menyatakan maksud menentukan karakter atau jenis dari objek yang diindikasikan subjek

-에요 : (두루높임으로) 어떤 사실을 서술하거나 질문함을 나타내는 종결 어미.

apakah, adalah

(dalam bentuk hormat) kata penutup final yang mengungkapkan suatu kenyataan atau menyatakan pertanyaan, perintah, atau ajakan <penjabaran>

오늘+은 꼭 당신+이 따르(따르)+[아 주]+ㄴ
따라 준

오늘 (nomina) : 지금 지나가고 있는 이날.

hari ini

hari ini yang sekarang sedang dilalui sekarang

은 : 문장 속에서 어떤 대상이 화제임을 나타내는 조사.
Tiada Penjelasan Arti
partikel yang menyatakan suatu objek menjadi topik di dalam kalimat

꼭 (adverbia) : 어떤 일이 있어도 반드시.
sudah tentu, pasti
apapun yang terjadi pasti

당신 (pronomina) : (조금 높이는 말로) 듣는 사람을 가리키는 말.
Anda
(dalam sebutan agak hormat) kata untuk menunjuk orang yang mendengar

이 : 어떤 상태나 상황의 대상이나 동작의 주체를 나타내는 조사.
Tiada Penjelasan Arti
partikel yang menyatakan objek dari suatu keadaan atau kondisi atau pelaku dari suatu tindakan

따르다 (verba) : 액체가 담긴 물건을 기울여 액체를 밖으로 조금씩 흐르게 하다.
menuang, menuangkan
memiringkan benda yang berisikan cairan kemudian mengalirkannya sedikit demi sedikit ke luar

-아 주다 : 남을 위해 앞의 말이 나타내는 행동을 함을 나타내는 표현.
mohon, minta, karena
ungkapan yang menyatakan melakukan tindakan yang disebutkan dalam kalimat di depan untuk orang lain

-ㄴ : 앞의 말이 관형어의 기능을 하게 만들고 사건이나 동작이 완료되어 그 상태가 유지되고 있음을 나 타내는 어미.
yang
akhiran yang membuat kata di depannya berfungsi sebagai kata pewatas, dan menyatakan bahwa tindakan atau peristiwa sudah selesai dan menahan keadaan itu

한 잔+의 <u>가득하+ㄴ</u> 독주+를 <u>비우+[ㄹ 것(거)]+이+에요</u>.
　　　　가득한　　　　　　　　**비울 거예요**

한 (pewatas) : 하나의.
satu
satu

잔 (nomina) : 음료나 술 등을 담은 그릇을 기준으로 그 분량을 세는 단위.
gelas, cangkir
satuan untuk menghitung jumlah gelas dari minuman ringan, minuman beralkohol yang diminum

의 : 앞의 말이 뒤의 말에 대하여 속성이나 수량을 한정하거나 같은 자격임을 나타내는 조사.
dari
perkataan yang menyatakan perkataan di depan membatasi karakter atau kuantitas atau kualifikasi yang sama dengan perkataan yang ada di belakang

가득하다 (adjektiva) : 양이나 수가 정해진 범위에 꽉 차 있다.
penuh, dipenuhi, keras
ada sampai penuh

-ㄴ : 앞의 말이 관형어의 기능을 하게 만들고 현재의 상태를 나타내는 어미.
yang
akhiran yang membuat kata di depannya berfungsi sebagai kata pewatas, dan menyatakan keadaan saat ini

독주 (nomina) : 매우 독한 술.
arak keras, minuman beralkohol keras
arak yang sangat keras

를 : 동작이 직접적으로 영향을 미치는 대상을 나타내는 조사.
Tiada Penjelasan Arti
partikel yang menyatakan objek dari suatu gerakan yang secara langsung memberikan pengaruh

비우다 (verba) : 안에 든 것을 없애 속을 비게 하다.
mengosongkan
menghilangkan sesuatu yang terkandung di dalam alat atau wadah lalu mengosongkan isinya

-ㄹ 것 : 명사가 아닌 것을 문장에서 명사처럼 쓰이게 하거나 '이다' 앞에 쓰일 수 있게 할 때 쓰는 표현.
minta, mohon, yang
ungkapan yang dapat membuat suatu kelas kata bisa digunakan sebagai kata benda dalam kalimat dan berfungsi sebagai subjek atau objek, atau dapat membuat suatu kelas kata bisa digunakan di depan '이다'

이다 : 주어가 지시하는 대상의 속성이나 부류를 지정하는 뜻을 나타내는 서술격 조사.
adalah
partikel kasus predikatif yang menyatakan maksud menentukan karakter atau jenis dari objek yang diindikasikan subjek

-에요 : (두루높임으로) 어떤 사실을 서술하거나 질문함을 나타내는 종결 어미.
apakah, adalah
(dalam bentuk hormat) kata penutup final yang mengungkapkan suatu kenyataan atau menyatakan pertanyaan, perintah, atau ajakan <penjabaran>

이제+부터 <u>하양(하야)+ㄴ</u> 여백+에 가득 <u>차+ㄴ</u>
하얀   찬

이제 (nomina) : 말하고 있는 바로 이때.
sekarang, saat ini
langsung pada saat sedang berbicara

부터 : 어떤 일의 시작이나 처음을 나타내는 조사.
Tiada Penjelasan Arti
partikel yang menyatakan awal atau mula sebuah peristiwa

하얗다 (adjektiva) : 눈이나 우유의 빛깔과 같이 밝고 선명하게 희다.
putih, putih bersih, putih salju
putih dengan cerah dan jelas seperti warna salju atau susu

-ㄴ : 앞의 말이 관형어의 기능을 하게 만들고 현재의 상태를 나타내는 어미.
yang
akhiran yang membuat kata di depannya berfungsi sebagai kata pewatas, dan menyatakan keadaan saat ini

여백 (nomina) : 종이 등에 글씨를 쓰거나 그림을 그리고 남은 빈 자리
bagian kosong, sisi kosong
ruang kosong yang tersisa pada kertas dsb untuk menulis atau menggambar

에 : 앞말이 어떤 장소나 자리임을 나타내는 조사.
di, pada
partikel yang menyatakan kalimat di depan adalah tempat atau lokasi

가득 (adverbia) : 어떤 감정이나 생각이 강한 모양.
penuh
suatu emosi atau pikiran dengan kuat

차다 (verba) : 감정이나 느낌 등이 가득하게 되다.
penuh
rasa atau perasaan menjadi sangat penuh

-ㄴ : 앞의 말이 관형어의 기능을 하게 만들고 사건이나 동작이 완료되어 그 상태가 유지되고 있음을 나타내는 어미.

yang

akhiran yang membuat kata di depannya berfungsi sebagai kata pewatas, dan menyatakan bahwa tindakan atau peristiwa sudah selesai dan menahan keadaan itu

내+가 모르+는 나+를 지우+[ㄹ 것(거)]+이+에요.
지울 거예요

내 (pronomina) : '나'에 조사 '가'가 붙을 때의 형태.

aku, saya

bentuk saat partikel '가' melekat pada '나'

가 : 어떤 상태나 상황에 놓인 대상이나 동작의 주체를 나타내는 조사.

Tiada Penjelasan Arti

partikel yang menyatakan subjek sebuah keadaan atau situasi atau pelaku utama sebuah tindakan

모르다 (verba) : 사람이나 사물, 사실 등을 알지 못하거나 이해하지 못하다.

tidak tahu

tidak bisa mengetahui atau mengerti orang atau benda, fakta, dsb

-는 : 앞의 말이 관형어의 기능을 하게 만들고 사건이나 동작이 현재 일어남을 나타내는 어미.

yang

akhiran untuk membuat kata di depannya berfungsi sebagai pewatas dan menyatakan kejadian atau tindakan terjadi sekarang

나 (pronomina) : 말하는 사람이 친구나 아랫사람에게 자기를 가리키는 말.

aku

kata yang digunakan orang yang berbicara untuk menunjuk dirinya sendiri kepada teman atau orang yang berada di bawahnya

를 : 동작이 직접적으로 영향을 미치는 대상을 나타내는 조사.

Tiada Penjelasan Arti

partikel yang menyatakan objek dari suatu gerakan yang secara langsung memberikan pengaruh

지우다 (verba) : 생각이나 기억을 없애거나 잊다.

menghapus

menghilangkan, melupakan hal yang menjadi pikiran, atau ingatan

-ㄹ 것 : 명사가 아닌 것을 문장에서 명사처럼 쓰이게 하거나 '이다' 앞에 쓰일 수 있게 할 때 쓰는 표현.
minta, mohon, yang
ungkapan yang dapat membuat suatu kelas kata bisa digunakan sebagai kata benda dalam kalimat dan berfungsi sebagai subjek atau objek, atau dapat membuat suatu kelas kata bisa digunakan di depan '이다'

이다 : 주어가 지시하는 대상의 속성이나 부류를 지정하는 뜻을 나타내는 서술격 조사.
adalah
partikel kasus predikatif yang menyatakan maksud menentukan karakter atau jenis dari objek yang diindikasikan subjek

-에요 : (두루높임으로) 어떤 사실을 서술하거나 질문함을 나타내는 종결 어미.
apakah, adalah
(dalam bentuk hormat) kata penutup final yang mengungkapkan suatu kenyataan atau menyatakan pertanyaan, perintah, atau ajakan <penjabaran>

오늘+은 꼭 당신+이 <u>따르(따르)+[아 주]+ㄴ</u>
따라 준

오늘 (nomina) : 지금 지나가고 있는 이날.
hari ini
hari ini yang sekarang sedang dilalui sekarang

은 : 문장 속에서 어떤 대상이 화제임을 나타내는 조사.
Tiada Penjelasan Arti
partikel yang menyatakan suatu objek menjadi topik di dalam kalimat

꼭 (adverbia) : 어떤 일이 있어도 반드시.
sudah tentu, pasti
apapun yang terjadi pasti

당신 (pronomina) : (조금 높이는 말로) 듣는 사람을 가리키는 말.
Anda
(dalam sebutan agak hormat) kata untuk menunjuk orang yang mendengar

이 : 어떤 상태나 상황의 대상이나 동작의 주체를 나타내는 조사.
Tiada Penjelasan Arti
partikel yang menyatakan objek dari suatu keadaan atau kondisi atau pelaku dari suatu tindakan

따르다 (verba) : 액체가 담긴 물건을 기울여 액체를 밖으로 조금씩 흐르게 하다.

menuang, menuangkan

memiringkan benda yang berisikan cairan kemudian mengalirkannya sedikit demi sedikit ke luar

-아 주다 : 남을 위해 앞의 말이 나타내는 행동을 함을 나타내는 표현.

mohon, minta, karena

ungkapan yang menyatakan melakukan tindakan yang disebutkan dalam kalimat di depan untuk orang lain

-ㄴ : 앞의 말이 관형어의 기능을 하게 만들고 사건이나 동작이 완료되어 그 상태가 유지되고 있음을 나타내는 어미.

yang

akhiran yang membuat kata di depannya berfungsi sebagai kata pewatas, dan menyatakan bahwa tindakan atau peristiwa sudah selesai dan menahan keadaan itu

한 잔+의 가득하+ㄴ 독주+를 비우+[ㄹ 것(거)]+이+에요.
가득한   비울 거예요

한 (pewatas) : 하나의.

satu

satu

잔 (nomina) : 음료나 술 등을 담은 그릇을 기준으로 그 분량을 세는 단위.

gelas, cangkir

satuan untuk menghitung jumlah gelas dari minuman ringan, minuman beralkohol yang diminum

의 : 앞의 말이 뒤의 말에 대하여 속성이나 수량을 한정하거나 같은 자격임을 나타내는 조사.

dari

perkataan yang menyatakan perkataan di depan membatasi karakter atau kuantitas atau kualifikasi yang sama dengan perkataan yang ada di belakang

가득하다 (adjektiva) : 양이나 수가 정해진 범위에 꽉 차 있다.

penuh, dipenuhi, keras

ada sampai penuh

-ㄴ : 앞의 말이 관형어의 기능을 하게 만들고 현재의 상태를 나타내는 어미.

yang

akhiran yang membuat kata di depannya berfungsi sebagai kata pewatas, dan menyatakan keadaan saat ini

독주 (nomina) : 매우 독한 술.
arak keras, minuman beralkohol keras
arak yang sangat keras

를 : 동작이 직접적으로 영향을 미치는 대상을 나타내는 조사.
Tiada Penjelasan Arti
partikel yang menyatakan objek dari suatu gerakan yang secara langsung memberikan pengaruh

비우다 (verba) : 안에 든 것을 없애 속을 비게 하다.
mengosongkan
menghilangkan sesuatu yang terkandung di dalam alat atau wadah lalu mengosongkan isinya

-ㄹ 것 : 명사가 아닌 것을 문장에서 명사처럼 쓰이게 하거나 '이다' 앞에 쓰일 수 있게 할 때 쓰는 표현.
minta, mohon, yang
ungkapan yang dapat membuat suatu kelas kata bisa digunakan sebagai kata benda dalam kalimat dan berfungsi sebagai subjek atau objek, atau dapat membuat suatu kelas kata bisa digunakan di depan '이다'

이다 : 주어가 지시하는 대상의 속성이나 부류를 지정하는 뜻을 나타내는 서술격 조사.
adalah
partikel kasus predikatif yang menyatakan maksud menentukan karakter atau jenis dari objek yang diindikasikan subjek

-에요 : (두루높임으로) 어떤 사실을 서술하거나 질문함을 나타내는 종결 어미.
apakah, adalah
(dalam bentuk hormat) kata penutup final yang mengungkapkan suatu kenyataan atau menyatakan pertanyaan, perintah, atau ajakan <penjabaran>

< 7 >

애창곡
(lagu favorit)

[발음(pelafalan)]

< 1 절(bait) >

내가 부르는 이 노래
내가 부르는 이 노래
naega bureuneun i norae

너에게 아직 다 못다 한 말
너에게 이직 다 몯따 한 말
neoege ajik da motda han mal

이 곡조엔 우리만 아는 속삭임
이 곡쪼엔 우리만 아는 속싸김
i gokjoen uriman aneun soksagim

내가 부르는 이 노래
내가 부르는 이 노래
naega bureuneun i norae

너에게 꼭 하고 싶은 말
너에게 꼭 하고 시픈 말
neoege kkok hago sipeun mal

이 선율엔 우리만 아는 귓속말
이 서뉴렌 우리만 아는 귇쏭말
i seonyuren uriman aneun gwitsongmal

아무리 화가 나도 삐져 있어도
아무리 화가 나도 삐저 이써도
amuri hwaga nado ppijeo isseodo

이 가락에 취해
이 가라게 취해
i garage chwihae

우린 서로 남몰래 눈을 맞춰요.
우린 서로 남몰래 누늘 맏춰요.
urin seoro nammollae nuneul matchwoyo.

내가 즐겨 부르는 이 노래
내가 즐겨 부르는 이 노래
naega jeulgyeo bureuneun i norae

이 음악이 흐르면
이 으마기 흐르면
i eumagi heureumyeon

너의 눈빛, 너의 표정
너에 눈삗, 너에 표정
neoe nunbit, neoe pyojeong

내 가슴이 살살 녹아요.
내 가스미 살살 노가요.
nae gaseumi salsal nogayo.

< 2 절(bait) >

내가 부르는 이 노래
내가 부르는 이 노래
naega bureuneun i norae

너에게만 들려줬던 말
너에게만 들려줟떤 말
neoegeman deullyeojwotdeon mal

이 곡조엔 둘이만 아는 짜릿함
이 곡쪼엔 두리만 아는 짜리탐
i gokjoen duriman aneun jjaritam

내가 부르는 이 노래
내가 부르는 이 노래
naega bureuneun i norae

너에게만 속삭였던 말
너에게만 속싸겯떤 말
neoegeman soksagyeotdeon mal

이 선율엔 둘이만 아는 아찔함
이 서뉴렌 두리만 아는 아찔함
i seonyuren duriman aneun ajjilham

아무리 토라져도 삐져 있어도
아무리 토라저도 삐저 이써도
amuri torajeodo ppijeo isseodo

이 노랫말에 잠겨
이 노랜마레 잠겨
i noraenmare jamgyeo

우린 서로 남몰래 눈을 맞춰요.
우린 서로 남몰래 누늘 맏춰요.
urin seoro nammollae nuneul matchwoyo.

내가 즐겨 부르는 이 노래
내가 즐겨 부르는 이 노래
naega jeulgyeo bureuneun i norae

이 음악이 흐르면
이 으마기 흐르면
i eumagi heureumyeon

너의 눈빛, 너의 표정
너에 눈삗, 너에 표정
neoe nunbit, neoe pyojeong

내 가슴이 살살 녹아요.
내 가스미 살살 노가요.
nae gaseumi salsal nogayo.

< 3 절(bait) >

우리 둘이 부르는 이 노래
우리 두리 부르는 이 노래
uri duri bureuneun i norae

우리 둘만 아는 이 노래
우리 둘만 아는 이 노래
uri dulman aneun i norae

우리 둘이 영원히 함께 불러요
우리 두리 영원히 함께 불러요
uri duri yeongwonhi hamkke bulleoyo

이 음표에 우리 사랑 싣고
이 음표에 우리 사랑 싣꼬
i eumpyoe uri sarang sitgo

높고 낮게 길고 짧은 리듬
놉꼬 낟께 길고 짤븐 리듬
nopgo natge gilgo jjalbeun rideum

이 가락에 밤새도록 취해 봐요.
이 가라게 밤새도록 취해 봐요.
i garage bamsaedorok chwihae bwayo.

< 1 절(bait) >

내+가 부르+는 이 노래

내 (pronomina) : '나'에 조사 '가'가 붙을 때의 형태.
aku, saya
bentuk saat partikel '가' melekat pada '나'

가 : 어떤 상태나 상황에 놓인 대상이나 동작의 주체를 나타내는 조사.
Tiada Penjelasan Arti
partikel yang menyatakan subjek sebuah keadaan atau situasi atau pelaku utama sebuah tindakan

부르다 (verba) : 곡조에 따라 노래하다.
menyanyi, menyanyikan
bernyanyi mengikuti melodi

-는 : 앞의 말이 관형어의 기능을 하게 만들고 사건이나 동작이 현재 일어남을 나타내는 어미.
yang
akhiran untuk membuat kata di depannya berfungsi sebagai pewatas dan menyatakan kejadian atau tindakan terjadi sekarang

이 (pewatas) : 말하는 사람에게 가까이 있거나 말하는 사람이 생각하고 있는 대상을 가리킬 때 쓰는 말.
ini, si ini
kata yang digunakan saat menunjuk target yang berada di dekat atau yang dipikirkan si pembicara

노래 (nomina) : 운율에 맞게 지은 가사에 곡을 붙인 음악. 또는 그런 음악을 소리 내어 부름.
lagu
kata yang disesuaikan dengan irama musik, atau hal menyanyikan kata-kata yang demikian

너+에게 아직 다 못다 <u>하+ㄴ</u> 말
한

너 (pronomina) : 듣는 사람이 친구나 아랫사람일 때, 그 사람을 가리키는 말.
kamu
kata untuk menunjuk lawan bicara yang merupakan teman atau orang yang lebih muda

에게 : 어떤 행동이 미치는 대상임을 나타내는 조사.
Tiada Penjelasan Arti
partikel yang menyatakan sesuatu yang mendapat pengaruh dari sebuah tindakan

아직 (adverbia) : 어떤 일이나 상태 또는 어떻게 되기까지 시간이 더 지나야 함을 나타내거나, 어떤 일이나 상태가 끝나지 않고 계속 이어지고 있음을 나타내는 말.
belum, masih
kata yang menunjukkan suatu hal atau keadaan, perlu waktu lagi sampai sesuatu terwujud, maupun suatu hal yang kondisinya belum berakhir dan terus berlanjut

다 (adverbia) : 남거나 빠진 것이 없이 모두.
semua, semuanya, seluruhnya
semua tanpa ada yang tersisa atau terlewat

못다 (adverbia) : '어떤 행동을 완전히 다하지 못함'을 나타내는 말.
belum bisa diselesaikan
ungkapan yang menunjukkan sesuatu yang belum bisa diselesaikan atau belum bisa dicapai

하다 (verba) : 어떤 행동이나 동작, 활동 등을 행하다.
melakukan, mengerjakan, menjalankan
melaksanakan suatu tindakan atau aksi, kegiatan, dsb

-ㄴ : 앞의 말이 관형어의 기능을 하게 만들고 사건이나 동작이 완료되어 그 상태가 유지되고 있음을 나타내는 어미.
yang
akhiran yang membuat kata di depannya berfungsi sebagai kata pewatas, dan menyatakan bahwa tindakan atau peristiwa sudah selesai dan menahan keadaan itu

말 (nomina) : 생각이나 느낌을 표현하고 전달하는 소리의 소리.
perkataan, kata-kata
bunyi atau suara manusia yang merupakan ungkapan perasaan atau pikiran

이 곡조+에+는 우리+만 알(아)+는 속삭임
곡조엔   아는

이 (pewatas) : 말하는 사람에게 가까이 있거나 말하는 사람이 생각하고 있는 대상을 가리킬 때 쓰는 말.
ini, si ini
kata yang digunakan saat menunjuk target yang berada di dekat atau yang dipikirkan si pembicara

곡조 (nomina) : 음악이나 노래의 흐름.
melodi
alunan musik atau lagu

에 : 앞말이 어떤 장소나 자리임을 나타내는 조사.
di, pada
partikel yang menyatakan kalimat di depan adalah tempat atau lokasi

는 : 문장 속에서 어떤 대상이 화제임을 나타내는 조사.
Tiada Penjelasan Arti
partikel yang menyatakan suatu subjek dalam kalimat menjadi bahan pembicaraan

우리 (pronomina) : 말하는 사람이 자기보다 높지 않은 사람에게 자기를 포함한 여러 사람들을 가리키는 말.
kami
kata untuk menyebutkan beberapa orang termasuk yang berbicara saat menyampaikan perkataan kepada lawan bicara yang tidak lebih tinggi posisinya dari yang berbicara sendiri

만 : 다른 것은 제외하고 어느 것을 한정함을 나타내는 조사.
hanya
partikel yang menyatakan membatasi sesuatu di luar sesuatu yang lain

알다 (verba) : 교육이나 경험, 생각 등을 통해 사물이나 상황에 대한 정보 또는 지식을 갖추다.
tahu, mengetahui
memiliki pengetahuan tentang benda atau keadaan melalui pendidikan atau pengalaman, pemikiran, dsb

-는 : 앞의 말이 관형어의 기능을 하게 만들고 사건이나 동작이 현재 일어남을 나타내는 어미.
yang
akhiran untuk membuat kata di depannya berfungsi sebagai pewatas dan menyatakan kejadian atau tindakan terjadi sekarang

속삭임 (nomina) : 작고 낮은 목소리로 가만가만히 하는 이야기.
bisikan, omongan berbisik
cerita yang dilakukan diam-diam dengan suara kecil dan rendah

내+가 부르+는 이 노래

내 (pronomina) : '나'에 조사 '가'가 붙을 때의 형태.
aku, saya
bentuk saat partikel '가' melekat pada '나'

가 : 어떤 상태나 상황에 놓인 대상이나 동작의 주체를 나타내는 조사.
Tiada Penjelasan Arti
partikel yang menyatakan subjek sebuah keadaan atau situasi atau pelaku utama sebuah tindakan

부르다 (verba) : 곡조에 따라 노래하다.
menyanyi, menyanyikan
bernyanyi mengikuti melodi

-는 : 앞의 말이 관형어의 기능을 하게 만들고 사건이나 동작이 현재 일어남을 나타내는 어미.
yang
akhiran untuk membuat kata di depannya berfungsi sebagai pewatas dan menyatakan kejadian atau tindakan terjadi sekarang

이 (pewatas) : 말하는 사람에게 가까이 있거나 말하는 사람이 생각하고 있는 대상을 가리킬 때 쓰는 말.
ini, si ini
kata yang digunakan saat menunjuk target yang berada di dekat atau yang dipikirkan si pembicara

노래 (nomina) : 운율에 맞게 지은 가사에 곡을 붙인 음악. 또는 그런 음악을 소리 내어 부름.
lagu
kata yang disesuaikan dengan irama musik, atau hal menyanyikan kata-kata yang demikian

너+에게 꼭 하+[고 싶]+은 말

너 (pronomina) : 듣는 사람이 친구나 아랫사람일 때, 그 사람을 가리키는 말.
kamu
kata untuk menunjuk lawan bicara yang merupakan teman atau orang yang lebih muda

에게 : 어떤 행동이 미치는 대상임을 나타내는 조사.
Tiada Penjelasan Arti
partikel yang menyatakan sesuatu yang mendapat pengaruh dari sebuah tindakan

꼭 (adverbia) : 어떤 일이 있어도 반드시.
sudah tentu, pasti
apapun yang terjadi pasti

하다 (verba) : 어떤 행동이나 동작, 활동 등을 행하다.
melakukan, mengerjakan, menjalankan
melaksanakan suatu tindakan atau aksi, kegiatan, dsb

-고 싶다 : 앞의 말이 나타내는 행동을 하기를 원함을 나타내는 표현.
ingin, mau
ungkapan yang menyatakan bahwa pembicara ingin melakukan tindakan yang disebut dalam kalimat di depan

-은 : 앞의 말이 관형어의 기능을 하게 만들고 현재의 상태를 나타내는 어미.
yang
akhiran yang membuat kata di depannya berfungsi sebagai kata pewatas, dan menyatakan keadaan saat ini

말 (nomina) : 생각이나 느낌을 표현하고 전달하는 사람의 소리.
perkataan, kata-kata
bunyi atau suara manusia yang merupakan ungkapan perasaan atau pikiran

이 선율+에+는 우리+만 알(아)+는 귓속말
선율엔   아는

이 (pewatas) : 말하는 사람에게 가까이 있거나 말하는 사람이 생각하고 있는 대상을 가리킬 때 쓰는 말.
ini, si ini
kata yang digunakan saat menunjuk target yang berada di dekat atau yang dipikirkan si pembicara

선율 (nomina) : 길고 짧거나 높고 낮은 소리가 어우러진 음의 흐름.
melodi
alur nada yang menyelaraskan suara panjang, pendek, tinggi, dan rendah

에 : 앞말이 어떤 장소나 자리임을 나타내는 조사.
di, pada
partikel yang menyatakan kalimat di depan adalah tempat atau lokasi

는 : 문장 속에서 어떤 대상이 화제임을 나타내는 조사.
Tiada Penjelasan Arti
partikel yang menyatakan suatu subjek dalam kalimat menjadi bahan pembicaraan

우리 (pronomina) : 말하는 사람이 자기보다 높지 않은 사람에게 자기를 포함한 여러 사람들을 가리키는 말.
kami
kata untuk menyebutkan beberapa orang termasuk yang berbicara saat menyampaikan perkataan kepada lawan bicara yang tidak lebih tinggi posisinya dari yang berbicara sendiri

만 : 다른 것은 제외하고 어느 것을 한정함을 나타내는 조사.
hanya
partikel yang menyatakan membatasi sesuatu di luar sesuatu yang lain

알다 (verba) : 교육이나 경험, 생각 등을 통해 사물이나 상황에 대한 정보 또는 지식을 갖추다.
tahu, mengetahui
memiliki pengetahuan tentang benda atau keadaan melalui pendidikan atau pengalaman, pemikiran, dsb

-는 : 앞의 말이 관형어의 기능을 하게 만들고 사건이나 동작이 현재 일어남을 나타내는 어미.
yang
akhiran untuk membuat kata di depannya berfungsi sebagai pewatas dan menyatakan kejadian atau tindakan terjadi sekarang

귓속말 (nomina) : 남의 귀에 입을 가까이 대고 작은 소리로 말함. 또는 그런 말.
bisikan
mendekatkan mulut ke telinga orang lain dan berbicara dengan suara yang kecil, atau untuk menyebut perkataan yang disebutkan dengan cara demikian

아무리 화+가 나+(아)도 삐지+[어 있]+어도
　　　　　　　나도　　　삐져 있어도

아무리 (adverbia) : 비록 그렇다 하더라도.
meskipun
walaupun begitu

화 (nomina) : 몹시 못마땅하거나 노여워하는 감정.
marah, gusar, berang
prasan sangat tidak berkenan di hati atau marah

가 : 어떤 상태나 상황에 놓인 대상이나 동작의 주체를 나타내는 조사.
Tiada Penjelasan Arti
partikel yang menyatakan subjek sebuah keadaan atau situasi atau pelaku utama sebuah tindakan

나다 (verba) : 어떤 감정이나 느낌이 생기다.
muncul, timbul
munculnya suatu emosi atau perasaan

-아도 : 앞에 오는 말을 가정하거나 인정하지만 뒤에 오는 말에는 관계가 없거나 영향을 끼치지 않음을 나타내는 연결 어미.
walaupun, meskipun, biarpun, kendatipun
akhiran penghubung untuk menyatakan bahwa tidak berhubungan atau tidak berpengaruh pada isi kalimat induk walaupun mengandaikan atau mengakui isi anak kalimat

삐지다 (verba) : 화가 나거나 서운해서 마음이 뒤틀리다.
merajuk
rasanya terbelit karena marah atau kecewa

-어 있다 : 앞의 말이 나타내는 상태가 계속됨을 나타내는 표현.
sudah, telah, masih
ungkapan untuk menyatakan bahwa keadaan dalam kalimat di depan terus berjalan

-어도 : 앞에 오는 말을 가정하거나 인정하지만 뒤에 오는 말에는 관계가 없거나 영향을 끼치지 않음을
     나타내는 연결 어미.
walaupun, meskipun, biarpun, kendatipun
akhiran penghubung untuk menyatakan bahwa tidak berhubungan atau tidak berpengaruh
pada isi kalimat induk walaupun mengandaikan atau mengakui isi anak kalimat

이 가락+에 취하+여
취해

이 (pewatas) : 말하는 사람에게 가까이 있거나 말하는 사람이 생각하고 있는 대상을 가리킬 때 쓰는 말.
ini, si ini
kata yang digunakan saat menunjuk target yang berada di dekat atau yang dipikirkan si
pembicara

가락 (nomina) : 음악에서 음의 높낮이의 흐름.
nada, melodi
alunan tinggi rendahnya bunyi dalam lagu

에 : 앞말이 어떤 행위나 감정 등의 대상임을 나타내는 조사.
karena, dengan, akibat, oleh
partikel yang menyatakan kalimat di depan adalah objek suatu tindakan atau perasaan dsb

취하다 (verba) : 무엇에 매우 깊이 빠져 마음을 빼앗기다.
jatuh, terbawa, terhanyut
jatuh ke sesuatu dengan mendalam sehingga hatinya tercuri

-여 : 앞의 말이 뒤의 말보다 먼저 일어났거나 뒤의 말에 대한 방법이나 수단이 됨을 나타내는 연결 어미.
setelah, sesudah, selepas, lalu
akhiran penghubung untuk menyatakan bahwa anak kalimat terjadi lebih dahulu daripada
kalimat induk atau menjadi cara atau alat terhadap kalimat induk

우리+는 서로 남몰래 [눈을 맞추]+어요.
우린   눈을 맞춰요

우리 (pronomina) : 말하는 사람이 자기보다 높지 않은 사람에게 자기를 포함한 여러 사람들을 가리키는 말.

kami

kata untuk menyebutkan beberapa orang termasuk yang berbicara saat menyampaikan perkataan kepada lawan bicara yang tidak lebih tinggi posisinya dari yang berbicara sendiri

는 : 문장 속에서 어떤 대상이 화제임을 나타내는 조사.

Tiada Penjelasan Arti

partikel yang menyatakan suatu subjek dalam kalimat menjadi bahan pembicaraan

서로 (adverbia) : 관계를 맺고 있는 둘 이상의 대상이 함께. 또는 같이.

saling

bersama atau dengan dua atau lebih perihal yang berhubungan

남몰래 (adverbia) : 다른 사람이 모르게.

dengan tidak diketahui, diam-diam

dengan tidak diketahui orang lain

눈을 맞추다 (idiom) : 서로 눈을 마주 보다.

saling berpandangan, saling memandang, saling melihat

saling berpandangan

-어요 : (두루높임으로) 어떤 사실을 서술하거나 질문, 명령, 권유함을 나타내는 종결 어미.

apakah, apa, ~saja, silakan

(dalam bentuk hormat) kata penutup final yang mengungkapkan suatu kenyataan atau menyatakan pertanyaan, perintah, atau ajakan

내+기 즐기+이 부르+는 이 노래
즐겨

내 (pronomina) : '나'에 조사 '가'가 붙을 때의 형태.

aku, saya

bentuk saat partikel '가' melekat pada '나'

가 : 어떤 상태나 상황에 놓인 대상이나 동작의 주체를 나타내는 조사.

Tiada Penjelasan Arti

partikel yang menyatakan subjek sebuah keadaan atau situasi atau pelaku utama sebuah tindakan

즐기다 (verba) : 어떤 것을 좋아하여 자주 하다.

Tiada Penjelasan Arti

sering melakukan sesuatu karena suka

-어 : 앞의 말이 뒤의 말보다 먼저 일어났거나 뒤의 말에 대한 방법이나 수단이 됨을 나타내는 연결 어미.
setelah, sesudah, selepas, lalu
akhiran penghubung untuk menyatakan bahwa anak kalimat terjadi lebih dahulu daripada kalimat induk atau menjadi cara atau alat terhadap kalimat induk

부르다 (verba) : 곡조에 따라 노래하다.
menyanyi, menyanyikan
bernyanyi mengikuti melodi

-는 : 앞의 말이 관형어의 기능을 하게 만들고 사건이나 동작이 현재 일어남을 나타내는 어미.
yang
akhiran untuk membuat kata di depannya berfungsi sebagai pewatas dan menyatakan kejadian atau tindakan terjadi sekarang

이 (pewatas) : 말하는 사람에게 가까이 있거나 말하는 사람이 생각하고 있는 대상을 가리킬 때 쓰는 말.
ini, si ini
kata yang digunakan saat menunjuk target yang berada di dekat atau yang dipikirkan si pembicara

노래 (nomina) : 운율에 맞게 지은 가사에 곡을 붙인 음악. 또는 그런 음악을 소리 내어 부름.
lagu
kata yang disesuaikan dengan irama musik, atau hal menyanyikan kata-kata yang demikian

이 음악+이 흐르+면

이 (pewatas) : 말하는 사람에게 가까이 있거나 말하는 사람이 생각하고 있는 대상을 가리킬 때 쓰는 말.
ini, si ini
kata yang digunakan saat menunjuk target yang berada di dekat atau yang dipikirkan si pembicara

음악 (nomina) : 목소리나 악기로 박자와 가락이 있게 소리 내어 생각이나 감정을 표현하는 예술.
lagu
seni yang menyampaikan pikiran atau perasaan dengan menghasilkan bunyi yang berirama dan bermelodi dengan suara atau alat musik

이 : 어떤 상태나 상황의 대상이나 동작의 주체를 나타내는 조사.
Tiada Penjelasan Arti
partikel yang menyatakan objek dari suatu keadaan atau kondisi atau pelaku dari suatu tindakan

흐르다 (verba) : 빛, 소리, 향기 등이 부드럽게 퍼지다.
mengalir, menyerbak
cahaya, suara, harum menyebar dengan lembut

-면 : 뒤에 오는 말에 대한 근거나 조건이 됨을 나타내는 연결 어미.

kalau, seandainya, apabila

akhiran penghubung untuk menyatakan menjadi landasan atau syarat terhadap kalimat induk

너+의 눈빛, 너+의 표정

너 (pronomina) : 듣는 사람이 친구나 아랫사람일 때, 그 사람을 가리키는 말.

kamu

kata untuk menunjuk lawan bicara yang merupakan teman atau orang yang lebih muda

의 : 앞의 말이 뒤의 말에 대하여 소유, 소속, 소재, 관계, 기원, 주체의 관계를 가짐을 나타내는 조사.

dari, milik

partikel yang menyatakan perkataan di depan memiliki hubungan kepemilikian, bagian tempat diri bekerja, bahan, hubungan, asal, topik dengan perkataan di belakang

눈빛 (nomina) : 눈에 나타나는 감정.

sorot mata

emosi yang tertuang lewat mata

너 (pronomina) : 듣는 사람이 친구나 아랫사람일 때, 그 사람을 가리키는 말.

kamu

kata untuk menunjuk lawan bicara yang merupakan teman atau orang yang lebih muda

의 : 앞의 말이 뒤의 말에 대하여 소유, 소속, 소재, 관계, 기원, 주체의 관계를 가짐을 나타내는 조사.

dari, milik

partikel yang menyatakan perkataan di depan memiliki hubungan kepemilikian, bagian tempat diri bekerja, bahan, hubungan, asal, topik dengan perkataan di belakang

표정 (nomina) : 마음속에 품은 감정이나 생각 등이 얼굴에 드러남. 또는 그런 모습.

raut wajah, air muka

hal perasaan atau pikiran dsb yang tersimpan di dalam hati tampak di wajah, atau rupa yang demikian

나+의 가슴+이 살살 녹+아요.
내

나 (pronomina) : 말하는 사람이 친구나 아랫사람에게 자기를 가리키는 말.

aku

kata yang digunakan orang yang berbicara untuk menunjuk dirinya sendiri kepada teman atau orang yang berada di bawahnya

의 : 앞의 말이 뒤의 말에 대하여 소유, 소속, 소재, 관계, 기원, 주체의 관계를 가짐을 나타내는 조사.
dari, milik
partikel yang menyatakan perkataan di depan memiliki hubungan kepemilikian, bagian tempat diri bekerja, bahan, hubungan, asal, topik dengan perkataan di belakang

가슴 (nomina) : 마음이나 느낌.
hati, rasa, perasaan
hati atau perasaan

이 : 어떤 상태나 상황의 대상이나 동작의 주체를 나타내는 조사.
Tiada Penjelasan Arti
partikel yang menyatakan objek dari suatu keadaan atau kondisi atau pelaku dari suatu tindakan

살살 (adverbia) : 눈이나 설탕 등이 모르는 사이에 저절로 녹는 모양.
Tiada Penjelasan Arti
bentuk salju atau gula dsb mencair dengan sendirinya tanpa diketahui

녹다 (verba) : 어떤 대상에게 몹시 반하거나 빠지다.
terhanyut
sangat tertarik kepada sesuatu

-아요 : (두루높임으로) 어떤 사실을 서술하거나 질문, 명령, 권유함을 나타내는 종결 어미.
cobalah, sebenarnya, apa
(dalam bentuk hormat) kata penutup final yang mengungkapkan suatu kenyataan atau menyatakan pertanyaan, perintah, atau ajakan

< 2 절(bait) >

내+가 부르+는 이 노래

내 (pronomina) : '나'에 조사 '가'가 붙을 때의 형태.
aku, saya
bentuk saat partikel '가' melekat pada '나'

가 : 어떤 상태나 상황에 놓인 대상이나 동작의 주체를 나타내는 조사.
Tiada Penjelasan Arti
partikel yang menyatakan subjek sebuah keadaan atau situasi atau pelaku utama sebuah tindakan

부르다 (verba) : 곡조에 따라 노래하다.
menyanyi, menyanyikan
bernyanyi mengikuti melodi

-는 : 앞의 말이 관형어의 기능을 하게 만들고 사건이나 동작이 현재 일어남을 나타내는 어미.
yang
akhiran untuk membuat kata di depannya berfungsi sebagai pewatas dan menyatakan kejadian atau tindakan terjadi sekarang

이 (pewatas) : 말하는 사람에게 가까이 있거나 말하는 사람이 생각하고 있는 대상을 가리킬 때 쓰는 말.
ini, si ini
kata yang digunakan saat menunjuk target yang berada di dekat atau yang dipikirkan si pembicara

노래 (nomina) : 운율에 맞게 지은 가사에 곡을 붙인 음악. 또는 그런 음악을 소리 내어 부름.
lagu
kata yang disesuaikan dengan irama musik, atau hal menyanyikan kata-kata yang demikian

너+에게+만 들려주+었던 말
들려줬던

너 (pronomina) : 듣는 사람이 친구나 아랫사람일 때, 그 사람을 가리키는 말.
kamu
kata untuk menunjuk lawan bicara yang merupakan teman atau orang yang lebih muda

에게 ; 어떤 행동이 미치는 대상임을 나타내는 조사
Tiada Penjelasan Arti
partikel yang menyatakan sesuatu yang mendapat pengaruh dari sebuah tindakan

만 : 다른 것은 제외하고 어느 것을 한정함을 나타내는 조사.
hanya
partikel yang menyatakan membatasi sesuatu di luar sesuatu yang lain

들려주다 (verba) : 소리나 말을 듣게 해 주다.
memperdengarkan
membuat mendengar suara atau perkataan

-었던 : 과거의 사건이나 상태를 다시 떠올리거나 그 사건이나 상태가 완료되지 않고 중단되었다는 의미
　　　를 나타내는 표현.
yang sudah, yang pernah
ungkapan yang menunjukkan maksud mengingat kembali peristiwa atau kondisi di masa lalu atau perisitiwa atau kondisi tersebut tidak selesai dan terhenti di tengah-tengah

말 (nomina) : 생각이나 느낌을 표현하고 전달하는 사람의 소리.
perkataan, kata-kata
bunyi atau suara manusia yang merupakan ungkapan perasaan atau pikiran

이 <u>곡조+에+는</u> 둘+이+만 <u>알(아)+는</u> 짜릿하+ㅁ
　　곡조엔　　　　　　　　　아는　　　짜릿함

이 (pewatas) : 말하는 사람에게 가까이 있거나 말하는 사람이 생각하고 있는 대상을 가리킬 때 쓰는 말.
ini, si ini
kata yang digunakan saat menunjuk target yang berada di dekat atau yang dipikirkan si pembicara

곡조 (nomina) : 음악이나 노래의 흐름.
melodi
alunan musik atau lagu

에 : 앞말이 어떤 장소나 자리임을 나타내는 조사.
di, pada
partikel yang menyatakan kalimat di depan adalah tempat atau lokasi

는 : 문장 속에서 어떤 대상이 화제임을 나타내는 조사.
Tiada Penjelasan Arti
partikel yang menyatakan suatu subjek dalam kalimat menjadi bahan pembicaraan

둘 (numeralia) : 하나에 하나를 더한 수.
dua
angka sesudah satu

이 : 어떤 상태나 상황의 대상이나 동작의 주체를 나타내는 조사.
Tiada Penjelasan Arti
partikel yang menyatakan objek dari suatu keadaan atau kondisi atau pelaku dari suatu tindakan

만 : 다른 것은 제외하고 어느 것을 한정함을 나타내는 조사.
hanya
partikel yang menyatakan membatasi sesuatu di luar sesuatu yang lain

알다 (verba) : 교육이나 경험, 생각 등을 통해 사물이나 상황에 대한 정보 또는 지식을 갖추다.
tahu, mengetahui
memiliki pengetahuan tentang benda atau keadaan melalui pendidikan atau pengalaman, pemikiran, dsb

-는 : 앞의 말이 관형어의 기능을 하게 만들고 사건이나 동작이 현재 일어남을 나타내는 어미.
yang
akhiran untuk membuat kata di depannya berfungsi sebagai pewatas dan menyatakan kejadian atau tindakan terjadi sekarang

짜릿하다 (adjektiva) : 심리적 자극을 받아 마음이 순간적으로 조금 흥분되고 떨리는 듯하다.
agak tersentuh/terhenyak
hatinya seperti sangat emosional dan seperti bergetar karena dirangsang guncangan psikologis

-ㅁ : 앞의 말이 명사의 기능을 하게 하는 어미.
Tiada Penjelasan Arti
akhiran kalimat yang membuat kata di depannya berfungsi sebagai kata benda

내+가 부르+는 이 노래

내 (pronomina) : '나'에 조사 '가'가 붙을 때의 형태.
aku, saya
bentuk saat partikel '가' melekat pada '나'

가 : 어떤 상태나 상황에 놓인 대상이나 동작의 주체를 나타내는 조사.
Tiada Penjelasan Arti
partikel yang menyatakan subjek sebuah keadaan atau situasi atau pelaku utama sebuah tindakan

부르다 (verba) : 곡조에 따라 노래하다.
menyanyi, menyanyikan
bernyanyi mengikuti melodi

-는 : 앞의 말이 관형어의 기능을 하게 만들고 사건이나 동작이 현재 일어남을 나타내는 어미.
yang
akhiran untuk membuat kata di depannya berfungsi sebagai pewatas dan menyatakan kejadian atau tindakan terjadi sekarang

이 (pewatas) : 말하는 사람에게 가까이 있거나 말하는 사람이 생각하고 있는 대상을 가리킬 때 쓰는 말.
ini, si ini
kata yang digunakan saat menunjuk target yang berada di dekat atau yang dipikirkan si pembicara

노래 (nomina) : 운율에 맞게 지은 가사에 곡을 붙인 음악. 또는 그런 음악을 소리 내어 부름.
lagu
kata yang disesuaikan dengan irama musik, atau hal menyanyikan kata-kata yang demikian

너+에게+만 속삭이+었던 말
속삭였던

너 (pronomina) : 듣는 사람이 친구나 아랫사람일 때, 그 사람을 가리키는 말.

kamu

kata untuk menunjuk lawan bicara yang merupakan teman atau orang yang lebih muda

에게 : 어떤 행동이 미치는 대상임을 나타내는 조사.

Tiada Penjelasan Arti

partikel yang menyatakan sesuatu yang mendapat pengaruh dari sebuah tindakan

만 : 다른 것은 제외하고 어느 것을 한정함을 나타내는 조사.

hanya

partikel yang menyatakan membatasi sesuatu di luar sesuatu yang lain

속삭이다 (verba) : 남이 알아듣지 못하게 작은 목소리로 가만가만 이야기하다.

membisikkan, berbisik

bercerita lembut dengan suara kecil supaya orang tidak mendengar

-었던 : 과거의 사건이나 상태를 다시 떠올리거나 그 사건이나 상태가 완료되지 않고 중단되었다는 의미
를 나타내는 표현.

yang sudah, yang pernah

ungkapan yang menunjukkan maksud mengingat kembali peristiwa atau kondisi di masa lalu
atau perisitiwa atau kondisi tersebut tidak selesai dan terhenti di tengah-tengah

말 (nomina) : 생각이나 느낌을 표현하고 전달하는 사람의 소리.

perkataan, kata-kata

bunyi atau suara manusia yang merupakan ungkapan perasaan atau pikiran

이 선율+에+ㄴ 둘+이+만 알(아)+는 아찔하+ㅁ
선율엔   아는   아찔함

이 (pewatas) : 말하는 사람에게 가까이 있거나 말하는 사람이 생각하고 있는 대상을 가리킬 때 쓰는 말.

ini, si ini

kata yang digunakan saat menunjuk target yang berada di dekat atau yang dipikirkan si
pembicara

선율 (nomina) : 길고 짧거나 높고 낮은 소리가 어우러진 음의 흐름.

melodi

alur nada yang menyelaraskan suara panjang, pendek, tinggi, dan rendah

에 : 앞말이 어떤 장소나 자리임을 나타내는 조사.
di, pada
partikel yang menyatakan kalimat di depan adalah tempat atau lokasi

는 : 문장 속에서 어떤 대상이 화제임을 나타내는 조사.
Tiada Penjelasan Arti
partikel yang menyatakan suatu subjek dalam kalimat menjadi bahan pembicaraan

둘 (numeralia) : 하나에 하나를 더한 수.
dua
angka sesudah satu

이 : 어떤 상태나 상황의 대상이나 동작의 주체를 나타내는 조사.
Tiada Penjelasan Arti
partikel yang menyatakan objek dari suatu keadaan atau kondisi atau pelaku dari suatu tindakan

만 : 다른 것은 제외하고 어느 것을 한정함을 나타내는 조사.
hanya
partikel yang menyatakan membatasi sesuatu di luar sesuatu yang lain

알다 (verba) : 교육이나 경험, 생각 등을 통해 사물이나 상황에 대한 정보 또는 지식을 갖추다.
tahu, mengetahui
memiliki pengetahuan tentang benda atau keadaan melalui pendidikan atau pengalaman, pemikiran, dsb

-는 : 앞의 말이 관형어의 기능을 하게 만들고 사건이나 동작이 현재 일어남을 나타내는 어미.
yang
akhiran untuk membuat kata di depannya berfungsi sebagai pewatas dan menyatakan kejadian atau tindakan terjadi sekarang

아찔하다 (adjektiva) : 놀라거나 해서 갑자기 정신이 흐려지고 어지럽다.
pusing, pening, grogi, canggung
kesadaran kabur dan pusing karena kaget

-ㅁ : 앞의 말이 명사의 기능을 하게 하는 어미.
Tiada Penjelasan Arti
akhiran kalimat yang membuat kata di depannya berfungsi sebagai kata benda

아무리 <u>토라지+어도</u> <u>삐지+[어 있]+어도</u>
토라져도   삐져 있어도

아무리 (adverbia) : 비록 그렇다 하더라도.
meskipun
walaupun begitu

토라지다 (verba) : 마음에 들지 않아 불만스러워 싹 돌아서다.
mengambek
kecewa dan tidak berkenan di hati

-어도 : 앞에 오는 말을 가정하거나 인정하지만 뒤에 오는 말에는 관계가 없거나 영향을 끼치지 않음을
　　　 나타내는 연결 어미.
walaupun, meskipun, biarpun, kendatipun
akhiran penghubung untuk menyatakan bahwa tidak berhubungan atau tidak berpengaruh
pada isi kalimat induk walaupun mengandaikan atau mengakui isi anak kalimat

삐지다 (verba) : 화가 나거나 서운해서 마음이 뒤틀리다.
merajuk
rasanya terbelit karena marah atau kecewa

-어 있다 : 앞의 말이 나타내는 상태가 계속됨을 나타내는 표현.
sudah, telah, masih
ungkapan untuk menyatakan bahwa keadaan dalam kalimat di depan terus berjalan

-어도 : 앞에 오는 말을 가정하거나 인정하지만 뒤에 오는 말에는 관계가 없거나 영향을 끼치지 않음을
　　　 나타내는 연결 어미.
walaupun, meskipun, biarpun, kendatipun
akhiran penghubung untuk menyatakan bahwa tidak berhubungan atau tidak berpengaruh
pada isi kalimat induk walaupun mengandaikan atau mengakui isi anak kalimat

이 노랫말+에 <u>잠기+어</u>
잠겨

이 (pewatas) : 말하는 사람에게 가까이 있거나 말하는 사람이 생각하고 있는 대상을 가리킬 때 쓰는 말.
ini, si ini
kata yang digunakan saat menunjuk target yang berada di dekat atau yang dipikirkan si
pembicara

노랫말 (nomina) : 노래의 가락에 따라 부를 수 있게 만든 글이나 말.
lirik lagu
ucapan atau tulisan yang dibuat agar dapat dinyanyikan sesuai dengan melodi lagu

에 : 앞말이 어떤 행위나 감정 등의 대상임을 나타내는 조사.
karena, dengan, akibat, oleh
partikel yang menyatakan kalimat di depan adalah objek suatu tindakan atau perasaan dsb

잠기다 (verba) : 생각이나 느낌 속에 빠지다.
termenung
terbawa ke dalam sebuah suasana, keadaan

-어 : 앞의 말이 뒤의 말보다 먼저 일어났거나 뒤의 말에 대한 방법이나 수단이 됨을 나타내는 연결 어미.
setelah, sesudah, selepas, lalu
akhiran penghubung untuk menyatakan bahwa anak kalimat terjadi lebih dahulu daripada kalimat induk atau menjadi cara atau alat terhadap kalimat induk

우리+는 서로 남몰래 [눈을 맞추]+어요.
우린   눈을 맞춰요

우리 (pronomina) : 말하는 사람이 자기보다 높지 않은 사람에게 자기를 포함한 여러 사람들을 가리키는
                  말.
kami
kata untuk menyebutkan beberapa orang termasuk yang berbicara saat menyampaikan perkataan kepada lawan bicara yang tidak lebih tinggi posisinya dari yang berbicara sendiri

는 : 문장 속에서 어떤 대상이 화제임을 나타내는 조사.
Tiada Penjelasan Arti
partikel yang menyatakan suatu subjek dalam kalimat menjadi bahan pembicaraan

서로 (adverbia) : 관계를 맺고 있는 둘 이상의 대상이 함께. 또는 같이.
saling
bersama atau dengan dua atau lebih perihal yang berhubungan

남몰래 (adverbia) : 다른 사람이 모르게.
dengan tidak diketahui, diam-diam
dengan tidak diketahui orang lain

눈을 맞추다 (idiom) : 서로 눈을 마주 보다.
saling berpandangan, saling memandang, saling melihat
saling berpandangan

-어요 : (두루높임으로) 어떤 사실을 서술하거나 질문, 명령, 권유함을 나타내는 종결 어미.
apakah, apa, ~saja, silakan
(dalam bentuk hormat) kata penutup final yang mengungkapkan suatu kenyataan atau menyatakan pertanyaan, perintah, atau ajakan

내+가 즐기+어 부르+는 이 노래
　　　　 즐겨

내 (pronomina) : '나'에 조사 '가'가 붙을 때의 형태.
aku, saya
bentuk saat partikel '가' melekat pada '나'

가 : 어떤 상태나 상황에 놓인 대상이나 동작의 주체를 나타내는 조사.
Tiada Penjelasan Arti
partikel yang menyatakan subjek sebuah keadaan atau situasi atau pelaku utama sebuah tindakan

즐기다 (verba) : 어떤 것을 좋아하여 자주 하다.
Tiada Penjelasan Arti
sering melakukan sesuatu karena suka

-어 : 앞의 말이 뒤의 말보다 먼저 일어났거나 뒤의 말에 대한 방법이나 수단이 됨을 나타내는 연결 어미.
setelah, sesudah, selepas, lalu
akhiran penghubung untuk menyatakan bahwa anak kalimat terjadi lebih dahulu daripada kalimat induk atau menjadi cara atau alat terhadap kalimat induk

부르다 (verba) : 곡조에 따라 노래하다.
menyanyi, menyanyikan
bernyanyi mengikuti melodi

-는 : 앞의 말이 관형어의 기능을 하게 만들고 사건이나 동작이 현재 일어남을 나타내는 어미.
yang
akhiran untuk membuat kata di depannya berfungsi sebagai pewatas dan menyatakan kejadian atau tindakan terjadi sekarang

이 (pewatas) : 말하는 사람에게 가까이 있거나 말하는 사람이 생각하고 있는 대상을 가리킬 때 쓰는 말.
ini, si ini
kata yang digunakan saat menunjuk target yang berada di dekat atau yang dipikirkan si pembicara

노래 (nomina) : 운율에 맞게 지은 가사에 곡을 붙인 음악. 또는 그런 음악을 소리 내어 부름.
lagu
kata yang disesuaikan dengan irama musik, atau hal menyanyikan kata-kata yang demikian

이 음악+이 흐르+면

이 (pewatas) : 말하는 사람에게 가까이 있거나 말하는 사람이 생각하고 있는 대상을 가리킬 때 쓰는 말.
ini, si ini
kata yang digunakan saat menunjuk target yang berada di dekat atau yang dipikirkan si pembicara

음악 (nomina) : 목소리나 악기로 박자와 가락이 있게 소리 내어 생각이나 감정을 표현하는 예술.
lagu
seni yang menyampaikan pikiran atau perasaan dengan menghasilkan bunyi yang berirama dan bermelodi dengan suara atau alat musik

이 : 어떤 상태나 상황의 대상이나 동작의 주체를 나타내는 조사.
Tiada Penjelasan Arti
partikel yang menyatakan objek dari suatu keadaan atau kondisi atau pelaku dari suatu tindakan

흐르다 (verba) : 빛, 소리, 향기 등이 부드럽게 퍼지다.
mengalir, menyerbak
cahaya, suara, harum menyebar dengan lembut

-면 : 뒤에 오는 말에 대한 근거나 조건이 됨을 나타내는 연결 어미.
kalau, seandainya, apabila
akhiran penghubung untuk menyatakan menjadi landasan atau syarat terhadap kalimat induk

너+의 눈빛, 너+의 표정

너 (pronomina) : 듣는 사람이 친구나 아랫사람일 때, 그 사람을 가리키는 말.
kamu
kata untuk menunjuk lawan bicara yang merupakan teman atau orang yang lebih muda

의 : 앞의 말이 뒤의 말에 대하여 소유, 소속, 소재, 관계, 기원, 주체의 관계를 가짐을 나타내는 조사.
dari, milik
partikel yang menyatakan perkataan di depan memiliki hubungan kepemilikian, bagian tempat diri bekerja, bahan, hubungan, asal, topik dengan perkataan di belakang

눈빛 (nomina) : 눈에 나타나는 감정.
sorot mata
emosi yang tertuang lewat mata

너 (pronomina) : 듣는 사람이 친구나 아랫사람일 때, 그 사람을 가리키는 말.
kamu
kata untuk menunjuk lawan bicara yang merupakan teman atau orang yang lebih muda

의 : 앞의 말이 뒤의 말에 대하여 소유, 소속, 소재, 관계, 기원, 주체의 관계를 가짐을 나타내는 조사.
dari, milik
partikel yang menyatakan perkataan di depan memiliki hubungan kepemilikian, bagian tempat diri bekerja, bahan, hubungan, asal, topik dengan perkataan di belakang

표정 (nomina) : 마음속에 품은 감정이나 생각 등이 얼굴에 드러남. 또는 그런 모습.

raut wajah, air muka

hal perasaan atau pikiran dsb yang tersimpan di dalam hati tampak di wajah, atau rupa yang demikian

<u>나+의</u> 가슴+이 살살 녹+아요.
내

나 (pronomina) : 말하는 사람이 친구나 아랫사람에게 자기를 가리키는 말.

aku

kata yang digunakan orang yang berbicara untuk menunjuk dirinya sendiri kepada teman atau orang yang berada di bawahnya

의 : 앞의 말이 뒤의 말에 대하여 소유, 소속, 소재, 관계, 기원, 주체의 관계를 가짐을 나타내는 조사.

dari, milik

partikel yang menyatakan perkataan di depan memiliki hubungan kepemilikian, bagian tempat diri bekerja, bahan, hubungan, asal, topik dengan perkataan di belakang

가슴 (nomina) : 마음이나 느낌.

hati, rasa, perasaan

hati atau perasaan

이 : 어떤 상태나 상황의 대상이나 동작의 주체를 나타내는 조사.

Tiada Penjelasan Arti

partikel yang menyatakan objek dari suatu keadaan atau kondisi atau pelaku dari suatu tindakan

살살 (adverbia) : 눈이나 설탕 등이 모르는 사이에 저절로 녹는 모양.

Tiada Penjelasan Arti

bentuk salju atau gula dsb mencair dengan sendirinya tanpa diketahui

녹다 (verba) : 어떤 대상에게 몹시 반하거나 빠지다.

terhanyut

sangat tertarik kepada sesuatu

-아요 : (두루높임으로) 어떤 사실을 서술하거나 질문, 명령, 권유함을 나타내는 종결 어미.

cobalah, sebenarnya, apa

(dalam bentuk hormat) kata penutup final yang mengungkapkan suatu kenyataan atau menyatakan pertanyaan, perintah, atau ajakan

< 3 절(bait) >

우리 둘+이 부르+는 이 노래

우리 (pronomina) : 말하는 사람이 자기보다 높지 않은 사람에게 자기를 포함한 여러 사람들을 가리키는 말.

kami

kata untuk menyebutkan beberapa orang termasuk yang berbicara saat menyampaikan perkataan kepada lawan bicara yang tidak lebih tinggi posisinya dari yang berbicara sendiri

둘 (numeralia) : 하나에 하나를 더한 수.

dua

angka sesudah satu

이 : 어떤 상태나 상황의 대상이나 동작의 주체를 나타내는 조사.

Tiada Penjelasan Arti

partikel yang menyatakan objek dari suatu keadaan atau kondisi atau pelaku dari suatu tindakan

부르다 (verba) : 곡조에 따라 노래하다.

menyanyi, menyanyikan

bernyanyi mengikuti melodi

-는 : 앞의 말이 관형어의 기능을 하게 만들고 사건이나 동작이 현재 일어남을 나타내는 어미.

yang

akhiran untuk membuat kata di depannya berfungsi sebagai pewatas dan menyatakan kejadian atau tindakan terjadi sekarang

이 (pewatas) : 말하는 사람에게 가까이 있거나 말하는 사람이 생각하고 있는 대상을 가리킬 때 쓰는 말.

ini, si ini

kata yang digunakan saat menunjuk target yang berada di dekat atau yang dipikirkan si pembicara

노래 (nomina) : 운율에 맞게 지은 가사에 곡을 붙인 음악. 또는 그런 음악을 소리 내어 부름.

lagu

kata yang disesuaikan dengan irama musik, atau hal menyanyikan kata-kata yang demikian

우리 둘+만 알(아)+는 이 노래
아는

우리 (pronomina) : 말하는 사람이 자기보다 높지 않은 사람에게 자기를 포함한 여러 사람들을 가리키는 말.

kami

kata untuk menyebutkan beberapa orang termasuk yang berbicara saat menyampaikan perkataan kepada lawan bicara yang tidak lebih tinggi posisinya dari yang berbicara sendiri

둘 (numeralia) : 하나에 하나를 더한 수.

dua

angka sesudah satu

만 : 다른 것은 제외하고 어느 것을 한정함을 나타내는 조사.

hanya

partikel yang menyatakan membatasi sesuatu di luar sesuatu yang lain

알다 (verba) : 교육이나 경험, 생각 등을 통해 사물이나 상황에 대한 정보 또는 지식을 갖추다.

tahu, mengetahui

memiliki pengetahuan tentang benda atau keadaan melalui pendidikan atau pengalaman, pemikiran, dsb

-는 : 앞의 말이 관형어의 기능을 하게 만들고 사건이나 동작이 현재 일어남을 나타내는 어미.

yang

akhiran untuk membuat kata di depannya berfungsi sebagai pewatas dan menyatakan kejadian atau tindakan terjadi sekarang

이 (pewatas) : 말하는 사람에게 가까이 있거나 말하는 사람이 생각하고 있는 대상을 가리킬 때 쓰는 말.

ini, si ini

kata yang digunakan saat menunjuk target yang berada di dekat atau yang dipikirkan si pembicara

노래 (nomina) : 운율에 맞게 지은 가사에 곡을 붙인 음악. 또는 그런 음악을 소리 내어 부름.

lagu

kata yang disesuaikan dengan irama musik, atau hal menyanyikan kata-kata yang demikian

우리 둘+이 영원히 함께 <u>부르(불ㄹ)+어요</u>.
불러요

우리 (pronomina) : 말하는 사람이 자기보다 높지 않은 사람에게 자기를 포함한 여러 사람들을 가리키는 말.

kami

kata untuk menyebutkan beberapa orang termasuk yang berbicara saat menyampaikan perkataan kepada lawan bicara yang tidak lebih tinggi posisinya dari yang berbicara sendiri

둘 (numeralia) : 하나에 하나를 더한 수.
dua
angka sesudah satu

이 : 어떤 상태나 상황의 대상이나 동작의 주체를 나타내는 조사.
Tiada Penjelasan Arti
partikel yang menyatakan objek dari suatu keadaan atau kondisi atau pelaku dari suatu tindakan

영원히 (adverbia) : 끝없이 이어지는 상태로. 또는 언제까지나 변하지 않는 상태로.
selamanya, hingga akhir zaman
dalam keadaan tidak berakhir, dalam keadaan selamanya tak berubah

함께 (adverbia) : 여럿이서 한꺼번에 같이.
bersama, bersama-sama, bareng-bareng
beberapa bersama-sama dalam satu kali

부르다 (verba) : 곡조에 따라 노래하다.
menyanyi, menyanyikan
bernyanyi mengikuti melodi

-어요 : (두루높임으로) 어떤 사실을 서술하거나 질문, 명령, 권유함을 나타내는 종결 어미.
apakah, apa, ~saja, silakan
(dalam bentuk hormat) kata penutup final yang mengungkapkan suatu kenyataan atau menyatakan pertanyaan, perintah, atau ajakan

이 음표+에 우리 사랑 싣+고

이 (pewatas) : 말하는 사람에게 가까이 있거나 말하는 사람이 생각하고 있는 대상을 가리킬 때 쓰는 말.
ini, si ini
kata yang digunakan saat menunjuk target yang berada di dekat atau yang dipikirkan si pembicara

음표 (nomina) : 악보에서 음의 길이와 높낮이를 나타내는 기호.
tanda nada, not
tanda yang menyatakan panjang dan tinggi rendah nada pada partitur

에 : 앞말이 어떤 행위나 작용이 미치는 대상임을 나타내는 조사.
ke, kepada, pada
partikel yang menyatakan kalimat di depan adalah objek dari efek suatu tindakan berpengaruh

우리 (pronomina) : 말하는 사람이 자기보다 높지 않은 사람에게 자기를 포함한 여러 사람들을 가리키는 말.

kami

kata untuk menyebutkan beberapa orang termasuk yang berbicara saat menyampaikan perkataan kepada lawan bicara yang tidak lebih tinggi posisinya dari yang berbicara sendiri

사랑 (nomina) : 상대에게 성적으로 매력을 느껴 열렬히 좋아하는 마음.

cinta

hati yang merasakan daya tarik secara seksual pada lawan dan menyukainya dengan penuh

싣다 (verba) : 어떤 현상이나 뜻을 나타내거나 담다.

menunjukkan, membawa

memperlihatkan suatu gejala atau maksud

-고 : 앞의 말이 나타내는 행동이나 그 결과가 뒤에 오는 행동이 일어나는 동안에 그대로 지속됨을 나타내는 연결 어미.

dan, dengan, sambil

akhiran penghubung yang menyatakan bahwa tindakan atau hasil di kalimat depan terus berjalan selama tindakan di kalimat belakang terjadi.

높+고 낮+게 길+고 짧+은 리듬

높다 (adjektiva) : 소리가 음의 차례에서 위쪽이거나 진동수가 크다.

tinggi, atas

suara berada di sebelah atas dari tangga nada atau berfrekuensi banyak

-고 : 두 가지 이상의 대등한 사실을 나열할 때 쓰는 연결 어미.

dan

akhiran penghubung yang digunakan untuk menyusun dua atau lebih kenyataan yang setara

낮다 (adjektiva) : 소리가 음의 차례에서 아래쪽이거나 진동수가 작다.

rendah

suara berada di urutan bawah bunyi, atau bergetaran kecil

-게 : 앞의 말이 뒤에서 가리키는 일의 목적이나 결과, 방식, 정도 등이 됨을 나타내는 연결 어미.

dengan

kata penutup sambung yang menyatakan isi kalimat di depan dibutuhkan sementara kalimat di belakang terus dilanjutkan(formal, kedudukan penerima sangat rendah)

길다 (adjektiva) : 한 때에서 다음의 한 때까지 이어지는 시간이 오래다.

lama

dari satu waktu sampai pada satu waktu berikutnya berjangka lama

-고 : 두 가지 이상의 대등한 사실을 나열할 때 쓰는 연결 어미.

dan

akhiran penghubung yang digunakan untuk menyusun dua atau lebih kenyataan yang setara

짧다 (adjektiva) : 한 때에서 다른 때까지의 동안이 오래지 않다.

singkat

jarak antara waktu yang satu dengan waktu yang lain tidak lama

-은 : 앞의 말이 관형어의 기능을 하게 만들고 현재의 상태를 나타내는 어미.

yang

akhiran yang membuat kata di depannya berfungsi sebagai kata pewatas, dan menyatakan keadaan saat ini

리듬 (nomina) : 소리의 높낮이, 길이, 세기 등이 일정하게 반복되는 것.

irama, ritme

hal berulang secara teraturnya tinggi rendah suara, panjang, kekuatan, dsb

이 가락+에 밤새+도록 <u>취하+[여 보]+아요</u>.
취해 봐요

이 (pewatas) : 말하는 사람에게 가까이 있거나 말하는 사람이 생각하고 있는 대상을 가리킬 때 쓰는 말.

ini, si ini

kata yang digunakan saat menunjuk target yang berada di dekat atau yang dipikirkan si pembicara

가락 (nomina) ; 음악에서 음의 높낮이의 흐름

nada, melodi

alunan tinggi rendahnya bunyi dalam lagu

에 : 앞말이 어떤 행위나 감정 등의 대상임을 나타내는 조사.

karena, dengan, akibat, oleh

partikel yang menyatakan kalimat di depan adalah objek suatu tindakan atau perasaan dsb

밤새다 (verba) : 밤이 지나 아침이 오다.

sepanjang malam sampai pagi, begadang

dari malam sampai pagi

-도록 : 앞에 오는 말이 뒤에 오는 말에 대한 목적이나 결과, 방식, 정도임을 나타내는 연결 어미.

agar, supaya

kata penutup sambung yang menyatakan bahwa kalimat di depan adalah tujuan, hasil, cara, atau taraf dari kalimat di belakang

취하다 (verba) : 무엇에 매우 깊이 빠져 마음을 빼앗기다.
jatuh, terbawa, terhanyut
jatuh ke sesuatu dengan mendalam sehingga hatinya tercuri

-여 보다 : 앞의 말이 나타내는 행동을 시험 삼아 함을 나타내는 표현.
mencoba
ungkapan yang menyatakan menjadikan tindakan dalam kalimat yang disebutkan di depan sebagai sebuah percobaan

-아요 : (두루높임으로) 어떤 사실을 서술하거나 질문, 명령, 권유함을 나타내는 종결 어미.
cobalah, sebenarnya, apa
(dalam bentuk hormat) kata penutup final yang mengungkapkan suatu kenyataan atau menyatakan pertanyaan, perintah, atau ajakan

< 8 >

최고야

너는 최고야.
(kamu yang terbaik)

[발음(pelafalan)]

< 1 절(bait) >

엄마, 치킨 먹고 싶어.
엄마, 치킨 먹꼬 시퍼.
eomma, chikin meokgo sipeo.

아빠, 피자 먹고 싶어.
아빠, 피자 먹꼬 시퍼.
appa, pija meokgo sipeo.

치킨 먹고 싶어.
치킨 먹꼬 시퍼.
chikin meokgo sipeo.

피자 먹고 싶어.
피자 먹꼬 시퍼.
pija meokgo sipeo.

시켜 줘, 시켜 줘.
시켜 줘, 시켜 줘.
sikyeo jwo, sikyeo jwo.

전부 시켜 줘.
전부 시켜 줘.
jeonbu sikyeo jwo.

시켜, 뭐든지 시켜.
시켜, 뭐든지 시켜.
sikyeo, mwodeunji sikyeo.

시켜, 전부 다 시켜.
시켜, 전부 다 시켜.
sikyeo, jeonbu da sikyeo.

먹고 싶은 거, 맛보고 싶은 거 전부 다 시켜.
먹꼬 시픈 거, 맏뽀고 시픈 거 전부 다 시켜.
meokgo sipeun geo, matbogo sipeun geo jeonbu da sikyeo.

엄만 언제나 최고야.
엄만 언제나 최고야.
eomman eonjena choegoya.

최고, 최고, 최고
최고, 최고, 최고
choego, choego, choego

아빠 언제나 최고야.
아빠 언제나 최고야.
appan eonjena choegoya.

최고, 최고, 아빠 최고.
최고, 최고, 아빠 최고.
choego, choego, appa choego.

엄마 최고, 아빠 최고, 엄마 최고, 아빠 최고.
엄마 최고, 아빠 최고, 엄마 최고, 아빠 최고.
eomma choego, appa choego, eomma choego, appa choego.

< 2 절(bait) >

언니, 햄버거 먹고 싶어.
언니, 햄버거 먹꼬 시퍼.
eonni, haembeogeo meokgo sipeo.

오빠, 돈가스 먹고 싶어.
오빠, 돈가스 먹꼬 시퍼.
oppa, dongaseu meokgo sipeo.

햄버거 먹고 싶어.
햄버거 먹꼬 시퍼.
haembeogeo meokgo sipeo.

돈가스 먹고 싶어.
돈가스 먹꼬 시퍼.
dongaseu meokgo sipeo.

시켜 줘, 시켜 줘.
시켜 줘, 시켜 줘.
sikyeo jwo, sikyeo jwo.

전부 시켜 줘.
전부 시켜 줘.
jeonbu sikyeo jwo.

시켜, 뭐든지 시켜.
시켜, 뭐든지 시켜.
sikyeo, mwodeunji sikyeo.

시켜, 전부 다 시켜.

시켜, 전부 다 시켜.

sikyeo, jeonbu da sikyeo.

먹고 싶은 거, 맛보고 싶은 거 전부 다 시켜.

먹꼬 시픈 거, 맏뽀고 시픈 거 전부 다 시켜.

meokgo sipeun geo, matbogo sipeun geo jeonbu da sikyeo.

초밥도, 짜장면도, 짬뽕도, 탕수육도, 떡볶이도, 순대도, 김밥도, 냉면도.

초밥또, 짜장면도, 짬뽕도, 탕수육또, 떡뽀끼도, 순대도, 김밥또, 냉면도.

chobapdo, jjajangmyeondo, jjamppongdo, tangsuyukdo, tteokbokkido, sundaedo, gimbapdo, naengmyeondo.

시켜, 시켜, 뭐든지 시켜.

시켜, 시켜, 뭐든지 시켜.

sikyeo, sikyeo, mwodeunji sikyeo.

먹고 싶은 거 다 시켜.

먹꼬 시픈 거 다 시켜.

meokgo sipeun geo da sikyeo.

뭐든지 다 시켜 줄게.

뭐든지 다 시켜 줄께.

mwodeunji da sikyeo julge.

전부 다 시켜 줄게.

전부 다 시켜 줄께.

jeonbu da sikyeo julge.

언닌 언제나 최고야.

언닌 언제나 최고야.

eonnin eonjena choegoya.

최고, 최고, 최고.

최고, 최고, 최고.

choego, choego, choego.

오빤 언제나 최고야.

오빤 언제나 최고야.

oppan eonjena choegoya.

최고, 최고, 오빠 최고.

최고, 최고, 오빠 최고.

choego, choego, oppa choego.

엄마가 최고야, 엄마 최고.
엄마가 최고야, 엄마 최고.
eommaga choegoya, eomma choego.

아빠가 최고야, 아빠 최고.
아빠가 최고야, 아빠 최고.
appaga choegoya, appa choego.

최고, 최고, 언니 최고.
최고, 최고, 언니 최고.
choego, choego, eonni choego.

오빠가 최고야, 오빠 최고.
오빠가 최고야, 오빠 최고.
oppaga choegoya, oppa choego.

< 1 절(bait) >

엄마, 치킨 먹+[고 싶]+어.

엄마 (nomina) : 격식을 갖추지 않아도 되는 상황에서 어머니를 이르거나 부르는 말.
mama
panggilan untuk menyebutkan ibu dalam situasi tidak resmi

치킨 (nomina) : 토막을 낸 닭에 밀가루 등을 묻혀 기름에 튀기거나 구운 음식.
ayam goreng, fried chicken
makanan berupa ayam yang dipotong-potong, dilumuri tepung dsb, kemudian digoreng dalam minyak atau dipanggang

먹다 (verba) : 음식 등을 입을 통하여 배 속에 들여보내다.
makan
memasukkan makanan ke dalam mulut lalu menelannya

-고 싶다 : 앞의 말이 나타내는 행동을 하기를 원함을 나타내는 표현.
ingin, mau
ungkapan yang menyatakan bahwa pembicara ingin melakukan tindakan yang disebut dalam kalimat di depan

-어 : (두루낮춤으로) 어떤 사실을 서술하거나 물음, 명령, 권유를 나타내는 종결 어미.
-kah, -lah
(dalam bentuk rendah) akhiran penutup untuk menyatakan suatu kenyataan atau menandai pertanyaan, perintah, dan ajakan <penjabaran>

아빠, 피자 먹+[고 싶]+어.

아빠 (nomina) : 격식을 갖추지 않아도 되는 상황에서 아버지를 이르거나 부르는 말.
ayah, bapak
panggilan untuk menyebutkan ayah di situasi tidak resmi

피자 (nomina) : 이탈리아에서 유래한 것으로 둥글고 납작한 밀가루 반죽 위에 토마토, 고기, 치즈 등을 얹어 구운 음식.
pizza
makanan berasal dari Italia yang dipanggang dengan ditaburkan tomat, daging, keju di atas adonan bulat yang dibuat dari terigu

먹다 (verba) : 음식 등을 입을 통하여 배 속에 들여보내다.

makan

memasukkan makanan ke dalam mulut lalu menelannya

-고 싶다 : 앞의 말이 나타내는 행동을 하기를 원함을 나타내는 표현.

ingin, mau

ungkapan yang menyatakan bahwa pembicara ingin melakukan tindakan yang disebut dalam kalimat di depan

-어 : (두루낮춤으로) 어떤 사실을 서술하거나 물음, 명령, 권유를 나타내는 종결 어미.

-kah, -lah

(dalam bentuk rendah) akhiran penutup untuk menyatakan suatu kenyataan atau menandai pertanyaan, perintah, dan ajakan <penjabaran>

치킨 먹+[고 싶]+어.

치킨 (nomina) : 토막을 낸 닭에 밀가루 등을 묻혀 기름에 튀기거나 구운 음식.

ayam goreng, fried chicken

makanan berupa ayam yang dipotong-potong, dilumuri tepung dsb, kemudian digoreng dalam minyak atau dipanggang

먹다 (verba) : 음식 등을 입을 통하여 배 속에 들여보내다.

makan

memasukkan makanan ke dalam mulut lalu menelannya

-고 싶다 : 앞의 말이 나타내는 행동을 하기를 원함을 나타내는 표현.

ingin, mau

ungkapan yang menyatakan bahwa pembicara ingin melakukan tindakan yang disebut dalam kalimat di depan

-어 : (두루낮춤으로) 어떤 사실을 서술하거나 물음, 명령, 권유를 나타내는 종결 어미.

-kah, -lah

(dalam bentuk rendah) akhiran penutup untuk menyatakan suatu kenyataan atau menandai pertanyaan, perintah, dan ajakan <penjabaran>

피자 먹+[고 싶]+어.

피자 (nomina) : 이탈리아에서 유래한 것으로 둥글고 납작한 밀가루 반죽 위에 토마토, 고기, 치즈 등을
엊어 구운 음식.

pizza

makanan berasal dari Italia yang dipanggang dengan ditaburkan tomat, daging, keju di atas
adonan bulat yang dibuat dari terigu

먹다 (verba) : 음식 등을 입을 통하여 배 속에 들여보내다.

makan

memasukkan makanan ke dalam mulut lalu menelannya

-고 싶다 : 앞의 말이 나타내는 행동을 하기를 원함을 나타내는 표현.

ingin, mau

ungkapan yang menyatakan bahwa pembicara ingin melakukan tindakan yang disebut dalam
kalimat di depan

-어 : (두루낮춤으로) 어떤 사실을 서술하거나 물음, 명령, 권유를 나타내는 종결 어미.

-kah, -lah

(dalam bentuk rendah) akhiran penutup untuk menyatakan suatu kenyataan atau menandai
pertanyaan, perintah, dan ajakan <penjabaran>

시키+[어 주]+어, 시키+[어 주]+어.
시켜 줘   시켜 줘

시키다 (verba) : 음식이나 술, 음료 등을 주문하다.

memesan

melakukan pesanan seperti makanan, bir, minuman ringan, dsb

-어 주다 : 남을 위해 앞의 말이 나타내는 행동을 함을 나타내는 표현.

membantu, menolong

ungkapan yang menyatakan melakukan tindakan yang disebutkan dalam kalimat di depan
untuk orang lain

-어 : (두루낮춤으로) 어떤 사실을 서술하거나 물음, 명령, 권유를 나타내는 종결 어미.

-kah, -lah

(dalam bentuk rendah) akhiran penutup untuk menyatakan suatu kenyataan atau menandai
pertanyaan, perintah, dan ajakan <perintah>

전부 시키+[어 주]+어.
시켜 줘

전부 (adverbia) : 빠짐없이 다.
semua, semuanya, seluruhnya
semua

시키다 (verba) : 음식이나 술, 음료 등을 주문하다.
memesan
melakukan pesanan seperti makanan, bir, minuman ringan, dsb

-어 주다 : 남을 위해 앞의 말이 나타내는 행동을 함을 나타내는 표현.
membantu, menolong
ungkapan yang menyatakan melakukan tindakan yang disebutkan dalam kalimat di depan untuk orang lain

-어 : (두루낮춤으로) 어떤 사실을 서술하거나 물음, 명령, 권유를 나타내는 종결 어미.
-kah, -lah
(dalam bentuk rendah) akhiran penutup untuk menyatakan suatu kenyataan atau menandai pertanyaan, perintah, dan ajakan <perintah>

<u>시키</u>+어, 뭐+든지 <u>시키</u>+어.
시켜   시켜

시키다 (verba) : 음식이나 술, 음료 등을 주문하다.
memesan
melakukan pesanan seperti makanan, bir, minuman ringan, dsb

-어 : (두루낮춤으로) 어떤 사실을 서술하거나 물음, 명령, 권유를 나타내는 종결 어미.
-kah, -lah
(dalam bentuk rendah) akhiran penutup untuk menyatakan suatu kenyataan atau menandai pertanyaan, perintah, dan ajakan <perintah>

뭐 (pronomina) : 정해지지 않은 대상이나 굳이 이름을 밝힐 필요가 없는 대상을 가리키는 말.
apa, sesuatu
kata yang merujuk pada objek yang tidak ditentukan atau yang namanya tidak perlu dijelaskan

든지 : 어느 것이 선택되어도 차이가 없음을 나타내는 조사.
Tiada Penjelasan Arti
partikel yang menyatakan bahwa apapun yang dipilih tidak ada bedanya

시키다 (verba) : 음식이나 술, 음료 등을 주문하다.
memesan
melakukan pesanan seperti makanan, bir, minuman ringan, dsb

-어 : (두루낮춤으로) 어떤 사실을 서술하거나 물음, 명령, 권유를 나타내는 종결 어미.
-kah, -lah
(dalam bentuk rendah) akhiran penutup untuk menyatakan suatu kenyataan atau menandai pertanyaan, perintah, dan ajakan <perintah>

<u>시키</u>+어, 전부 다 <u>시키</u>+어.
시켜   **시켜**

시키다 (verba) : 음식이나 술, 음료 등을 주문하다.
memesan
melakukan pesanan seperti makanan, bir, minuman ringan, dsb

-어 : (두루낮춤으로) 어떤 사실을 서술하거나 물음, 명령, 권유를 나타내는 종결 어미.
-kah, -lah
(dalam bentuk rendah) akhiran penutup untuk menyatakan suatu kenyataan atau menandai pertanyaan, perintah, dan ajakan <perintah>

전부 (adverbia) : 빠짐없이 다.
semua, semuanya, seluruhnya
semua

다 (adverbia) : 남거나 빠진 것이 없이 모두.
semua, semuanya, seluruhnya
semua tanpa ada yang tersisa atau terlewat

시키다 (verba) : 음식이나 술, 음료 등을 주문하다.
memesan
melakukan pesanan seperti makanan, bir, minuman ringan, dsb

-어 : (두루낮춤으로) 어떤 사실을 서술하거나 물음, 명령, 권유를 나타내는 종결 어미.
-kah, -lah
(dalam bentuk rendah) akhiran penutup untuk menyatakan suatu kenyataan atau menandai pertanyaan, perintah, dan ajakan <perintah>

먹+[고 싶]+[은 거], 맛보+[고 싶]+[은 거] 전부 다 <u>시키</u>+어.
                                              시켜

먹다 (verba) : 음식 등을 입을 통하여 배 속에 들여보내다.
makan
memasukkan makanan ke dalam mulut lalu menelannya

-고 싶다 : 앞의 말이 나타내는 행동을 하기를 원함을 나타내는 표현.
ingin, mau
ungkapan yang menyatakan bahwa pembicara ingin melakukan tindakan yang disebut dalam kalimat di depan

-은 거 : 명사가 아닌 것을 문장에서 명사처럼 쓰이게 하거나 '이다' 앞에 쓰일 수 있게 할 때 쓰는 표현.
yang, sesuatu yang, hal yang
ungkapan yang digunakan saat membuat sesuatu yang bukan kata benda seperti kata benda di dalam kalimat atau membuat sesuatu bisa digunakan di depan kata '이다'

맛보다 (verba) : 음식의 맛을 알기 위해 먹어 보다.
mencicipi
mencoba masakan agar tahu rasanya

-고 싶다 : 앞의 말이 나타내는 행동을 하기를 원함을 나타내는 표현.
ingin, mau
ungkapan yang menyatakan bahwa pembicara ingin melakukan tindakan yang disebut dalam kalimat di depan

-은 거 : 명사가 아닌 것을 문장에서 명사처럼 쓰이게 하거나 '이다' 앞에 쓰일 수 있게 할 때 쓰는 표현.
yang, sesuatu yang, hal yang
ungkapan yang digunakan saat membuat sesuatu yang bukan kata benda seperti kata benda di dalam kalimat atau membuat sesuatu bisa digunakan di depan kata '이다'

전부 (adverbia) : 빠짐없이 다.
semua, semuanya, seluruhnya
semua

다 (adverbia) : 남기거나 빠진 것이 없이 모두.
semua, semuanya, seluruhnya
semua tanpa ada yang tersisa atau terlewat

시키다 (verba) : 음식이나 술, 음료 등을 주문하다.
memesan
melakukan pesanan seperti makanan, bir, minuman ringan, dsb

-어 : (두루낮춤으로) 어떤 사실을 서술하거나 물음, 명령, 권유를 나타내는 종결 어미.
-kah, -lah
(dalam bentuk rendah) akhiran penutup untuk menyatakan suatu kenyataan atau menandai pertanyaan, perintah, dan ajakan <perintah>

엄마+는 언제나 최고+(이)+야.
  엄만   최고야

엄마 (nomina) : 격식을 갖추지 않아도 되는 상황에서 어머니를 이르거나 부르는 말.

mama

panggilan untuk menyebutkan ibu dalam situasi tidak resmi

는 : 문장 속에서 어떤 대상이 화제임을 나타내는 조사.

Tiada Penjelasan Arti

partikel yang menyatakan suatu subjek dalam kalimat menjadi bahan pembicaraan

언제나 (adverbia) : 어느 때에나. 또는 때에 따라 달라지지 않고 변함없이.

kapan saja, kapan pun

setiap saat, atau kapan saja tidak berubah dan tanpa perubahan

최고 (nomina) : 가장 좋거나 뛰어난 것.

terhebat, terbaik, teratas

yang paling baik atau menonjol

이다 : 주어가 지시하는 대상의 속성이나 부류를 지정하는 뜻을 나타내는 서술격 조사.

adalah

partikel kasus predikatif yang menyatakan maksud menentukan karakter atau jenis dari objek yang diindikasikan subjek

-야 : (두루낮춤으로) 어떤 사실에 대하여 서술하거나 물음을 나타내는 종결 어미.

Tiada Penjelasan Arti

(dalam bentuk rendah) kata penutup final yang mengungkapkan suatu kenyataan atau menyatakan pertanyaan <penjabaran>

최고, 최고, 최고.

최고 (nomina) : 가장 좋거나 뛰어난 것.

terhebat, terbaik, teratas

yang paling baik atau menonjol

아빠+는 언제나 최고+(이)+야.
아빤   최고야

아빠 (nomina) : 격식을 갖추지 않아도 되는 상황에서 아버지를 이르거나 부르는 말.

ayah, bapak

panggilan untuk menyebutkan ayah di situasi tidak resmi

는 : 문장 속에서 어떤 대상이 화제임을 나타내는 조사.
Tiada Penjelasan Arti
partikel yang menyatakan suatu subjek dalam kalimat menjadi bahan pembicaraan

언제나 (adverbia) : 어느 때에나. 또는 때에 따라 달라지지 않고 변함없이.
kapan saja, kapan pun
setiap saat, atau kapan saja tidak berubah dan tanpa perubahan

최고 (nomina) : 가장 좋거나 뛰어난 것.
terhebat, terbaik, teratas
yang paling baik atau menonjol

이다 : 주어가 지시하는 대상의 속성이나 부류를 지정하는 뜻을 나타내는 서술격 조사.
adalah
partikel kasus predikatif yang menyatakan maksud menentukan karakter atau jenis dari objek yang diindikasikan subjek

-야 : (두루낮춤으로) 어떤 사실에 대하여 서술하거나 물음을 나타내는 종결 어미.
Tiada Penjelasan Arti
(dalam bentuk rendah) kata penutup final yang mengungkapkan suatu kenyataan atau menyatakan pertanyaan <penjabaran>

최고, 최고, 아빠 최고.

최고 (nomina) : 가장 좋거나 뛰어난 것.
terhebat, terbaik, teratas
yang paling baik atau menonjol

아빠 (nomina) : 격식을 갖추지 않아도 되는 상황에서 아버지를 이르거나 부르는 말.
ayah, bapak
panggilan untuk menyebutkan ayah di situasi tidak resmi

최고 (nomina) : 가장 좋거나 뛰어난 것.
terhebat, terbaik, teratas
yang paling baik atau menonjol

엄마 최고, 아빠 최고, 엄마 최고, 아빠 최고.

엄마 (nomina) : 격식을 갖추지 않아도 되는 상황에서 어머니를 이르거나 부르는 말.
mama
panggilan untuk menyebutkan ibu dalam situasi tidak resmi

최고 (nomina) : 가장 좋거나 뛰어난 것.
terhebat, terbaik, teratas
yang paling baik atau menonjol

아빠 (nomina) : 격식을 갖추지 않아도 되는 상황에서 아버지를 이르거나 부르는 말.
ayah, bapak
panggilan untuk menyebutkan ayah di situasi tidak resmi

최고 (nomina) : 가장 좋거나 뛰어난 것.
terhebat, terbaik, teratas
yang paling baik atau menonjol

< 2 절(bait) >

언니, 햄버거 먹+[고 싶]+어.

언니 (nomina) : 여자가 형제나 친척 형제들 중에서 자기보다 나이가 많은 여자를 이르거나 부르는 말.
kakak perempuan
panggilan untuk menyebutkan saudara perempuan yang lebih tua dari seluruh saudara

햄버거 (nomina) : 둥근 빵 사이에 고기와 채소와 치즈 등을 끼운 음식.
hamburger, burger
makanan yang terbuat dari dua belah roti bulat yang disisipi sayuran, daging, telur, keju, dan lain-lain

먹다 (verba) : 음식 등을 입을 통하여 배 속에 들여보내다.
makan
memasukkan makanan ke dalam mulut lalu menelannya

-고 싶다 : 앞의 말이 나타내는 행동을 하기를 원함을 나타내는 표현.
ingin, mau
ungkapan yang menyatakan bahwa pembicara ingin melakukan tindakan yang disebut dalam kalimat di depan

-어 : (두루낮춤으로) 어떤 사실을 서술하거나 물음, 명령, 권유를 나타내는 종결 어미.
-kah, -lah
(dalam bentuk rendah) akhiran penutup untuk menyatakan suatu kenyataan atau menandai pertanyaan, perintah, dan ajakan <penjabaran>

오빠, 돈가스 먹+[고 싶]+어.

오빠 (nomina) : 여자가 형제나 친척 형제들 중에서 자기보다 나이가 많은 남자를 이르거나 부르는 말.

kakak laki-laki, abang, mas

panggilan perempuan untuk saudara laki-laki yang berusia lebih tua dalam hubungan keluarga kandung atau sanak saudara

돈가스 (nomina) : 도톰하게 썬 돼지고기를 양념하여 빵가루를 묻히고 기름에 튀긴 음식.

tonkatsu

makanan yang dibuat dari membumbui daging babi yang dipotong tebal kemudian dibaluri tepung roti dan digoreng dengan minyak

먹다 (verba) : 음식 등을 입을 통하여 배 속에 들여보내다.

makan

memasukkan makanan ke dalam mulut lalu menelannya

-고 싶다 : 앞의 말이 나타내는 행동을 하기를 원함을 나타내는 표현.

ingin, mau

ungkapan yang menyatakan bahwa pembicara ingin melakukan tindakan yang disebut dalam kalimat di depan

-어 : (두루낮춤으로) 어떤 사실을 서술하거나 물음, 명령, 권유를 나타내는 종결 어미.

-kah, -lah

(dalam bentuk rendah) akhiran penutup untuk menyatakan suatu kenyataan atau menandai pertanyaan, perintah, dan ajakan <penjabaran>

햄버거 먹+[고 싶]+어.

햄버거 (nomina) : 둥근 빵 사이에 고기와 채소와 치즈 등을 끼운 음식.

hamburger, burger

makanan yang terbuat dari dua belah roti bulat yang disisipi sayuran, daging, telur, keju, dan lain-lain

먹다 (verba) : 음식 등을 입을 통하여 배 속에 들여보내다.

makan

memasukkan makanan ke dalam mulut lalu menelannya

-고 싶다 : 앞의 말이 나타내는 행동을 하기를 원함을 나타내는 표현.

ingin, mau

ungkapan yang menyatakan bahwa pembicara ingin melakukan tindakan yang disebut dalam kalimat di depan

-어 : (두루낮춤으로) 어떤 사실을 서술하거나 물음, 명령, 권유를 나타내는 종결 어미.

-kah, -lah

(dalam bentuk rendah) akhiran penutup untuk menyatakan suatu kenyataan atau menandai pertanyaan, perintah, dan ajakan <penjabaran>

돈가스 먹+[고 싶]+어.

돈가스 (nomina) : 도톰하게 썬 돼지고기를 양념하여 빵가루를 묻히고 기름에 튀긴 음식.

tonkatsu

makanan yang dibuat dari membumbui daging babi yang dipotong tebal kemudian dibaluri tepung roti dan digoreng dengan minyak

먹다 (verba) : 음식 등을 입을 통하여 배 속에 들여보내다.

makan

memasukkan makanan ke dalam mulut lalu menelannya

-고 싶다 : 앞의 말이 나타내는 행동을 하기를 원함을 나타내는 표현.

ingin, mau

ungkapan yang menyatakan bahwa pembicara ingin melakukan tindakan yang disebut dalam kalimat di depan

-어 : (두루낮춤으로) 어떤 사실을 서술하거나 물음, 명령, 권유를 나타내는 종결 어미.

-kah, -lah

(dalam bentuk rendah) akhiran penutup untuk menyatakan suatu kenyataan atau menandai pertanyaan, perintah, dan ajakan <penjabaran>

시키+[어 주]+어, 시키+[어 주]+어.
시켜 줘   시켜 줘

시키다 (verba) : 음식이나 술, 음료 등을 주문하다.

memesan

melakukan pesanan seperti makanan, bir, minuman ringan, dsb

-어 주다 : 남을 위해 앞의 말이 나타내는 행동을 함을 나타내는 표현.

membantu, menolong

ungkapan yang menyatakan melakukan tindakan yang disebutkan dalam kalimat di depan untuk orang lain

-어 : (두루낮춤으로) 어떤 사실을 서술하거나 물음, 명령, 권유를 나타내는 종결 어미.
-kah, -lah
(dalam bentuk rendah) akhiran penutup untuk menyatakan suatu kenyataan atau menandai pertanyaan, perintah, dan ajakan <perintah>

전부 <u>시키</u>+[어 주]+어.
시켜 줘

전부 (adverbia) : 빠짐없이 다.
semua, semuanya, seluruhnya
semua

시키다 (verba) : 음식이나 술, 음료 등을 주문하다.
memesan
melakukan pesanan seperti makanan, bir, minuman ringan, dsb

-어 주다 : 남을 위해 앞의 말이 나타내는 행동을 함을 나타내는 표현.
membantu, menolong
ungkapan yang menyatakan melakukan tindakan yang disebutkan dalam kalimat di depan untuk orang lain

-어 : (두루낮춤으로) 어떤 사실을 서술하거나 물음, 명령, 권유를 나타내는 종결 어미.
-kah, -lah
(dalam bentuk rendah) akhiran penutup untuk menyatakan suatu kenyataan atau menandai pertanyaan, perintah, dan ajakan <perintah>

<u>시키</u>+어, 뭐+든지 <u>시키</u>+어.
시켜   시켜

시키다 (verba) : 음식이나 술, 음료 등을 주문하다.
memesan
melakukan pesanan seperti makanan, bir, minuman ringan, dsb

-어 : (두루낮춤으로) 어떤 사실을 서술하거나 물음, 명령, 권유를 나타내는 종결 어미.
-kah, -lah
(dalam bentuk rendah) akhiran penutup untuk menyatakan suatu kenyataan atau menandai pertanyaan, perintah, dan ajakan <perintah>

뭐 (pronomina) : 정해지지 않은 대상이나 굳이 이름을 밝힐 필요가 없는 대상을 가리키는 말.
apa, sesuatu
kata yang merujuk pada objek yang tidak ditentukan atau yang namanya tidak perlu dijelaskan

든지 : 어느 것이 선택되어도 차이가 없음을 나타내는 조사.
Tiada Penjelasan Arti
partikel yang menyatakan bahwa apapun yang dipilih tidak ada bedanya

시키다 (verba) : 음식이나 술, 음료 등을 주문하다.
memesan
melakukan pesanan seperti makanan, bir, minuman ringan, dsb

-어 : (두루낮춤으로) 어떤 사실을 서술하거나 물음, 명령, 권유를 나타내는 종결 어미.
-kah, -lah
(dalam bentuk rendah) akhiran penutup untuk menyatakan suatu kenyataan atau menandai pertanyaan, perintah, dan ajakan <perintah>

<u>시키</u>+어, 전부 다 <u>시키</u>+어.
시켜   시켜

시키다 (verba) : 음식이나 술, 음료 등을 주문하다.
memesan
melakukan pesanan seperti makanan, bir, minuman ringan, dsb

-어 : (두루낮춤으로) 어떤 사실을 서술하거나 물음, 명령, 권유를 나타내는 종결 어미.
-kah, -lah
(dalam bentuk rendah) akhiran penutup untuk menyatakan suatu kenyataan atau menandai pertanyaan, perintah, dan ajakan <perintah>

전부 (adverbia) : 빠짐없이 다.
semua, semuanya, seluruhnya
semua

다 (adverbia) : 남거나 빠진 것이 없이 모두.
semua, semuanya, seluruhnya
semua tanpa ada yang tersisa atau terlewat

시키다 (verba) : 음식이나 술, 음료 등을 주문하다.
memesan
melakukan pesanan seperti makanan, bir, minuman ringan, dsb

-어 : (두루낮춤으로) 어떤 사실을 서술하거나 물음, 명령, 권유를 나타내는 종결 어미.

-kah, -lah

(dalam bentuk rendah) akhiran penutup untuk menyatakan suatu kenyataan atau menandai pertanyaan, perintah, dan ajakan <perintah>

먹+[고 싶]+[은 거], 맛보+[고 싶]+[은 거] 전부 다 <u>시키+어</u>.
시켜

먹다 (verba) : 음식 등을 입을 통하여 배 속에 들여보내다.

makan

memasukkan makanan ke dalam mulut lalu menelannya

-고 싶다 : 앞의 말이 나타내는 행동을 하기를 원함을 나타내는 표현.

ingin, mau

ungkapan yang menyatakan bahwa pembicara ingin melakukan tindakan yang disebut dalam kalimat di depan

-은 거 : 명사가 아닌 것을 문장에서 명사처럼 쓰이게 하거나 '이다' 앞에 쓰일 수 있게 할 때 쓰는 표현.

yang, sesuatu yang, hal yang

ungkapan yang digunakan saat membuat sesuatu yang bukan kata benda seperti kata benda di dalam kalimat atau membuat sesuatu bisa digunakan di depan kata '이다'

맛보다 (verba) : 음식의 맛을 알기 위해 먹어 보다.

mencicipi

mencoba masakan agar tahu rasanya

-고 싶다 : 앞의 말이 나타내는 행동을 하기를 원함을 나타내는 표현.

ingin, mau

ungkapan yang menyatakan bahwa pembicara ingin melakukan tindakan yang disebut dalam kalimat di depan

-은 거 : 명사가 아닌 것을 문장에서 명사처럼 쓰이게 하거나 '이다' 앞에 쓰일 수 있게 할 때 쓰는 표현.

yang, sesuatu yang, hal yang

ungkapan yang digunakan saat membuat sesuatu yang bukan kata benda seperti kata benda di dalam kalimat atau membuat sesuatu bisa digunakan di depan kata '이다'

전부 (adverbia) : 빠짐없이 다.

semua, semuanya, seluruhnya

semua

다 (adverbia) : 남거나 빠진 것이 없이 모두.

semua, semuanya, seluruhnya

semua tanpa ada yang tersisa atau terlewat

시키다 (verba) : 음식이나 술, 음료 등을 주문하다.
memesan
melakukan pesanan seperti makanan, bir, minuman ringan, dsb

-어 : (두루낮춤으로) 어떤 사실을 서술하거나 물음, 명령, 권유를 나타내는 종결 어미.
-kah, -lah
(dalam bentuk rendah) akhiran penutup untuk menyatakan suatu kenyataan atau menandai pertanyaan, perintah, dan ajakan <perintah>

초밥+도, 짜장면+도, 짬뽕+도, 탕수육+도.

초밥 (nomina) : 식초와 소금으로 간을 하여 작게 뭉친 흰밥에 생선을 얹거나 김, 유부 등으로 싸서 만든 일본 음식.
sushi
makanan Jepang yang dibuat dari nasi putih yang dibumbui dengan cuka dan garam lalu dibulatkan kecil-kecil serta ditambahkan dengan ikan atau dibungkus dengan rumput laut, kulit tahu, dsb

도 : 둘 이상의 것을 나열함을 나타내는 조사.
juga, serta
partikel yang menyatakan mengurutkan dua atau lebih sesuatu

짜장면 (nomina) : 중국식 된장에 고기와 채소 등을 넣어 볶은 양념에 면을 비벼 먹는 음식.
jajangmyeon
mi khas Cina yang diaduk dengan saus yang terbuat dari bumbu hitam khas Cina, daging, sayuran, dsb

도 : 둘 이상의 것을 나열함을 나타내는 조사.
juga, serta
partikel yang menyatakan mengurutkan dua atau lebih sesuatu

짬뽕 (nomina) : 여러 가지 해물과 야채를 볶고 매콤한 국물을 부어 만든 중국식 국수.
champong
mi Cina yang dibuat dengan memasukkan berbagai bahan masak dari laut dan sayuran lalu diberi kuah yang pedas

도 : 둘 이상의 것을 나열함을 나타내는 조사.
juga, serta
partikel yang menyatakan mengurutkan dua atau lebih sesuatu

탕수육 (nomina) : 튀김옷을 입혀 튀긴 고기에 식초, 간장, 설탕, 채소 등을 넣고 끓인 녹말 물을 부어 만든 중국요리.

Thang Su Yuk, masakan asam manis

makanan Cina yang dibaut dengan memasukkan cuka, kecap asin, gula, sayuran dsb ke dalam daging yang digoreng setelah dibaluri tepung terigu lalu dituangi air tepung kanji yang direbus

도 : 둘 이상의 것을 나열함을 나타내는 조사.

juga, serta

partikel yang menyatakan mengurutkan dua atau lebih sesuatu

떡볶이+도, 순대+도, 김밥+도, 냉면+도.

떡볶이 (nomina) : 적당히 자른 가래떡에 간장이나 고추장 등의 양념과 여러 가지 채소를 넣고 볶은 음식.

tteokbokki

makanan yang dibuat dari potongan kue beras, mochi Korea dan sayur-sayuran, serta dibumbui dengan cabai atau kecap tradisional Korea

도 : 둘 이상의 것을 나열함을 나타내는 조사.

juga, serta

partikel yang menyatakan mengurutkan dua atau lebih sesuatu

순대 (nomina) : 당면, 두부, 찹쌀 등을 양념하여 돼지의 창자 속에 넣고 찐 음식.

sundae

makanan yang dibuat dengan memasukkan mie soun, tahu, beras ketan, dsb yang dibumbui ke dalam usus babi kemudian dikukus

도 : 둘 이상의 것을 나열함을 나타내는 조사.

juga, serta

partikel yang menyatakan mengurutkan dua atau lebih sesuatu

김밥 (nomina) : 밥과 여러 가지 반찬을 김으로 말아 싸서 썰어 먹는 음식.

gimbap

makanan yang dibuat dari hasil membungkus nasi dengan berbagai macam lauk, makanan seperti lontong isi

도 : 둘 이상의 것을 나열함을 나타내는 조사.

juga, serta

partikel yang menyatakan mengurutkan dua atau lebih sesuatu

냉면 (nomina) : 국수를 냉국이나 김칫국 등에 말거나 고추장 양념에 비벼서 먹는 음식.

naengmyeon

makanan mie dengan kuah dingin, kuah kimchi, atau bumbu gocujang

도 : 둘 이상의 것을 나열함을 나타내는 조사.

juga, serta

partikel yang menyatakan mengurutkan dua atau lebih sesuatu

시키+어, 시키+어, 뭐+든지 시키+어.
시켜　　시켜　　　　시켜

시키다 (verba) : 음식이나 술, 음료 등을 주문하다.

memesan

melakukan pesanan seperti makanan, bir, minuman ringan, dsb

-어 : (두루낮춤으로) 어떤 사실을 서술하거나 물음, 명령, 권유를 나타내는 종결 어미.

-kah, -lah

(dalam bentuk rendah) akhiran penutup untuk menyatakan suatu kenyataan atau menandai pertanyaan, perintah, dan ajakan <perintah>

뭐 (pronomina) : 정해지지 않은 대상이나 굳이 이름을 밝힐 필요가 없는 대상을 가리키는 말.

apa, sesuatu

kata yang merujuk pada objek yang tidak ditentukan atau yang namanya tidak perlu dijelaskan

든지 : 어느 것이 선택되어도 차이가 없음을 나타내는 조사.

Tiada Penjelasan Arti

partikel yang menyatakan bahwa apapun yang dipilih tidak ada bedanya

시키다 (verba) : 음식이나 술, 음료 등을 주문하다.

memesan

melakukan pesanan seperti makanan, bir, minuman ringan, dsb

-어 : (두루낮춤으로) 어떤 사실을 서술하거나 물음, 명령, 권유를 나타내는 종결 어미.

-kah, -lah

(dalam bentuk rendah) akhiran penutup untuk menyatakan suatu kenyataan atau menandai pertanyaan, perintah, dan ajakan <perintah>

먹+[고 싶]+[은 거] 다 시키+어.
　　　　　　　　시켜

먹다 (verba) : 음식 등을 입을 통하여 배 속에 들여보내다.
makan
memasukkan makanan ke dalam mulut lalu menelannya

-고 싶다 : 앞의 말이 나타내는 행동을 하기를 원함을 나타내는 표현.
ingin, mau
ungkapan yang menyatakan bahwa pembicara ingin melakukan tindakan yang disebut dalam kalimat di depan

-은 거 : 명사가 아닌 것을 문장에서 명사처럼 쓰이게 하거나 '이다' 앞에 쓰일 수 있게 할 때 쓰는 표현.
yang, sesuatu yang, hal yang
ungkapan yang digunakan saat membuat sesuatu yang bukan kata benda seperti kata benda di dalam kalimat atau membuat sesuatu bisa digunakan di depan kata '이다'

다 (adverbia) : 남거나 빠진 것이 없이 모두.
semua, semuanya, seluruhnya
semua tanpa ada yang tersisa atau terlewat

시키다 (verba) : 음식이나 술, 음료 등을 주문하다.
memesan
melakukan pesanan seperti makanan, bir, minuman ringan, dsb

-어 : (두루낮춤으로) 어떤 사실을 서술하거나 물음, 명령, 권유를 나타내는 종결 어미.
-kah, -lah
(dalam bentuk rendah) akhiran penutup untuk menyatakan suatu kenyataan atau menandai pertanyaan, perintah, dan ajakan <perintah>

뭐든지 다 시켜[이 주]ㄹ게.
시켜 줄게

뭐 (pronomina) : 정해지지 않은 대상이나 굳이 이름을 밝힐 필요가 없는 대상을 가리키는 말.
apa, sesuatu
kata yang merujuk pada objek yang tidak ditentukan atau yang namanya tidak perlu dijelaskan

든지 : 어느 것이 선택되어도 차이가 없음을 나타내는 조사.
Tiada Penjelasan Arti
partikel yang menyatakan bahwa apapun yang dipilih tidak ada bedanya

다 (adverbia) : 남거나 빠진 것이 없이 모두.
semua, semuanya, seluruhnya
semua tanpa ada yang tersisa atau terlewat

시키다 (verba) : 음식이나 술, 음료 등을 주문하다.

memesan

melakukan pesanan seperti makanan, bir, minuman ringan, dsb

-어 주다 : 남을 위해 앞의 말이 나타내는 행동을 함을 나타내는 표현.

membantu, menolong

ungkapan yang menyatakan melakukan tindakan yang disebutkan dalam kalimat di depan untuk orang lain

-ㄹ게 : (두루낮춤으로) 말하는 사람이 어떤 행동을 할 것을 듣는 사람에게 약속하거나 의지를 나타내는 종결 어미.

akan, mau

(dalam bentuk rendah) kata penutup final yang menyatakan pembicara menjanjikan atau memberitahukan akan melakukan suatu tindakan kepada pendengar

전부 다 <u>시키</u>+[어 주]+ㄹ게.
시켜 줄게

전부 (adverbia) : 빠짐없이 다.

semua, semuanya, seluruhnya

semua

다 (adverbia) : 남거나 빠진 것이 없이 모두.

semua, semuanya, seluruhnya

semua tanpa ada yang tersisa atau terlewat

시키다 (verba) : 음식이나 술, 음료 등을 주문하다.

memesan

melakukan pesanan seperti makanan, bir, minuman ringan, dsb

-어 주다 : 남을 위해 앞의 말이 나타내는 행동을 함을 나타내는 표현.

membantu, menolong

ungkapan yang menyatakan melakukan tindakan yang disebutkan dalam kalimat di depan untuk orang lain

-ㄹ게 : (두루낮춤으로) 말하는 사람이 어떤 행동을 할 것을 듣는 사람에게 약속하거나 의지를 나타내는 종결 어미.

akan, mau

(dalam bentuk rendah) kata penutup final yang menyatakan pembicara menjanjikan atau memberitahukan akan melakukan suatu tindakan kepada pendengar

<u>언니+는</u> 언제나 <u>최고+(이)+야</u>.
　언닌　　　　　　　최고야

언니 (nomina) : 여자가 형제나 친척 형제들 중에서 자기보다 나이가 많은 여자를 이르거나 부르는 말.
kakak perempuan
panggilan untuk menyebutkan saudara perempuan yang lebih tua dari seluruh saudara

는 : 문장 속에서 어떤 대상이 화제임을 나타내는 조사.
Tiada Penjelasan Arti
partikel yang menyatakan suatu subjek dalam kalimat menjadi bahan pembicaraan

언제나 (adverbia) : 어느 때에나. 또는 때에 따라 달라지지 않고 변함없이.
kapan saja, kapan pun
setiap saat, atau kapan saja tidak berubah dan tanpa perubahan

최고 (nomina) : 가장 좋거나 뛰어난 것.
terhebat, terbaik, teratas
yang paling baik atau menonjol

이다 : 주어가 지시하는 대상의 속성이나 부류를 지정하는 뜻을 나타내는 서술격 조사.
adalah
partikel kasus predikatif yang menyatakan maksud menentukan karakter atau jenis dari objek yang diindikasikan subjek

-야 : (두루낮춤으로) 어떤 사실에 대하여 서술하거나 물음을 나타내는 종결 어미.
Tiada Penjelasan Arti
(dalam bentuk rendah) kata penutup final yang mengungkapkan suatu kenyataan atau menyatakan pertanyaan <penjabaran>

최고, 최고, 최고.

최고 (nomina) : 가장 좋거나 뛰어난 것.
terhebat, terbaik, teratas
yang paling baik atau menonjol

<u>오빠+는</u> 언제나 <u>최고+(이)+야</u>.
　오빤　　　　　　　최고야

오빠 (nomina) : 여자가 형제나 친척 형제들 중에서 자기보다 나이가 많은 남자를 이르거나 부르는 말.
kakak laki-laki, abang, mas
panggilan perempuan untuk saudara laki-laki yang berusia lebih tua dalam hubungan keluarga kandung atau sanak saudara

는 : 문장 속에서 어떤 대상이 화제임을 나타내는 조사.
Tiada Penjelasan Arti
partikel yang menyatakan suatu subjek dalam kalimat menjadi bahan pembicaraan

언제나 (adverbia) : 어느 때에나. 또는 때에 따라 달라지지 않고 변함없이.
kapan saja, kapan pun
setiap saat, atau kapan saja tidak berubah dan tanpa perubahan

최고 (nomina) : 가장 좋거나 뛰어난 것.
terhebat, terbaik, teratas
yang paling baik atau menonjol

이다 : 주어가 지시하는 대상의 속성이나 부류를 지정하는 뜻을 나타내는 서술격 조사.
adalah
partikel kasus predikatif yang menyatakan maksud menentukan karakter atau jenis dari objek yang diindikasikan subjek

-야 : (두루낮춤으로) 어떤 사실에 대하여 서술하거나 물음을 나타내는 종결 어미.
Tiada Penjelasan Arti
(dalam bentuk rendah) kata penutup final yang mengungkapkan suatu kenyataan atau menyatakan pertanyaan <penjabaran>

최고, 최고, 오빠 최고.

최고 (nomina) : 가장 좋거나 뛰어난 것.
terhebat, terbaik, teratas
yang paling baik atau menonjol

오빠 (nomina) : 여자가 형제나 친척 형제들 중에서 자기보다 나이가 많은 남자를 이르거나 부르는 말.
kakak laki-laki, abang, mas
panggilan perempuan untuk saudara laki-laki yang berusia lebih tua dalam hubungan keluarga kandung atau sanak saudara

최고 (nomina) : 가장 좋거나 뛰어난 것.
terhebat, terbaik, teratas
yang paling baik atau menonjol

엄마+가 <u>최고+(이)+야</u>, 엄마 최고.
　　　　 최고야

엄마 (nomina) : 격식을 갖추지 않아도 되는 상황에서 어머니를 이르거나 부르는 말.
mama
panggilan untuk menyebutkan ibu dalam situasi tidak resmi

가 : 어떤 상태나 상황에 놓인 대상이나 동작의 주체를 나타내는 조사.
Tiada Penjelasan Arti
partikel yang menyatakan subjek sebuah keadaan atau situasi atau pelaku utama sebuah tindakan

최고 (nomina) : 가장 좋거나 뛰어난 것.
terhebat, terbaik, teratas
yang paling baik atau menonjol

이다 : 주어가 지시하는 대상의 속성이나 부류를 지정하는 뜻을 나타내는 서술격 조사.
adalah
partikel kasus predikatif yang menyatakan maksud menentukan karakter atau jenis dari objek yang diindikasikan subjek

-야 : (두루낮춤으로) 어떤 사실에 대하여 서술하거나 물음을 나타내는 종결 어미.
Tiada Penjelasan Arti
(dalam bentuk rendah) kata penutup final yang mengungkapkan suatu kenyataan atau menyatakan pertanyaan <penjabaran>

엄마 (nomina) : 격식을 갖추지 않아도 되는 상황에서 어머니를 이르거나 부르는 말
mama
panggilan untuk menyebutkan ibu dalam situasi tidak resmi

최고 (nomina) : 가장 좋거나 뛰어난 것.
terhebat, terbaik, teratas
yang paling baik atau menonjol

아빠+가 <u>최고+(이)+야</u>, 아빠 최고.
　　　　 최고야

아빠 (nomina) : 격식을 갖추지 않아도 되는 상황에서 아버지를 이르거나 부르는 말.
ayah, bapak
panggilan untuk menyebutkan ayah di situasi tidak resmi

가 : 어떤 상태나 상황에 놓인 대상이나 동작의 주체를 나타내는 조사.
Tiada Penjelasan Arti
partikel yang menyatakan subjek sebuah keadaan atau situasi atau pelaku utama sebuah tindakan

최고 (nomina) : 가장 좋거나 뛰어난 것.
terhebat, terbaik, teratas
yang paling baik atau menonjol

이다 : 주어가 지시하는 대상의 속성이나 부류를 지정하는 뜻을 나타내는 서술격 조사.
adalah
partikel kasus predikatif yang menyatakan maksud menentukan karakter atau jenis dari objek yang diindikasikan subjek

-야 : (두루낮춤으로) 어떤 사실에 대하여 서술하거나 물음을 나타내는 종결 어미.
Tiada Penjelasan Arti
(dalam bentuk rendah) kata penutup final yang mengungkapkan suatu kenyataan atau menyatakan pertanyaan <penjabaran>

아빠 (nomina) : 격식을 갖추지 않아도 되는 상황에서 아버지를 이르거나 부르는 말.
ayah, bapak
panggilan untuk menyebutkan ayah di situasi tidak resmi

최고 (nomina) : 가장 좋거나 뛰어난 것.
terhebat, terbaik, teratas
yang paling baik atau menonjol

최고, 최고, 언니 최고.

최고 (nomina) : 가장 좋거나 뛰어난 것.
terhebat, terbaik, teratas
yang paling baik atau menonjol

언니 (nomina) : 여자가 형제나 친척 형제들 중에서 자기보다 나이가 많은 여자를 이르거나 부르는 말.
kakak perempuan
panggilan untuk menyebutkan saudara perempuan yang lebih tua dari seluruh saudara

최고 (nomina) : 가장 좋거나 뛰어난 것.
terhebat, terbaik, teratas
yang paling baik atau menonjol

오빠+가 최고+(이)+야, 오빠 최고.
최고야

오빠 (nomina) : 여자가 형제나 친척 형제들 중에서 자기보다 나이가 많은 남자를 이르거나 부르는 말.
kakak laki-laki, abang, mas
panggilan perempuan untuk saudara laki-laki yang berusia lebih tua dalam hubungan keluarga kandung atau sanak saudara

가 : 어떤 상태나 상황에 놓인 대상이나 동작의 주체를 나타내는 조사.
Tiada Penjelasan Arti
partikel yang menyatakan subjek sebuah keadaan atau situasi atau pelaku utama sebuah tindakan

최고 (nomina) : 가장 좋거나 뛰어난 것.
terhebat, terbaik, teratas
yang paling baik atau menonjol

이다 : 주어가 지시하는 대상의 속성이나 부류를 지정하는 뜻을 나타내는 서술격 조사.
adalah
partikel kasus predikatif yang menyatakan maksud menentukan karakter atau jenis dari objek yang diindikasikan subjek

-야 : (두루낮춤으로) 어떤 사실에 대하여 서술하거나 물음을 나타내는 종결 어미.
Tiada Penjelasan Arti
(dalam bentuk rendah) kata penutup final yang mengungkapkan suatu kenyataan atau menyatakan pertanyaan <penjabaran>

오빠 (nomina) : 여자가 형제나 친척 형제들 중에서 자기보다 나이가 많은 남자를 이르거나 부르는 말.
kakak laki-laki, abang, mas
panggilan perempuan untuk saudara laki-laki yang berusia lebih tua dalam hubungan keluarga kandung atau sanak saudara

최고 (nomina) : 가장 좋거나 뛰어난 것.
terhebat, terbaik, teratas
yang paling baik atau menonjol

< 9 >

어쩌라고?

나한테 어떻게 하라고?

(Apa yang kamu ingin aku lakukan?)

[발음(pelafalan)]

< 1 절(bait) >

가라고, 가라고, 가라고.
가라고, 가라고, 가라고.
garago, garago, garago.

보기 싫으니까 가라고, 가라고.
보기 시르니까 가라고, 가라고.
bogi sireunikka garago, garago.

알았어.
아라써.
arasseo.

나 갈게.
나 갈게.
na galge.

가란다고 진짜 가.
가란다고 진짜 가.
garandago jinjja ga.

알았어.
아라써
arasseo.

안 갈게.
안 갈께.
an galge.

가라는데 왜 안 가?
가라는데 왜 안 가?
garaneunde wae an ga?

알았어.
아라써.
arasseo.

가면 되지.
가면 되지..
gamyeon doeji.

가라고 하면 안 가야지.
가라고 하면 안 가야지.
garago hamyeon an gayaji.

짜증 나, 짜증 나, 짜증 나.
짜증 나, 짜증 나, 짜증 나.
jjajeung na, jjajeung na, jjajeung na.

어쩌라고? 어쩌라고? 어쩌라고? 어쩌라고?
어쩌라고? 어쩌라고? 어쩌라고? 어쩌라고?
eojjeorago? eojjeorago? eojjeorago? eojjeorago?

도대체 나보고 어쩌라고?
도대체 나보고 어쩌라고?
dodaeche nabogo eojjeorago?

도대체 나보고 어쩌라고?
도대체 나보고 어쩌라고?
dodaeche nabogo eojjeorago?

도대체 나보고 어쩌라고?
도대체 나보고 어쩌라고?
dodaeche nabogo eojjeorago?

어쩌라고?
어쩌라고?
eojjeorago?

< 2 절(bait) >

왜 안 가?
왜 안 가?
wae an ga?

왜 안 가?
왜 안 가?
wae an ga?

왜 안 가?
왜 안 가?
wae an ga?

가라는데 왜 안 가?
가라는데 왜 안 가?
garaneunde wae an ga?

왜 안 가?

왜 안 가?

wae an ga?

알았어.

아라써.

arasseo.

가면 되지.

가면 되지.

gamyeon doeji.

가란다고 진짜 가.

가란다고 진짜 가.

garandago jinjja ga.

가라는데 왜 안 가?

가라는데 왜 안 가?

garaneunde wae an ga?

가도 화내.

가도 화내.

gado hwanae.

안 가도 화내.

안 가도 화내.

an gado hwanae.

찌증 나, 찌증 나, 찌증 나.

짜증 나, 짜증 나, 짜증 나.

jjajeung na, jjajeung na, jjajeung na.

어쩌라고? 어쩌라고? 어쩌라고? 어쩌라고?

어쩌라고? 어쩌라고? 어쩌라고? 어쩌라고?

eojjeorago? eojjeorago? eojjeorago? eojjeorago?

도대체 나보고 어쩌라고?

도대체 나보고 어쩌라고?

dodaeche nabogo eojjeorago?

도대체 나보고 어쩌라고?

도대체 나보고 어쩌라고?

dodaeche nabogo eojjeorago?

도대체 나보고 어쩌라고?
도대체 나보고 어쩌라고?
dodaeche nabogo eojjeorago?

어쩌라고?
어쩌라고?
eojjeorago?

가라고, 가라고, 가라고.
가라고, 가라고, 가라고.
garago, garago, garago.

보기 싫으니까 가라고, 가라고.
보기 시르니까 가라고, 가라고.
bogi sireunikka garago, garago.

알았어.
아라써
arasseo.

나 갈게.
나 갈께
na galge.

어쩌라고?
어쩌라고?
eojjeorago?

< 1 절(bait) >

가+라고, 가+라고, 가+라고.

가다 (verba) : 한 곳에서 다른 곳으로 장소를 이동하다.
pergi
bergerak dari satu tempat ke tempat lain

-라고 : (두루낮춤으로) 말하는 사람의 생각이나 주장을 듣는 사람에게 강조하여 말함을 나타내는 종결 어미.
nyatanya, benarkah, kiranya
(dalam bentuk rendah) kata penutup final yang menyatakan hal menegaskan dan mengatakan pikiran atau pendapat yang berbicara kepada yang mendengar

보+기 싫+으니까 가+라고, 가+라고.

보다 (verba) : 눈으로 대상의 존재나 겉모습을 알다.
melihat
mengetahui keberadaan atau penampilan sesuatu dengan mata

-기 : 앞의 말이 명사의 기능을 하게 하는 어미.
Tiada Penjelasan Arti
akhiran yang membuat kata di depannya berfungsi sebagai kata benda

싫다 (adjektiva) : 어떤 일을 하고 싶지 않다.
tidak suka, benci, tidak mau
tidak mau melakukan suatu pekerjaan

-으니까 : 뒤에 오는 말에 대하여 앞에 오는 말이 원인이나 근거, 전제가 됨을 강조하여 나타내는 연결 어미.
karena, sebab, ketika
akhiran penghubung untuk menegaskan bahwa kalimat di depan menjadi alasan, dasar, atau premis dari kalimat di belakang

가다 (verba) : 한 곳에서 다른 곳으로 장소를 이동하다.
pergi
bergerak dari satu tempat ke tempat lain

-라고 : (두루낮춤으로) 말하는 사람의 생각이나 주장을 듣는 사람에게 강조하여 말함을 나타내는 종결 어
      미.
nyatanya, benarkah, kiranya
(dalam bentuk rendah) kata penutup final yang menyatakan hal menegaskan dan mengatakan
pikiran atau pendapat yang berbicara kepada yang mendengar

알+았+어.

알다 (verba) : 상대방의 어떤 명령이나 요청에 대해 그대로 하겠다는 동의의 뜻을 나타내는 말.
mengerti, menyanggupi
kata yang menunjukkan arti penyetujuan untuk melakukan suatu perintah atau permintaan
lawan

-았- : 어떤 사건이 과거에 완료되었거나 그 사건의 결과가 현재까지 지속되는 상황을 나타내는 어미.
sudah, pasti, yakin
akhiran kalimat yang menyatakan sebuah peristiwa sudah selesai di masa lampau atau
menyatakan keadaan di mana hasil peristiwa tersebut terus berlangsung hingga sekarang

-어 : (두루낮춤으로) 어떤 사실을 서술하거나 물음, 명령, 권유를 나타내는 종결 어미.
-kah, -lah
(dalam bentuk rendah) akhiran penutup untuk menyatakan suatu kenyataan atau menandai
pertanyaan, perintah, dan ajakan <penjabaran>

나 가+ㄹ게.
갈게

나 (pronomina) : 말하는 사람이 친구나 아랫사람에게 자기를 가리키는 말.
aku
kata yang digunakan orang yang berbicara untuk menunjuk dirinya sendiri kepada teman
atau orang yang berada di bawahnya

가다 (verba) : 한 곳에서 다른 곳으로 장소를 이동하다.
pergi
bergerak dari satu tempat ke tempat lain

-ㄹ게 : (두루낮춤으로) 말하는 사람이 어떤 행동을 할 것을 듣는 사람에게 약속하거나 의지를 나타내는
      종결 어미.
akan, mau
(dalam bentuk rendah) kata penutup final yang menyatakan pembicara menjanjikan atau
memberitahukan akan melakukan suatu tindakan kepada pendengar

가+라고 하+ㄴ다고 진짜 가+(아).
가란다고   가

가다 (verba) : 한 곳에서 다른 곳으로 장소를 이동하다.
pergi
bergerak dari satu tempat ke tempat lain

-라고 : 다른 사람에게서 들은 내용을 간접적으로 전달하거나 주어의 생각, 의견 등을 나타내는 표현.
dikatakan seperti, meminta, menyuruh
ungkapan yang menunjukkan hal menyampaikan hal yang didengar secara langsung dari orang lain atau pikiran, pendapat, dsb dari subyek

하다 (verba) : 무엇에 대해 말하다.
Tiada Penjelasan Arti
berbicara tentang sesuatu

-ㄴ다고 : 어떤 행위의 목적, 의도를 나타내거나 어떤 상황의 이유, 원인을 나타내는 연결 어미.
untuk, karena
kata penutup sambung yang menyatakan tujuan atau maksud suatu tindakan atau alasan atau penyebab suatu keadaan

진짜 (adverbia) : 꾸밈이나 거짓이 없이 참으로.
asli, benar-benar, sungguh-sungguh
dengan sungguh-sungguh tanpa ada yang dibuat atau dibohongi

가다 (verba) : 한 곳에서 다른 곳으로 장소를 이동하다.
pergi
bergerak dari satu tempat ke tempat lain

-아 : (두루낮춤으로) 어떤 사실을 서술하거나 물음, 명령, 권유를 나타내는 종결 어미.
-kah, -lah
(dalam bentuk rendah) akhiran penutup untuk menyatakan suatu kenyataan atau menandai pertanyaan, perintah, dan ajakan <penjabaran>

알+았+어.

알다 (verba) : 상대방의 어떤 명령이나 요청에 대해 그대로 하겠다는 동의의 뜻을 나타내는 말.
mengerti, menyanggupi
kata yang menunjukkan arti penyetujuan untuk melakukan suatu perintah atau permintaan lawan

-았- : 어떤 사건이 과거에 완료되었거나 그 사건의 결과가 현재까지 지속되는 상황을 나타내는 어미.

sudah, pasti, yakin

akhiran kalimat yang menyatakan sebuah peristiwa sudah selesai di masa lampau atau menyatakan keadaan di mana hasil peristiwa tersebut terus berlangsung hingga sekarang

-어 : (두루낮춤으로) 어떤 사실을 서술하거나 물음, 명령, 권유를 나타내는 종결 어미.

-kah, -lah

(dalam bentuk rendah) akhiran penutup untuk menyatakan suatu kenyataan atau menandai pertanyaan, perintah, dan ajakan <penjabaran>

안 <u>가+ㄹ게</u>.
갈게

안 (adverbia) : 부정이나 반대의 뜻을 나타내는 말.

tidak

kata yang menampilkan lawan arti atau negatif

가다 (verba) : 한 곳에서 다른 곳으로 장소를 이동하다.

pergi

bergerak dari satu tempat ke tempat lain

-ㄹ게 : (두루낮춤으로) 말하는 사람이 어떤 행동을 할 것을 듣는 사람에게 약속하거나 의지를 나타내는 종결 어미.

akan, mau

(dalam bentuk rendah) kata penutup final yang menyatakan pembicara menjanjikan atau memberitahukan akan melakukan suatu tindakan kepada pendengar

가+라는데 왜 안 <u>가+(아)</u>?
가

가다 (verba) : 한 곳에서 다른 곳으로 장소를 이동하다.

pergi

bergerak dari satu tempat ke tempat lain

-라는데 : 명령이나 요청 등의 말을 전달하며 자신의 말을 이어 나타내는 표현.

katanya

ungkapan yang menunjukkan menyampaikan perkataan diri dengan cara menyampaikan perkataan seperti perintah atau permintaan dsb

왜 (adverbia) : 무슨 이유로. 또는 어째서.
kenapa, mengapa
untuk alasan apa, atau bagaimana bisa

안 (adverbia) : 부정이나 반대의 뜻을 나타내는 말.
tidak
kata yang menampilkan lawan arti atau negatif

가다 (verba) : 한 곳에서 다른 곳으로 장소를 이동하다.
pergi
bergerak dari satu tempat ke tempat lain

-아 : (두루낮춤으로) 어떤 사실을 서술하거나 물음, 명령, 권유를 나타내는 종결 어미.
-kah, -lah
(dalam bentuk rendah) akhiran penutup untuk menyatakan suatu kenyataan atau menandai pertanyaan, perintah, dan ajakan <pertanyaan>

알+았+어.

알다 (verba) : 상대방의 어떤 명령이나 요청에 대해 그대로 하겠다는 동의의 뜻을 나타내는 말.
mengerti, menyanggupi
kata yang menunjukkan arti penyetujuan untuk melakukan suatu perintah atau permintaan lawan

-았- : 어떤 사건이 과거에 완료되었거나 그 사건의 결과가 현재까지 지속되는 상황을 나타내는 어미.
sudah, pasti, yakin
akhiran kalimat yang menyatakan sebuah peristiwa sudah selesai di masa lampau atau menyatakan keadaan di mana hasil peristiwa tersebut terus berlangsung hingga sekarang

-어 : (두루낮춤으로) 어떤 사실을 서술하거나 물음, 명령, 권유를 나타내는 종결 어미.
-kah, -lah
(dalam bentuk rendah) akhiran penutup untuk menyatakan suatu kenyataan atau menandai pertanyaan, perintah, dan ajakan <penjabaran>

가+[면 되]+지.

가다 (verba) : 한 곳에서 다른 곳으로 장소를 이동하다.
pergi
bergerak dari satu tempat ke tempat lain

-면 되다 : 조건이 되는 어떤 행동을 하거나 어떤 상태만 갖추어지면 문제가 없거나 충분함을 나타내는 표현.

cukup~saja, hanya~saja

ungkapan yang menunjukkan hal melakukan suatu tindakan yang menjadi syarat atau suatu kondisi saja dimiliki maka tidak akan ada masalah atau cukup

-지 : (두루낮춤으로) 말하는 사람이 자신에 대한 이야기나 자신의 생각을 친근하게 말할 때 쓰는 종결 어미.

kan?, bukan?

(dalam bentuk rendah) kata penutup final yang digunakan saat pembicara berbicara tentang dirinya atau saat mengatakan pikirannya secara akrab

가+라고 하+면 안 가+(아)야지.
가야지

가다 (verba) : 한 곳에서 다른 곳으로 장소를 이동하다.

pergi

bergerak dari satu tempat ke tempat lain

-라고 : 다른 사람에게서 들은 내용을 간접적으로 전달하거나 주어의 생각, 의견 등을 나타내는 표현.

dikatakan seperti, meminta, menyuruh

ungkapan yang menunjukkan hal menyampaikan hal yang didengar secara langsung dari orang lain atau pikiran, pendapat, dsb dari subyek

하다 (verba) : 무엇에 대해 말하다.

Tiada Penjelasan Arti

berbicara tentang sesuatu

-면 : 뒤에 오는 말에 대한 근거나 조건이 됨을 나타내는 연결 어미.

kalau, seandainya, apabila

akhiran penghubung untuk menyatakan menjadi landasan atau syarat terhadap kalimat induk

안 (adverbia) : 부정이나 반대의 뜻을 나타내는 말.

tidak

kata yang menampilkan lawan arti atau negatif

가다 (verba) : 한 곳에서 다른 곳으로 장소를 이동하다.

pergi

bergerak dari satu tempat ke tempat lain

-아야지 : (두루낮춤으로) 듣는 사람이나 다른 사람이 어떤 일을 해야 하거나 어떤 상태여야 함을 나타내
　　　　　는 종결 어미.

seharusnya, semestinya

(dalam bentuk rendah) akhiran penutup untuk menyatakan bahwa pendengar atau orang lain
harus melakukan sesuatu atau berada di keadaan tertentu.

짜증 나+(아), 짜증 나+(아), 짜증 나+(아).
　　나　　　　　나　　　　　　나

짜증 (nomina) : 마음에 들지 않아서 화를 내거나 싫은 느낌을 겉으로 드러내는 일. 또는 그런 성미.
kejengkelan, kekesalan, kesebalan

tindakan memarahi karena tidak berkenan di hati atau menampakkan perasaan tidak suka,
atau watak yang demikian

나다 (verba) : 어떤 감정이나 느낌이 생기다.
muncul, timbul

munculnya suatu emosi atau perasaan

-아 : (두루낮춤으로) 어떤 사실을 서술하거나 물음, 명령, 권유를 나타내는 종결 어미.
-kah, -lah

(dalam bentuk rendah) akhiran penutup untuk menyatakan suatu kenyataan atau menandai
pertanyaan, perintah, dan ajakan <penjabaran>

어쩌+라고? 어쩌+라고? 어쩌+라고? 어쩌+라고?

어쩌다 (verba) : 무엇을 어떻게 하다.
bagaimana

apa yang dilakukan mengenai sesuatu

-라고 : (두루낮춤으로) 들은 사실을 되물으면서 확인함을 나타내는 종결 어미.
nyatanya, benarkah, kiranya

(dalam bentuk rendah) kata penutup final yang menyatakan menanyakan kembali sambil
meyakinkan fakta yang telah didengar dari lawan bicara

도대체 나+보고 어쩌+라고?

도대체 (adverbia) : 아주 궁금해서 묻는 말인데.

penasaran

bermaksud bertanya karena sangat ingin tahu

나 (pronomina) : 말하는 사람이 친구나 아랫사람에게 자기를 가리키는 말.

aku

kata yang digunakan orang yang berbicara untuk menunjuk dirinya sendiri kepada teman atau orang yang berada di bawahnya

보고 : 어떤 행동이 미치는 대상임을 나타내는 조사.

Tiada Penjelasan Arti

partikel yang menyatakan objek yang mendapat pengaruh sebuah tindakan

어쩌다 (verba) : 무엇을 어떻게 하다.

bagaimana

apa yang dilakukan mengenai sesuatu

-라고 : (두루낮춤으로) 들은 사실을 되물으면서 확인함을 나타내는 종결 어미.

nyatanya, benarkah, kiranya

(dalam bentuk rendah) kata penutup final yang menyatakan menanyakan kembali sambil meyakinkan fakta yang telah didengar dari lawan bicara

어쩌+라고?

어쩌다 (verba) : 무엇을 어떻게 하다.
bagaimana
apa yang dilakukan mengenai sesuatu

-라고 : (두루낮춤으로) 들은 사실을 되물으면서 확인함을 나타내는 종결 어미.
nyatanya, benarkah, kiranya
(dalam bentuk rendah) kata penutup final yang menyatakan menanyakan kembali sambil meyakinkan fakta yang telah didengar dari lawan bicara

< 2 절(bait) >

왜 안 <u>가</u>+(아)? 왜 안 <u>가</u>+(아)? 왜 안 <u>가</u>+(아)?
　　　　가　　　　　　　가　　　　　　　가

왜 (adverbia) : 무슨 이유로. 또는 어째서.
kenapa, mengapa
untuk alasan apa, atau bagaimana bisa

안 (adverbia) : 부정이나 반대의 뜻을 나타내는 말.
tidak
kata yang menampilkan lawan arti atau negatif

가다 (verba) : 한 곳에서 다른 곳으로 장소를 이동하다.
pergi
bergerak dari satu tempat ke tempat lain

-아 : (두루낮춤으로) 어떤 사실을 서술하거나 물음, 명령, 권유를 나타내는 종결 어미.
-kah, -lah
(dalam bentuk rendah) akhiran penutup untuk menyatakan suatu kenyataan atau menandai pertanyaan, perintah, dan ajakan <pertanyaan>

가+라는데 왜 안 <u>가+(아)</u>?
가

가다 (verba) : 한 곳에서 다른 곳으로 장소를 이동하다.
pergi
bergerak dari satu tempat ke tempat lain

-라는데 : 명령이나 요청 등의 말을 전달하며 자신의 말을 이어 나타내는 표현.
katanya
ungkapan yang menunjukkan menyampaikan perkataan diri dengan cara menyampaikan perkataan seperti perintah atau permintaan dsb

왜 (adverbia) : 무슨 이유로. 또는 어째서.
kenapa, mengapa
untuk alasan apa, atau bagaimana bisa

안 (adverbia) : 부정이나 반대의 뜻을 나타내는 말.
tidak
kata yang menampilkan lawan arti atau negatif

가다 (verba) : 한 곳에서 다른 곳으로 장소를 이동하다.
pergi
bergerak dari satu tempat ke tempat lain

-아 : (두루낮춤으로) 어떤 사실을 서술하거나 물음, 명령, 권유를 나타내는 종결 어미.

-kah, -lah

(dalam bentuk rendah) akhiran penutup untuk menyatakan suatu kenyataan atau menandai pertanyaan, perintah, dan ajakan <pertanyaan>

왜 안 <u>가</u>+(아)?
가

왜 (adverbia) : 무슨 이유로. 또는 어째서.

kenapa, mengapa

untuk alasan apa, atau bagaimana bisa

안 (adverbia) : 부정이나 반대의 뜻을 나타내는 말.

tidak

kata yang menampilkan lawan arti atau negatif

가다 (verba) : 한 곳에서 다른 곳으로 장소를 이동하다.

pergi

bergerak dari satu tempat ke tempat lain

-아 : (두루낮춤으로) 어떤 사실을 서술하거나 물음, 명령, 권유를 나타내는 종결 어미.

-kah, -lah

(dalam bentuk rendah) akhiran penutup untuk menyatakan suatu kenyataan atau menandai pertanyaan, perintah, dan ajakan <pertanyaan>

알+았+어.

알다 (verba) : 상대방의 어떤 명령이나 요청에 대해 그대로 하겠다는 동의의 뜻을 나타내는 말.

mengerti, menyanggupi

kata yang menunjukkan arti penyetujuan untuk melakukan suatu perintah atau permintaan lawan

-았- : 어떤 사건이 과거에 완료되었거나 그 사건의 결과가 현재까지 지속되는 상황을 나타내는 어미.

sudah, pasti, yakin

akhiran kalimat yang menyatakan sebuah peristiwa sudah selesai di masa lampau atau menyatakan keadaan di mana hasil peristiwa tersebut terus berlangsung hingga sekarang

-어 : (두루낮춤으로) 어떤 사실을 서술하거나 물음, 명령, 권유를 나타내는 종결 어미.
-kah, -lah
(dalam bentuk rendah) akhiran penutup untuk menyatakan suatu kenyataan atau menandai pertanyaan, perintah, dan ajakan <penjabaran>

가+[면 되]+지.

가다 (verba) : 한 곳에서 다른 곳으로 장소를 이동하다.
pergi
bergerak dari satu tempat ke tempat lain

-면 되다 : 조건이 되는 어떤 행동을 하거나 어떤 상태만 갖추어지면 문제가 없거나 충분함을 나타내는
　　　　 표현.
cukup~saja, hanya~saja
ungkapan yang menunjukkan hal melakukan suatu tindakan yang menjadi syarat atau suatu kondisi saja dimiliki maka tidak akan ada masalah atau cukup

-지 : (두루낮춤으로) 말하는 사람이 자신에 대한 이야기나 자신의 생각을 친근하게 말할 때 쓰는 종결 어
　　 미.
kan?, bukan?
(dalam bentuk rendah) kata penutup final yang digunakan saat pembicara berbicara tentang dirinya atau saat mengatakan pikirannya secara akrab

가+라고 하+ㄴ다고 진짜 가+(아).
　　　 가란다고　　　　　　　가

가다 (verba) : 한 곳에서 다른 곳으로 장소를 이동하다.
pergi
bergerak dari satu tempat ke tempat lain

-라고 : 다른 사람에게서 들은 내용을 간접적으로 전달하거나 주어의 생각, 의견 등을 나타내는 표현.
dikatakan seperti, meminta, menyuruh
ungkapan yang menunjukkan hal menyampaikan hal yang didengar secara langsung dari orang lain atau pikiran, pendapat, dsb dari subyek

하다 (verba) : 무엇에 대해 말하다.
Tiada Penjelasan Arti
berbicara tentang sesuatu

-ㄴ다고 : 어떤 행위의 목적, 의도를 나타내거나 어떤 상황의 이유, 원인을 나타내는 연결 어미.
untuk, karena
kata penutup sambung yang menyatakan tujuan atau maksud suatu tindakan atau alasan atau
penyebab suatu keadaan

진짜 (adverbia) : 꾸밈이나 거짓이 없이 참으로.
asli, benar-benar, sungguh-sungguh
dengan sungguh-sungguh tanpa ada yang dibuat atau dibohongi

가다 (verba) : 한 곳에서 다른 곳으로 장소를 이동하다.
pergi
bergerak dari satu tempat ke tempat lain

-아 : (두루낮춤으로) 어떤 사실을 서술하거나 물음, 명령, 권유를 나타내는 종결 어미.
-kah, -lah
(dalam bentuk rendah) akhiran penutup untuk menyatakan suatu kenyataan atau menandai
pertanyaan, perintah, dan ajakan <penjabaran>

가+라는데 왜 안 <u>가</u>+(아)?
가

가다 (verba) : 한 곳에서 다른 곳으로 장소를 이동하다.
pergi
bergerak dari satu tempat ke tempat lain

-라는데 : 명령이나 요청 등의 말을 전달하며 자신의 말을 이어 나타내는 표현.
katanya
ungkapan yang menunjukkan menyampaikan perkataan diri dengan cara menyampaikan
perkataan seperti perintah atau permintaan dsb

왜 (adverbia) : 무슨 이유로. 또는 어째서.
kenapa, mengapa
untuk alasan apa, atau bagaimana bisa

안 (adverbia) : 부정이나 반대의 뜻을 나타내는 말.
tidak
kata yang menampilkan lawan arti atau negatif

가다 (verba) : 한 곳에서 다른 곳으로 장소를 이동하다.
pergi
bergerak dari satu tempat ke tempat lain

-아 : (두루낮춤으로) 어떤 사실을 서술하거나 물음, 명령, 권유를 나타내는 종결 어미.

-kah, -lah

(dalam bentuk rendah) akhiran penutup untuk menyatakan suatu kenyataan atau menandai pertanyaan, perintah, dan ajakan <pertanyaan>

<u>가+(아)도</u> <u>화내+(어)</u>.
가도   화내

가다 (verba) : 한 곳에서 다른 곳으로 장소를 이동하다.

pergi

bergerak dari satu tempat ke tempat lain

-아도 : 앞에 오는 말을 가정하거나 인정하지만 뒤에 오는 말에는 관계가 없거나 영향을 끼치지 않음을
        나타내는 연결 어미.

walaupun, meskipun, biarpun, kendatipun

akhiran penghubung untuk menyatakan bahwa tidak berhubungan atau tidak berpengaruh pada isi kalimat induk walaupun mengandaikan atau mengakui isi anak kalimat

화내다 (verba) : 몹시 기분이 상해 노여워하는 감정을 드러내다.

marah, memarahi, melampiaskan kemarahan, melampiaskan amarah

menunjukkan perasaan marah atau tersinggung karena hati sangat kesal

-어 : (두루낮춤으로) 어떤 사실을 서술하거나 물음, 명령, 권유를 나타내는 종결 어미.

-kah, -lah

(dalam bentuk rendah) akhiran penutup untuk menyatakan suatu kenyataan atau menandai pertanyaan, perintah, dan ajakan <penjabaran>

안 <u>가+(아)도</u> <u>화내+(어)</u>.
가도   화내

안 (adverbia) : 부정이나 반대의 뜻을 나타내는 말.

tidak

kata yang menampilkan lawan arti atau negatif

가다 (verba) : 한 곳에서 다른 곳으로 장소를 이동하다.

pergi

bergerak dari satu tempat ke tempat lain

-아도 : 앞에 오는 말을 가정하거나 인정하지만 뒤에 오는 말에는 관계가 없거나 영향을 끼치지 않음을
　　　나타내는 연결 어미.
walaupun, meskipun, biarpun, kendatipun
akhiran penghubung untuk menyatakan bahwa tidak berhubungan atau tidak berpengaruh
pada isi kalimat induk walaupun mengandaikan atau mengakui isi anak kalimat

화내다 (verba) : 몹시 기분이 상해 노여워하는 감정을 드러내다.
marah, memarahi, melampiaskan kemarahan, melampiaskan amarah
menunjukkan perasaan marah atau tersinggung karena hati sangat kesal

-어 : (두루낮춤으로) 어떤 사실을 서술하거나 물음, 명령, 권유를 나타내는 종결 어미.
-kah, -lah
(dalam bentuk rendah) akhiran penutup untuk menyatakan suatu kenyataan atau menandai
pertanyaan, perintah, dan ajakan <penjabaran>

짜증 나+(아), 짜증 나+(아), 짜증 나+(아).
　　　나　　　　　나　　　　　나

짜증 (nomina) : 마음에 들지 않아서 화를 내거나 싫은 느낌을 겉으로 드러내는 일. 또는 그런 성미.
kejengkelan, kekesalan, kesebalan
tindakan memarahi karena tidak berkenan di hati atau menampakkan perasaan tidak suka,
atau watak yang demikian

나다 (verba) : 어떤 감정이나 느낌이 생기다.
muncul, timbul
munculnya suatu emosi atau perasaan

-아 : (두루낮춤으로) 어떤 사실을 서술하거나 물음, 명령, 권유를 나타내는 종결 어미.
-kah, -lah
(dalam bentuk rendah) akhiran penutup untuk menyatakan suatu kenyataan atau menandai
pertanyaan, perintah, dan ajakan <penjabaran>

어쩌+라고? 어쩌+라고? 어쩌+라고? 어쩌+라고?

어쩌다 (verba) : 무엇을 어떻게 하다.
bagaimana
apa yang dilakukan mengenai sesuatu

-라고 : (두루낮춤으로) 들은 사실을 되물으면서 확인함을 나타내는 종결 어미.

nyatanya, benarkah, kiranya

(dalam bentuk rendah) kata penutup final yang menyatakan menanyakan kembali sambil meyakinkan fakta yang telah didengar dari lawan bicara

도대체 나+보고 어쩌+라고?

도대체 (adverbia) : 아주 궁금해서 묻는 말인데.

penasaran

bermaksud bertanya karena sangat ingin tahu

나 (pronomina) : 말하는 사람이 친구나 아랫사람에게 자기를 가리키는 말.

aku

kata yang digunakan orang yang berbicara untuk menunjuk dirinya sendiri kepada teman atau orang yang berada di bawahnya

보고 : 어떤 행동이 미치는 대상임을 나타내는 조사.

Tiada Penjelasan Arti

partikel yang menyatakan objek yang mendapat pengaruh sebuah tindakan

어쩌다 (verba) : 무엇을 어떻게 하다.

bagaimana

apa yang dilakukan mengenai sesuatu

-라고 : (두루낮춤으로) 들은 사실을 되물으면서 확인함을 나타내는 종결 어미.

nyatanya, benarkah, kiranya

(dalam bentuk rendah) kata penutup final yang menyatakan menanyakan kembali sambil meyakinkan fakta yang telah didengar dari lawan bicara

어쩌+라고?

어쩌다 (verba) : 무엇을 어떻게 하다.

bagaimana

apa yang dilakukan mengenai sesuatu

-라고 : (두루낮춤으로) 들은 사실을 되물으면서 확인함을 나타내는 종결 어미.

nyatanya, benarkah, kiranya

(dalam bentuk rendah) kata penutup final yang menyatakan menanyakan kembali sambil meyakinkan fakta yang telah didengar dari lawan bicara

가+라고, 가+라고, 가+라고.

가다 (verba) : 한 곳에서 다른 곳으로 장소를 이동하다.

pergi

bergerak dari satu tempat ke tempat lain

-라고 : (두루낮춤으로) 말하는 사람의 생각이나 주장을 듣는 사람에게 강조하여 말함을 나타내는 종결 어미.

nyatanya, benarkah, kiranya

(dalam bentuk rendah) kata penutup final yang menyatakan hal menegaskan dan mengatakan pikiran atau pendapat yang berbicara kepada yang mendengar

보+기 싫+으니까 가+라고, 가+라고.

보다 (verba) : 눈으로 대상의 존재나 겉모습을 알다.

melihat

mengetahui keberadaan atau penampilan sesuatu dengan mata

-기 : 앞의 말이 명사의 기능을 하게 하는 어미.

Tiada Penjelasan Arti

akhiran yang membuat kata di depannya berfungsi sebagai kata benda

싫다 (adjektiva) : 어떤 일을 하고 싶지 않다.

tidak suka, benci, tidak mau

tidak mau melakukan suatu pekerjaan

-으니까 : 뒤에 오는 말에 대하여 앞에 오는 말이 원인이나 근거, 전제가 됨을 강조하여 나타내는 연결 어미.

karena, sebab, ketika

akhiran penghubung untuk menegaskan bahwa kalimat di depan menjadi alasan, dasar, atau premis dari kalimat di belakang

가다 (verba) : 한 곳에서 다른 곳으로 장소를 이동하다.

pergi

bergerak dari satu tempat ke tempat lain

-라고 : (두루낮춤으로) 말하는 사람의 생각이나 주장을 듣는 사람에게 강조하여 말함을 나타내는 종결 어미.

nyatanya, benarkah, kiranya

(dalam bentuk rendah) kata penutup final yang menyatakan hal menegaskan dan mengatakan pikiran atau pendapat yang berbicara kepada yang mendengar

알+았+어.

알다 (verba) : 상대방의 어떤 명령이나 요청에 대해 그대로 하겠다는 동의의 뜻을 나타내는 말.
mengerti, menyanggupi
kata yang menunjukkan arti penyetujuan untuk melakukan suatu perintah atau permintaan lawan

-았- : 어떤 사건이 과거에 완료되었거나 그 사건의 결과가 현재까지 지속되는 상황을 나타내는 어미.
sudah, pasti, yakin
akhiran kalimat yang menyatakan sebuah peristiwa sudah selesai di masa lampau atau menyatakan keadaan di mana hasil peristiwa tersebut terus berlangsung hingga sekarang

-어 : (두루낮춤으로) 어떤 사실을 서술하거나 물음, 명령, 권유를 나타내는 종결 어미.
-kah, -lah
(dalam bentuk rendah) akhiran penutup untuk menyatakan suatu kenyataan atau menandai pertanyaan, perintah, dan ajakan <penjabaran>

나 가+ㄹ게.
갈게

나 (pronomina) : 말하는 사람이 친구나 아랫사람에게 자기를 가리키는 말.
aku
kata yang digunakan orang yang berbicara untuk menunjuk dirinya sendiri kepada teman atau orang yang berada di bawahnya

가다 (verba) : 한 곳에서 다른 곳으로 장소를 이동하다.
pergi
bergerak dari satu tempat ke tempat lain

-ㄹ게 : (두루낮춤으로) 말하는 사람이 어떤 행동을 할 것을 듣는 사람에게 약속하거나 의지를 나타내는 종결 어미.
akan, mau
(dalam bentuk rendah) kata penutup final yang menyatakan pembicara menjanjikan atau memberitahukan akan melakukan suatu tindakan kepada pendengar

어쩌+라고?

어쩌다 (verba) : 무엇을 어떻게 하다.
bagaimana
apa yang dilakukan mengenai sesuatu

-라고 : (두루낮춤으로) 들은 사실을 되물으면서 확인함을 나타내는 종결 어미.
nyatanya, benarkah, kiranya
(dalam bentuk rendah) kata penutup final yang menyatakan menanyakan kembali sambil meyakinkan fakta yang telah didengar dari lawan bicara

< 10 >

궁금해

나는 궁금해.
(Aku penasaran.)

[발음(pelafalan)]

< 1 절(bait) >

파도처럼 내 맘속으로 밀려 오다 바람처럼 흔적 없이 사라져.
파도처럼 내 맘소그로 밀려 오다 바람처럼 흔적 업씨 사라저.
padocheoreom nae mamsogeuro millyeooda baramcheoreom heunjeok eopsi sarajeo.

파도는 멈출 수가 없는 거니?
파도는 멈출 쑤가 엄는 거니?
padoneun meomchul suga eomneun geoni?

바람은 머물 수가 없는 거니?
바라믄 머물 쑤가 엄는 거니?
barameun meomul suga eomneun geoni?

피어나는 내 맘이 시들지 않게 그치지 않는 세찬 비를 뿌려줘.
피어나는 내 마미 시들지 안케 그치지 안는 세찬 비를 뿌려줘.
pieonaneun nae mami sideulji anke geuchiji anneun sechan bireul ppuryeojwo.

어떤 사람인지 궁금해.
어떤 사라민지 궁금해.
eotteon saraminji gunggeumhae.

너의 그 향기가 궁금해.
너에 그 향기가 궁금해.
neoe geu hyanggiga gunggeumhae.

어떤 사랑일지 너의 그 느낌이.
어떤 사랑일찌 너에 그 느끼미.
eotteon sarangilji neoe geu neukkimi.

궁금해, 궁금해, 궁금해, 궁금해, 궁금해.
궁금해, 궁금해, 궁금해, 궁금해, 궁금해.
gunggeumhae, gunggeumhae, gunggeumhae, gunggeumhae, gunggeumhae.

< 2 절(bait) >

감미로운 미소로 눈을 맞추면서 고개만 끄덕이다 말없이 사라져.
감미로운 미소로 누늘 맏추면서 고개만 끄더기다 마럽씨 사라저.
gammiroun misoro nuneul matchumyeonseo gogaeman kkeudeogida mareopsi sarajeo.

파도처럼 밀려드는 사랑이 보여.
파도처럼 밀려드는 사랑이 보여.
padocheoreom millyeodeuneun sarangi boyeo.

바람처럼 스치는 사랑이 느껴져.
바람처럼 스치는 사랑이 느껴저.
baramcheoreom seuchineun sarangi neukkyeojeo.

타오르는 열정이 꺼지지 않게 폭풍이 되어 내게 다가와 줘.
타오르는 열쩡이 꺼지지 안케 폭풍이 되어 내게 다가와 줘.
taoreuneun yeoljeongi kkeojiji anke pokpungi doeeo naege dagawa jwo.

어떤 사람인지 궁금해.
어떤 사라민지 궁금해.
eotteon saraminji gunggeumhae.

너의 그 향기가 궁금해.
너에 그 향기가 궁금해.
neoe geu hyanggiga gunggeumhae.

어떤 사랑일지 너의 그 느낌이.
어떤 사랑일찌 너에 그 느끼미.
eotteon sarangilji neoe geu neukkimi.

궁금해, 궁금해, 궁금해, 궁금해, 궁금해.
궁금해, 궁금해, 궁금해, 궁금해, 궁금해.
gunggeumhae, gunggeumhae, gunggeumhae, gunggeumhae, gunggeumhae.

◟ 3 필(bail) ◞

바람을 붙잡을 수 없더라도.
바라믈 붇짜블 쑤 업떠라도.
barameul butjabeul su eopdeorado.

파도가 비에 젖지 않더라도.
파도가 비에 젇찌 안터라도.
padoga bie jeotji anteorado.

내일은 가슴이 아프더라도.
내이른 가스미 아프더라도.
naeireun gaseumi apeudeorado.

미련과 후회만 남더라도.
미련과 후회만 남더라도.
miryeongwa huhoeman namdeorado.

어떤 사람인지 궁금해.
어떤 사라민지 궁금해.
eotteon saraminji gunggeumhae.

너의 그 향기가 궁금해.
너에 그 향기가 궁금해.
neoe geu hyanggiga gunggeumhae.

어떤 사랑일지 너의 그 느낌이.
어떤 사랑일찌 너에 그 느끼미.
eotteon sarangilji neoe geu neukkimi.

궁금해, 궁금해, 궁금해, 궁금해, 궁금해.
궁금해, 궁금해, 궁금해, 궁금해, 궁금해.
gunggeumhae, gunggeumhae, gunggeumhae, gunggeumhae, gunggeumhae.

< 1 절(bait) >

파도+처럼 <u>나</u>+의 맘속+으로 <u>밀리</u>+[어 오]+다
　　　내　　　　　　　밀려 오다

파도 (nomina) : 바다에 이는 물결.
ombak
gelombang yang bergulung di laut

처럼 : 모양이나 정도가 서로 비슷하거나 같음을 나타내는 조사.
seperti, persis
partikel yang menyatakan bentuk atau taraf saling mirip atau sama

나 (pronomina) : 말하는 사람이 친구나 아랫사람에게 자기를 가리키는 말.
aku
kata yang digunakan orang yang berbicara untuk menunjuk dirinya sendiri kepada teman atau orang yang berada di bawahnya

의 : 앞의 말이 뒤의 말에 대하여 소유, 소속, 소재, 관계, 기원, 주체의 관계를 가짐을 나타내는 조사.
dari, milik
partikel yang menyatakan perkataan di depan memiliki hubungan kepemilikian, bagian tempat diri bekerja, bahan, hubungan, asal, topik dengan perkataan di belakang

맘속 (nomina) : 마음의 깊은 곳.
isi hati, dasar hati
tempat yang dalam di hati

으로 : 움직임의 방향을 나타내는 조사.
ke
partikel yang menyatakan arah gerakan

밀리다 (verba) : 방향의 반대쪽에서 힘이 가해져서 움직여지다.
terdorong
bergerak karena tenaga ditambahkan dari arah lawan

-어 오다 : 앞의 말이 나타내는 행동이나 상태가 어떤 기준점으로 가까워지면서 계속 진행됨을 나타내는 표현.
yang berbuat ~ selama
ungkapan yang menyatakan bahwa tindakan atau keadaan dalam kalimat yang disebutkan di depan terus berlangsung sambil terus mendekati suatu titik patokan

-다 : 어떤 행동이나 상태 등이 중단되고 다른 행동이나 상태로 바뀜을 나타내는 연결 어미.

lalu, kemudian

akhiran penghubung untuk menyatakan bahwa suatu tindakan atau keadaan dsb terhenti dan diubah menjadi tindakan atau keadaan lain

바람+처럼 흔적 없이 사라지+어.
사라져

바람 (nomina) : 기압의 변화 또는 사람이나 기계에 의해 일어나는 공기의 움직임.

angin

gerakan udara yang muncul karena perubahan tekanan udara, manusia, atau mesin

처럼 : 모양이나 정도가 서로 비슷하거나 같음을 나타내는 조사.

seperti, persis

partikel yang menyatakan bentuk atau taraf saling mirip atau sama

흔적 (nomina) : 사물이나 현상이 없어지거나 지나간 뒤에 남겨진 것.

sisa, bekas

hal yang tersisanya benda atau fenomena setelah benda atau fenomena tersebut telah tiada lagi atau terlewat

없이 (adverbia) : 사람, 사물, 현상 등이 어떤 곳에 자리나 공간을 차지하고 존재하지 않게.

tanpa

dengan orang, benda, fenomena, dsb menjadi tidak menempati suatu kedudukan atau tempat atau tidak ada di suatu tempat

사라지다 (verba) : 어떤 현상이나 물체의 자취 등이 없어지다.

menghilang, sirna

jejak dsb dari suatu gejala atau benda menjadi tidak ada

-어 : (두루낮춤으로) 어떤 사실을 서술하거나 물음, 명령, 권유를 나타내는 종결 어미.

-kah, -lah

(dalam bentuk rendah) akhiran penutup untuk menyatakan suatu kenyataan atau menandai pertanyaan, perintah, dan ajakan <penjabaran>

파도+는 멈추+[ㄹ 수가 없]+[는 거]+(이)+니?
멈출 수가 없는 거니

파도 (nomina) : 바다에 이는 물결.
ombak
gelombang yang bergulung di laut

는 : 문장 속에서 어떤 대상이 화제임을 나타내는 조사.
Tiada Penjelasan Arti
partikel yang menyatakan suatu subjek dalam kalimat menjadi bahan pembicaraan

멈추다 (verba) : 동작이나 상태가 계속되지 않다.
berhenti
gerakan atau keadaan tidak lagi berlanjut

-ㄹ 수가 없다 : 앞에 오는 말이 나타내는 일이 가능하지 않음을 나타내는 표현.
tidak bisa, terpaksa
ungkapan yang menunjukkan sesuatu yang diperlihatkan perkataan yang ada di depan tidak mungkin ada

-는 거 : 명사가 아닌 것을 문장에서 명사처럼 쓰이게 하거나 '이다' 앞에 쓰일 수 있게 할 때 쓰는 표현.
yang
ungkapan yang dapat membuat suatu kelas kata bisa digunakan sebagai kata benda dalam kalimat dan berfungsi sebagai subjek atau objek, atau dapat membuat suatu kelas kata bisa digunakan di depan '이다'

이다 : 주어가 지시하는 대상의 속성이나 부류를 지정하는 뜻을 나타내는 서술격 조사.
adalah
partikel kasus predikatif yang menyatakan maksud menentukan karakter atau jenis dari objek yang diindikasikan subjek

니 (이주낮춤으고) 물음을 나타내는 종결 어미.
-kah?
(dalam bentuk sangat rendah) akhiran penutup yang menyatakan pertanyaan

바람+은 머물+[(ㄹ) 수가 없]+[는 거]+(이)+니?
머물 수가 없는 거니

바람 (nomina) : 기압의 변화 또는 사람이나 기계에 의해 일어나는 공기의 움직임.
angin
gerakan udara yang muncul karena perubahan tekanan udara, manusia, atau mesin

은 : 문장 속에서 어떤 대상이 화제임을 나타내는 조사.
Tiada Penjelasan Arti
partikel yang menyatakan suatu objek menjadi topik di dalam kalimat

머물다 (verba) : 도중에 멈추거나 일시적으로 어떤 곳에 묵다.
menginap, bermalam, berhenti
berhenti atau tinggal sementara di tengah jalan

-ㄹ 수가 없다 : 앞에 오는 말이 나타내는 일이 가능하지 않음을 나타내는 표현.
tidak bisa, terpaksa
ungkapan yang menunjukkan sesuatu yang diperlihatkan perkataan yang ada di depan tidak mungkin ada

-는 거 : 명사가 아닌 것을 문장에서 명사처럼 쓰이게 하거나 '이다' 앞에 쓰일 수 있게 할 때 쓰는 표현.
yang
ungkapan yang dapat membuat suatu kelas kata bisa digunakan sebagai kata benda dalam kalimat dan berfungsi sebagai subjek atau objek, atau dapat membuat suatu kelas kata bisa digunakan di depan '이다'

이다 : 주어가 지시하는 대상의 속성이나 부류를 지정하는 뜻을 나타내는 서술격 조사.
adalah
partikel kasus predikatif yang menyatakan maksud menentukan karakter atau jenis dari objek yang diindikasikan subjek

-니 : (아주낮춤으로) 물음을 나타내는 종결 어미.
-kah?
(dalam bentuk sangat rendah) akhiran penutup yang menyatakan pertanyaan

피어나+는 나+의 맘+이 시들+[지 않]+게
내

피어나다 (verba) : 어떤 느낌이나 생각 등이 일어나다.
muncul, bangkit, keluar, tumbuh
suatu perasaan atau pikiran dsb muncul

-는 : 앞의 말이 관형어의 기능을 하게 만들고 사건이나 동작이 현재 일어남을 나타내는 어미.
yang
akhiran untuk membuat kata di depannya berfungsi sebagai pewatas dan menyatakan kejadian atau tindakan terjadi sekarang

나 (pronomina) : 말하는 사람이 친구나 아랫사람에게 자기를 가리키는 말.
aku
kata yang digunakan orang yang berbicara untuk menunjuk dirinya sendiri kepada teman atau orang yang berada di bawahnya

의 : 앞의 말이 뒤의 말에 대하여 소유, 소속, 소재, 관계, 기원, 주체의 관계를 가짐을 나타내는 조사.
dari, milik
partikel yang menyatakan perkataan di depan memiliki hubungan kepemilikian, bagian tempat diri bekerja, bahan, hubungan, asal, topik dengan perkataan di belakang

맘 (nomina) : 좋아하는 마음이나 관심.
hati, perasaan
perasaan suka atau ketertarikan

이 : 어떤 상태나 상황의 대상이나 동작의 주체를 나타내는 조사.
Tiada Penjelasan Arti
partikel yang menyatakan objek dari suatu keadaan atau kondisi atau pelaku dari suatu tindakan

시들다 (verba) : 어떤 일에 대한 관심이나 기세가 이전보다 줄어들다.
menurun, meluntur, menghilang
antusias, semangat, ketertarikan pada sesuatu berkurang dari sebelumnya

-지 않다 : 앞의 말이 나타내는 행위나 상태를 부정하는 뜻을 나타내는 표현.
tidak
ungkapan yang menyatakan arti menidakkan tindakan atau keadaan dalam kalimat yang disebutkan di depan

-게 : 앞의 말이 뒤에서 가리키는 일의 목적이나 결과, 방식, 정도 등이 됨을 나타내는 연결 어미.
dengan
kata penutup sambung yang menyatakan isi kalimat di depan dibutuhkan sementara kalimat di belakang terus dilanjutkan(formal, kedudukan penerima sangat rendah)

그치+[지 않]+는 세차+ㄴ 비+를 뿌리+[어 주]+어.
　　　　　　　세찬　　　　　뿌려 줘

그치다 (verba) : 계속되던 일, 움직임, 현상 등이 계속되지 않고 멈추다.
berhenti, selesai
kegiatan, pergerakan, fenomena, dsb yang terus berlangsung sebelumnya tidak berjalan lagi dan terhenti

-지 않다 : 앞의 말이 나타내는 행위나 상태를 부정하는 뜻을 나타내는 표현.
tidak
ungkapan yang menyatakan arti menidakkan tindakan atau keadaan dalam kalimat yang disebutkan di depan

-는 : 앞의 말이 관형어의 기능을 하게 만들고 사건이나 동작이 현재 일어남을 나타내는 어미.

yang

akhiran untuk membuat kata di depannya berfungsi sebagai pewatas dan menyatakan kejadian atau tindakan terjadi sekarang

세차다 (adjektiva) : 기운이나 일이 되어가는 형편 등이 힘 있고 거세다.

kuat, bertenaga

energi atau keadaan berjalannya hal dsb berjalan dan kuat

-ㄴ : 앞의 말이 관형어의 기능을 하게 만들고 현재의 상태를 나타내는 어미.

yang

akhiran yang membuat kata di depannya berfungsi sebagai kata pewatas, dan menyatakan keadaan saat ini

비 (nomina) : 높은 곳에서 구름을 이루고 있던 수증기가 식어서 뭉쳐 떨어지는 물방울.

hujan

titik air yang membentuk awan di tempat yang tinggi, mendingin, menggumpal, dan akhirnya jatuh ke bumi

를 : 동작이 직접적으로 영향을 미치는 대상을 나타내는 조사.

Tiada Penjelasan Arti

partikel yang menyatakan objek dari suatu gerakan yang secara langsung memberikan pengaruh

뿌리다 (verba) : 눈이나 비 등이 날려 떨어지다. 또는 떨어지게 하다.

hujan, turun, menyiramkan

salju atau hujan dsb turun berterbangan, atau membuatnya turun

-어 주다 : 남을 위해 앞의 말이 나타내는 행동을 함을 나타내는 표현.

membantu, menolong

ungkapan yang menyatakan melakukan tindakan yang disebutkan dalam kalimat di depan untuk orang lain

-어 : (두루낮춤으로) 어떤 사실을 서술하거나 물음, 명령, 권유를 나타내는 종결 어미.

-kah, -lah

(dalam bentuk rendah) akhiran penutup untuk menyatakan suatu kenyataan atau menandai pertanyaan, perintah, dan ajakan <perintah>

어떤 사람+이+ㄴ지 궁금하+여.
    사람인지   궁금해

어떤 (pewatas) : 사람이나 사물의 특징, 내용, 성격, 성질, 모양 등이 무엇인지 물을 때 쓰는 말.
bagaimana, seperti apa
kata yang digunakan saat menanyakan seperti apa karakteristik, isi, sifat, kualitas, bentuk, dsb

사람 (nomina) : 생각할 수 있으며 언어와 도구를 만들어 사용하고 사회를 이루어 사는 존재.
manusia, orang
keberadaan yang bisa berpikir, membuat bahasa dan alat lalu menggunakannya, dan membentuk masyarakat

이다 : 주어가 지시하는 대상의 속성이나 부류를 지정하는 뜻을 나타내는 서술격 조사.
adalah
partikel kasus predikatif yang menyatakan maksud menentukan karakter atau jenis dari objek yang diindikasikan subjek

-ㄴ지 : 뒤에 오는 말의 내용에 대한 막연한 이유나 판단을 나타내는 연결 어미.
barangkali karena
akhiran kalimat penyambung yang menyatakan alasan atau penilaian yang samar tentang isi kalimat di belakang

궁금하다 (adjektiva) : 무엇이 무척 알고 싶다.
ingin tahu, melit
sangat ingin tahu sesuatu

-여 : (두루낮춤으로) 어떤 사실을 서술하거나 물음, 명령, 권유를 나타내는 종결 어미.
-kah, -lah
(dalam bentuk rendah) akhiran penutup untuk menyatakan suatu kenyataan atau menandai pertanyaan, perintah, dan ajakan <penjabaran>

너+의 그 향기+가 <u>궁금하+여</u>.
궁금해

너 (pronomina) : 듣는 사람이 친구나 아랫사람일 때, 그 사람을 가리키는 말.
kamu
kata untuk menunjuk lawan bicara yang merupakan teman atau orang yang lebih muda

의 : 앞의 말이 뒤의 말에 대하여 소유, 소속, 소재, 관계, 기원, 주체의 관계를 가짐을 나타내는 조사.
dari, milik
partikel yang menyatakan perkataan di depan memiliki hubungan kepemilikian, bagian tempat diri bekerja, bahan, hubungan, asal, topik dengan perkataan di belakang

그 (pewatas) : 듣는 사람에게 가까이 있거나 듣는 사람이 생각하고 있는 대상을 가리킬 때 쓰는 말.
itu
kata yang digunakan saat menunjuk sesuatu yang ada di dekat pendengar atau ada dalam pikiran pendengar

향기 (nomina) : 좋은 냄새.
wangi, harum
bau yang enak

가 : 어떤 상태나 상황에 놓인 대상이나 동작의 주체를 나타내는 조사.
Tiada Penjelasan Arti
partikel yang menyatakan subjek sebuah keadaan atau situasi atau pelaku utama sebuah tindakan

궁금하다 (adjektiva) : 무엇이 무척 알고 싶다.
ingin tahu, melit
sangat ingin tahu sesuatu

-여 : (두루낮춤으로) 어떤 사실을 서술하거나 물음, 명령, 권유를 나타내는 종결 어미.
-kah, -lah
(dalam bentuk rendah) akhiran penutup untuk menyatakan suatu kenyataan atau menandai pertanyaan, perintah, dan ajakan <penjabaran>

어떤 사랑+이+ㄹ지 너+의 그 느낌+이.
사랑일지

어떤 (pewatas) : 사람이나 사물의 특징, 내용, 성격, 성질, 모양 등이 무엇인지 물을 때 쓰는 말.
bagaimana, seperti apa
kata yang digunakan saat menanyakan seperti apa karakteristik, isi, sifat, kualitas, bentuk, dsb

사랑 (nomina) : 상대에게 성적으로 매력을 느껴 열렬히 좋아하는 마음.
cinta
hati yang merasakan daya tarik secara seksual pada lawan dan menyukainya dengan penuh

이다 : 주어가 지시하는 대상의 속성이나 부류를 지정하는 뜻을 나타내는 서술격 조사.
adalah
partikel kasus predikatif yang menyatakan maksud menentukan karakter atau jenis dari objek yang diindikasikan subjek

-ㄹ지 : 어떠한 추측에 대한 막연한 의문을 갖고 그것을 뒤에 오는 말이 나타내는 사실이나 판단과 관련시킬 때 쓰는 연결 어미.

apa, apakah

akhiran kalimat penyambung yang digunakan saat mengaitkan dugaan yang samar dengan kenyataan atau penilaian dalam kalimat di belakang

너 (pronomina) : 듣는 사람이 친구나 아랫사람일 때, 그 사람을 가리키는 말.

kamu

kata untuk menunjuk lawan bicara yang merupakan teman atau orang yang lebih muda

의 : 앞의 말이 뒤의 말에 대하여 소유, 소속, 소재, 관계, 기원, 주체의 관계를 가짐을 나타내는 조사.

dari, milik

partikel yang menyatakan perkataan di depan memiliki hubungan kepemilikian, bagian tempat diri bekerja, bahan, hubungan, asal, topik dengan perkataan di belakang

그 (pewatas) : 듣는 사람에게 가까이 있거나 듣는 사람이 생각하고 있는 대상을 가리킬 때 쓰는 말.

itu

kata yang digunakan saat menunjuk sesuatu yang ada di dekat pendengar atau ada dalam pikiran pendengar

느낌 (nomina) : 몸이나 마음에서 일어나는 기분이나 감정.

perasaan

perasaan atau emosi yang muncul dari dalam tubuh atau hati

이 : 어떤 상태나 상황의 대상이나 동작의 주체를 나타내는 조사.

Tiada Penjelasan Arti

partikel yang menyatakan objek dari suatu keadaan atau kondisi atau pelaku dari suatu tindakan

궁금하+여, 궁금하+여, 궁금하+여, 궁금하+여, 궁금하+여.
궁금해   궁금해   궁금해   궁금해   궁금해

궁금하다 (adjektiva) : 무엇이 무척 알고 싶다.

ingin tahu, melit

sangat ingin tahu sesuatu

-여 : (두루낮춤으로) 어떤 사실을 서술하거나 물음, 명령, 권유를 나타내는 종결 어미.

-kah, -lah

(dalam bentuk rendah) akhiran penutup untuk menyatakan suatu kenyataan atau menandai pertanyaan, perintah, dan ajakan <penjabaran>

< 2 절(bait) >

<u>감미롭(감미로우)+ㄴ</u> 미소+로 [눈을 맞추]+면서
    감미로운

감미롭다 (adjektiva) : 달콤한 느낌이 있다.
merdu, manis
terdapat perasaan yang manis

-ㄴ : 앞의 말이 관형어의 기능을 하게 만들고 현재의 상태를 나타내는 어미.
yang
akhiran yang membuat kata di depannya berfungsi sebagai kata pewatas, dan menyatakan keadaan saat ini

미소 (nomina) : 소리 없이 빙긋이 웃는 웃음.
senyum
hal tertawa lebar tanpa suara

로 : 어떤 일의 방법이나 방식을 나타내는 조사.
dengan
partikel yang menyatakan cara atau tata cara suatu pekerjaan

눈을 맞추다 (idiom) : 서로 눈을 마주 보다.
saling berpandangan, saling memandang, saling melihat
saling berpandangan

-면서 : 두 가지 이상의 동작이나 상태가 함께 일어남을 나타내는 연결 어미.
sambil, seraya
kata penutup sambung yang digunakan saat dua atau lebih tindakan atau keadaan muncul bersamaan

고개+만 끄덕이+다 말없이 <u>사라지+어</u>.
                             사라져

고개 (nomina) : 목을 포함한 머리 부분.
leher, tengkuk, kuduk
bagian kepala yang termasuk dalam leher

만 : 다른 것은 제외하고 어느 것을 한정함을 나타내는 조사.
hanya
partikel yang menyatakan membatasi sesuatu di luar sesuatu yang lain

끄덕이다 (verba) : 머리를 가볍게 아래위로 움직이다.
mengangguk-angguk
menggerakkan kepala ke atas dan ke bawah

-다 : 어떤 행동이나 상태 등이 중단되고 다른 행동이나 상태로 바뀜을 나타내는 연결 어미.
lalu, kemudian
akhiran penghubung untuk menyatakan bahwa suatu tindakan atau keadaan dsb terhenti dan diubah menjadi tindakan atau keadaan lain

말없이 (adverbia) : 아무 말도 하지 않고.
diam-diam
tanpa bicara

사라지다 (verba) : 어떤 현상이나 물체의 자취 등이 없어지다.
menghilang, sirna
jejak dsb dari suatu gejala atau benda menjadi tidak ada

-어 : (두루낮춤으로) 어떤 사실을 서술하거나 물음, 명령, 권유를 나타내는 종결 어미.
-kah, -lah
(dalam bentuk rendah) akhiran penutup untuk menyatakan suatu kenyataan atau menandai pertanyaan, perintah, dan ajakan <penjabaran>

파도+처럼 밀려늘(밀려느)+는 사랑+이 보이+어.
　　　　　밀려드는　　　　　　　　　보여

파도 (nomina) : 바다에 이는 물결.
ombak
gelombang yang bergulung di laut

처럼 : 모양이나 정도가 서로 비슷하거나 같음을 나타내는 조사.
seperti, persis
partikel yang menyatakan bentuk atau taraf saling mirip atau sama

밀려들다 (verba) : 한꺼번에 많이 몰려 들어오다.
berbondong-bondong, menyeruak, merasuk, masuk
banyak berkumpul dan masuk sekaligus

-는 : 앞의 말이 관형어의 기능을 하게 만들고 사건이나 동작이 현재 일어남을 나타내는 어미.
yang
akhiran untuk membuat kata di depannya berfungsi sebagai pewatas dan menyatakan kejadian atau tindakan terjadi sekarang

사랑 (nomina) : 상대에게 성적으로 매력을 느껴 열렬히 좋아하는 마음.
cinta
hati yang merasakan daya tarik secara seksual pada lawan dan menyukainya dengan penuh

이 : 어떤 상태나 상황의 대상이나 동작의 주체를 나타내는 조사.
Tiada Penjelasan Arti
partikel yang menyatakan objek dari suatu keadaan atau kondisi atau pelaku dari suatu tindakan

보이다 (verba) : 눈으로 대상의 존재나 겉모습을 알게 되다.
kelihatan
menjadi bisa diketahui keberadaan atau bentuk suatu objek dengan mata

-어 : (두루낮춤으로) 어떤 사실을 서술하거나 물음, 명령, 권유를 나타내는 종결 어미.
-kah, -lah
(dalam bentuk rendah) akhiran penutup untuk menyatakan suatu kenyataan atau menandai pertanyaan, perintah, dan ajakan <penjabaran>

바람+처럼 스치+는 사랑+이 느끼+어지+어.
느껴져

바람 (nomina) : 기압의 변화 또는 사람이나 기계에 의해 일어나는 공기의 움직임.
angin
gerakan udara yang muncul karena perubahan tekanan udara, manusia, atau mesin

처럼 : 모양이나 정도가 서로 비슷하거나 같음을 나타내는 조사.
seperti, persis
partikel yang menyatakan bentuk atau taraf saling mirip atau sama

스치다 (verba) : 냄새, 바람, 소리 등이 약하게 잠시 느껴지다.
Tiada Penjelasan Arti
bau, angin, bunyi, dsb terasa sekilas dan samar-samar

-는 : 앞의 말이 관형어의 기능을 하게 만들고 사건이나 동작이 현재 일어남을 나타내는 어미.
yang
akhiran untuk membuat kata di depannya berfungsi sebagai pewatas dan menyatakan kejadian atau tindakan terjadi sekarang

사랑 (nomina) : 상대에게 성적으로 매력을 느껴 열렬히 좋아하는 마음.
cinta
hati yang merasakan daya tarik secara seksual pada lawan dan menyukainya dengan penuh

이 : 어떤 상태나 상황의 대상이나 동작의 주체를 나타내는 조사.
Tiada Penjelasan Arti
partikel yang menyatakan objek dari suatu keadaan atau kondisi atau pelaku dari suatu tindakan

느끼다 (verba) : 마음속에서 어떤 감정을 경험하다.
merasakan
mengalami sebuah perasaan di dalam hati

-어지다 : 앞에 오는 말이 나타내는 상태로 점점 되어 감을 나타내는 표현.
menjadi
ungkapan yang menyatakan sedikit demi sedikit menjadi keadaan dalam perkataan depan

-어 : (두루낮춤으로) 어떤 사실을 서술하거나 물음, 명령, 권유를 나타내는 종결 어미.
-kah, -lah
(dalam bentuk rendah) akhiran penutup untuk menyatakan suatu kenyataan atau menandai pertanyaan, perintah, dan ajakan <penjabaran>

타오르+는 열정+이 꺼지+[지 않]+게

타오르다 (verba) : 마음이 불같이 뜨거워지다.
bergejolak, meluap-luap, menyala-nyala
hati memanas seperti api

-는 : 앞의 말이 관형어의 기능을 하게 만들고 사건이나 동작이 현재 일어남을 나타내는 어미.
yang
akhiran untuk membuat kata di depannya berfungsi sebagai pewatas dan menyatakan kejadian atau tindakan terjadi sekarang

열정 (nomina) : 어떤 일에 뜨거운 애정을 가지고 열심히 하는 마음.
hasrat, semangat, gairah
suatu hati yang dicurahkan dengan berkonsentrasi kepada satu hal

이 : 어떤 상태나 상황의 대상이나 동작의 주체를 나타내는 조사.
Tiada Penjelasan Arti
partikel yang menyatakan objek dari suatu keadaan atau kondisi atau pelaku dari suatu tindakan

꺼지다 (verba) : 어떤 감정이 풀어지거나 사라지다.
lenyap, pudar, hilang, sirna, padam
sesuatu perasaan teratasi atau hilang

-지 않다 : 앞의 말이 나타내는 행위나 상태를 부정하는 뜻을 나타내는 표현.
tidak
ungkapan yang menyatakan arti menidakkan tindakan atau keadaan dalam kalimat yang disebutkan di depan

-게 : 앞의 말이 뒤에서 가리키는 일의 목적이나 결과, 방식, 정도 등이 됨을 나타내는 연결 어미.
dengan
kata penutup sambung yang menyatakan isi kalimat di depan dibutuhkan sementara kalimat di belakang terus dilanjutkan(formal, kedudukan penerima sangat rendah)

폭풍+이 되+어 나+에게 다가오+[아 주]+어.
내게   다가와 줘

폭풍 (nomina) : 매우 세차게 부는 바람.
angin ribut, badai, topan
angin yang bertiup dengan sangat kuat

이 : 바뀌게 되는 대상이나 부정하는 대상임을 나타내는 조사.
Tiada Penjelasan Arti
partikel yang menyatakan pelengkap yang menjadi berubah, atau yang dianggap negatif

되다 (verba) : 다른 것으로 바뀌거나 변하다.
menjadi
berubah menjadi sesuatu yang lain

-어 : 앞의 말이 뒤의 말보다 먼저 일어났거나 뒤의 말에 대한 방법이나 수단이 됨을 나타내는 연결 어미.
setelah, sesudah, selepas, lalu
akhiran penghubung untuk menyatakan bahwa anak kalimat terjadi lebih dahulu daripada kalimat induk atau menjadi cara atau alat terhadap kalimat induk

나 (pronomina) : 말하는 사람이 친구나 아랫사람에게 자기를 가리키는 말.
aku
kata yang digunakan orang yang berbicara untuk menunjuk dirinya sendiri kepada teman atau orang yang berada di bawahnya

에게 : 어떤 행동이 미치는 대상임을 나타내는 조사.
Tiada Penjelasan Arti
partikel yang menyatakan sesuatu yang mendapat pengaruh dari sebuah tindakan

다가오다 (verba) : 어떤 대상이 있는 쪽으로 가까이 옮기어 오다.
mendekat, mendekati
mendekati kemudian datang ke arah di mana subjek berada

-아 주다 : 남을 위해 앞의 말이 나타내는 행동을 함을 나타내는 표현.
mohon, minta, karena
ungkapan yang menyatakan melakukan tindakan yang disebutkan dalam kalimat di depan untuk orang lain

-어 : (두루낮춤으로) 어떤 사실을 서술하거나 물음, 명령, 권유를 나타내는 종결 어미.
-kah, -lah
(dalam bentuk rendah) akhiran penutup untuk menyatakan suatu kenyataan atau menandai pertanyaan, perintah, dan ajakan <perintah>

어떤 <u>사람+이+ㄴ지</u> <u>궁금하+여</u>.
　　　　사람인지　　　궁금해

어떤 (pewatas) : 사람이나 사물의 특징, 내용, 성격, 성질, 모양 등이 무엇인지 물을 때 쓰는 말.
bagaimana, seperti apa
kata yang digunakan saat menanyakan seperti apa karakteristik, isi, sifat, kualitas, bentuk, dsb

사람 (nomina) : 생각할 수 있으며 언어와 도구를 만들어 사용하고 사회를 이루어 사는 존재.
manusia, orang
keberadaan yang bisa berpikir, membuat bahasa dan alat lalu menggunakannya, dan membentuk masyarakat

이다 : 주어가 지시하는 대상의 속성이나 부류를 지정하는 뜻을 나타내는 서술격 조사.
adalah
partikel kasus predikatif yang menyatakan maksud menentukan karakter atau jenis dari objek yang diindikasikan subjek

-ㄴ지 : 뒤에 오는 말의 내용에 대한 막연한 이유나 판단을 나타내는 연결 어미.
barangkali karena
akhiran kalimat penyambung yang menyatakan alasan atau penilaian yang samar tentang isi kalimat di belakang

궁금하다 (adjektiva) : 무엇이 무척 알고 싶다.
ingin tahu, melit
sangat ingin tahu sesuatu

-여 : (두루낮춤으로) 어떤 사실을 서술하거나 물음, 명령, 권유를 나타내는 종결 어미.
-kah, -lah
(dalam bentuk rendah) akhiran penutup untuk menyatakan suatu kenyataan atau menandai pertanyaan, perintah, dan ajakan <penjabaran>

너+의 그 향기+가 <u>궁금하+여</u>.
궁금해

너 (pronomina) : 듣는 사람이 친구나 아랫사람일 때, 그 사람을 가리키는 말.
kamu
kata untuk menunjuk lawan bicara yang merupakan teman atau orang yang lebih muda

의 : 앞의 말이 뒤의 말에 대하여 소유, 소속, 소재, 관계, 기원, 주체의 관계를 가짐을 나타내는 조사.
dari, milik
partikel yang menyatakan perkataan di depan memiliki hubungan kepemilikian, bagian tempat diri bekerja, bahan, hubungan, asal, topik dengan perkataan di belakang

그 (pewatas) : 듣는 사람에게 가까이 있거나 듣는 사람이 생각하고 있는 대상을 가리킬 때 쓰는 말.
itu
kata yang digunakan saat menunjuk sesuatu yang ada di dekat pendengar atau ada dalam pikiran pendengar

향기 (nomina) : 좋은 냄새.
wangi, harum
bau yang enak

가 : 어떤 상태나 상황에 놓인 대상이나 동작의 주체를 나타내는 조사.
Tiada Penjelasan Arti
partikel yang menyatakan subjek sebuah keadaan atau situasi atau pelaku utama sebuah tindakan

궁금하다 (adjektiva) : 무엇이 무척 알고 싶다.
ingin tahu, melit
sangat ingin tahu sesuatu

-여 : (두루낮춤으로) 어떤 사실을 서술하거나 물음, 명령, 권유를 나타내는 종결 어미.
-kah, -lah
(dalam bentuk rendah) akhiran penutup untuk menyatakan suatu kenyataan atau menandai pertanyaan, perintah, dan ajakan <penjabaran>

어떤 <u>사랑+이+ㄹ지</u> 너+의 그 느낌+이.
사랑일지

어떤 (pewatas) : 사람이나 사물의 특징, 내용, 성격, 성질, 모양 등이 무엇인지 물을 때 쓰는 말.
bagaimana, seperti apa
kata yang digunakan saat menanyakan seperti apa karakteristik, isi, sifat, kualitas, bentuk, dsb

사랑 (nomina) : 상대에게 성적으로 매력을 느껴 열렬히 좋아하는 마음.
cinta
hati yang merasakan daya tarik secara seksual pada lawan dan menyukainya dengan penuh

이다 : 주어가 지시하는 대상의 속성이나 부류를 지정하는 뜻을 나타내는 서술격 조사.
adalah
partikel kasus predikatif yang menyatakan maksud menentukan karakter atau jenis dari objek yang diindikasikan subjek

-ㄹ지 : 어떠한 추측에 대한 막연한 의문을 갖고 그것을 뒤에 오는 말이 나타내는 사실이나 판단과 관련시킬 때 쓰는 연결 어미.
apa, apakah
akhiran kalimat penyambung yang digunakan saat mengaitkan dugaan yang samar dengan kenyataan atau penilaian dalam kalimat di belakang

너 (pronomina) : 듣는 사람이 친구나 아랫사람일 때, 그 사람을 가리키는 말.
kamu
kata untuk menunjuk lawan bicara yang merupakan teman atau orang yang lebih muda

의 : 앞의 말이 뒤의 말에 대하여 소유, 소속, 소재, 관계, 기원, 주체의 관계를 가짐을 나타내는 조사.
dari, milik
partikel yang menyatakan perkataan di depan memiliki hubungan kepemilikian, bagian tempat diri bekerja, bahan, hubungan, asal, topik dengan perkataan di belakang

그 (pewatas) : 듣는 사람에게 가까이 있거나 듣는 사람이 생각하고 있는 대상을 가리킬 때 쓰는 말.
itu
kata yang digunakan saat menunjuk sesuatu yang ada di dekat pendengar atau ada dalam pikiran pendengar

느낌 (nomina) : 몸이나 마음에서 일어나는 기분이나 감정.
perasaan
perasaan atau emosi yang muncul dari dalam tubuh atau hati

이 : 어떤 상태나 상황의 대상이나 동작의 주체를 나타내는 조사.
Tiada Penjelasan Arti
partikel yang menyatakan objek dari suatu keadaan atau kondisi atau pelaku dari suatu tindakan

궁금하+여, 궁금하+여, 궁금하+여, 궁금하+여, 궁금하+여.
궁금해   궁금해   궁금해   궁금해   궁금해

궁금하다 (adjektiva) : 무엇이 무척 알고 싶다.
ingin tahu, melit
sangat ingin tahu sesuatu

-여 : (두루낮춤으로) 어떤 사실을 서술하거나 물음, 명령, 권유를 나타내는 종결 어미.
-kah, -lah
(dalam bentuk rendah) akhiran penutup untuk menyatakan suatu kenyataan atau menandai pertanyaan, perintah, dan ajakan <penjabaran>

< 3 절(bait) >

바람+을 붙잡+[을 수 없]+더라도.

바람 (nomina) : 기압의 변화 또는 사람이나 기계에 의해 일어나는 공기의 움직임.
angin
gerakan udara yang muncul karena perubahan tekanan udara, manusia, atau mesin

을 : 동작이 직접적으로 영향을 미치는 대상을 나타내는 조사.
Tiada Penjelasan Arti
partikel yang menyatakan objek dari suatu gerakan yang secara langsung memberikan pengaruh

붙잡다 (verba) : 무엇을 놓치지 않도록 단단히 잡다.
menggenggam
memegang sesuatu dengan kuat agar tidak terlepas

-을 수 없다 : 앞에 오는 말이 나타내는 일이 가능하지 않음을 나타내는 표현.
tidak bisa, tidak mungkin
ungkapan yang menyatakan hal yang ditunjukkan perkataan sebelumnya tidak mungkin terjadi

-더라도 : 앞에 오는 말을 가정하거나 인정하지만 뒤에 오는 말에는 관계가 없거나 영향을 끼치지 않음을
　　　　　나타내는 연결 어미.

walaupun, meskipun, biarpun

akhiran penghubung untuk menyatakan bahwa tidak berhubungan atau tidak berpengaruh pada isi kalimat di belakang walaupun mengandaikan atau mengakui isi kalimat di depan

파도+가 비+에 젖+[지 않]+더라도.

파도 (nomina) : 바다에 이는 물결.
ombak
gelombang yang bergulung di laut

가 : 어떤 상태나 상황에 놓인 대상이나 동작의 주체를 나타내는 조사.
Tiada Penjelasan Arti
partikel yang menyatakan subjek sebuah keadaan atau situasi atau pelaku utama sebuah tindakan

비 (nomina) : 높은 곳에서 구름을 이루고 있던 수증기가 식어서 뭉쳐 떨어지는 물방울.
hujan
titik air yang membentuk awan di tempat yang tinggi, mendingin, menggumpal, dan akhirnya jatuh ke bumi

에 : 앞말이 어떤 일의 원인임을 나타내는 조사.
karena, akibat, sebab
partikel yang menyatakan kalimat di depan adalah penyebab suatu peristiwa

젖다 (verba) : 액체가 스며들어 축축해지다.
basah
cairan menyerap kemudian menjadi lembab

-지 않다 : 앞의 말이 나타내는 행위나 상태를 부정하는 뜻을 나타내는 표현.
tidak
ungkapan yang menyatakan arti menidakkan tindakan atau keadaan dalam kalimat yang disebutkan di depan

-더라도 : 앞에 오는 말을 가정하거나 인정하지만 뒤에 오는 말에는 관계가 없거나 영향을 끼치지 않음을
　　　　　나타내는 연결 어미.
walaupun, meskipun, biarpun
akhiran penghubung untuk menyatakan bahwa tidak berhubungan atau tidak berpengaruh pada isi kalimat di belakang walaupun mengandaikan atau mengakui isi kalimat di depan

내일+은 가슴+이 아프+더라도.

내일 (nomina) : 오늘의 다음 날.
besok
hari berikutnya setelah hari ini

은 : 문장 속에서 어떤 대상이 화제임을 나타내는 조사.
Tiada Penjelasan Arti
partikel yang menyatakan suatu objek menjadi topik di dalam kalimat

가슴 (nomina) : 마음이나 느낌.
hati, rasa, perasaan
hati atau perasaan

이 : 어떤 상태나 상황의 대상이나 동작의 주체를 나타내는 조사.
Tiada Penjelasan Arti
partikel yang menyatakan objek dari suatu keadaan atau kondisi atau pelaku dari suatu tindakan

아프다 (adjektiva) : 슬픔이나 연민으로 마음에 괴로운 느낌이 있다.
menyakitkan, sedih, menyedihkan
merasakan derita di hati karena kesedihan atau kasihan

-더라도 : 앞에 오는 말을 가정하거나 인정하지만 뒤에 오는 말에는 관계가 없거나 영향을 끼치지 않음을 나타내는 연결 어미.
walaupun, meskipun, biarpun
akhiran penghubung untuk menyatakan bahwa tidak berhubungan atau tidak berpengaruh pada isi kalimat di belakang walaupun mengandaikan atau mengakui isi kalimat di depan

미련+과 후회+만 남+더라도.

미련 (nomina) : 잊어버리거나 그만두어야 할 것을 깨끗이 잊거나 포기하지 못하고 여전히 끌리는 마음.
(sesuatu) yang disayangkan, (sesuatu) yang diharapkan
hati yang terus terbawa dan tidak mau menyerah pada sesuatu yang tidak bisa terlupakan atau terhentikan

과 : 앞과 뒤의 명사를 같은 자격으로 이어 줄 때 쓰는 조사.
dan, serta
partikel yang menyambung kata benda di depan dan di belakang dalam posisi yang sama

후회 (nomina) : 이전에 자신이 한 일이 잘못임을 깨닫고 스스로 자신의 잘못을 꾸짖음.
penyesalan
hal yang menyasalah diri setelah tersadar akan kesalahan dari hal yang diperbuat sebelumnya

만 : 다른 것은 제외하고 어느 것을 한정함을 나타내는 조사.
hanya
partikel yang menyatakan membatasi sesuatu di luar sesuatu yang lain

남다 (verba) : 잊히지 않다.
tersisa, teringat
tidak terlupakan

-더라도 : 앞에 오는 말을 가정하거나 인정하지만 뒤에 오는 말에는 관계가 없거나 영향을 끼치지 않음을
　　　　　 나타내는 연결 어미.
walaupun, meskipun, biarpun
akhiran penghubung untuk menyatakan bahwa tidak berhubungan atau tidak berpengaruh
pada isi kalimat di belakang walaupun mengandaikan atau mengakui isi kalimat di depan

어떤 사람+이+ㄴ지 궁금하+여.
　　　사람인지　　궁금해

어떤 (pewatas) : 사람이나 사물의 특징, 내용, 성격, 성질, 모양 등이 무엇인지 물을 때 쓰는 말.
bagaimana, seperti apa
kata yang digunakan saat menanyakan seperti apa karakteristik, isi, sifat, kualitas, bentuk,
dsb

사람 (nomina) : 생각할 수 있으며 언어와 도구를 만들어 사용하고 사회를 이루어 사는 존재.
manusia, orang
keberadaan yang bisa berpikir, membuat bahasa dan alat lalu menggunakannya, dan
membentuk masyarakat

이다 : 주어가 지시하는 대상의 속성이나 부류를 지정하는 뜻을 나타내는 서술격 조사.
adalah
partikel kasus predikatif yang menyatakan maksud menentukan karakter atau jenis dari objek
yang diindikasikan subjek

-ㄴ지 : 뒤에 오는 말의 내용에 대한 막연한 이유나 판단을 나타내는 연결 어미.
barangkali karena
akhiran kalimat penyambung yang menyatakan alasan atau penilaian yang samar tentang isi
kalimat di belakang

궁금하다 (adjektiva) : 무엇이 무척 알고 싶다.
ingin tahu, melit
sangat ingin tahu sesuatu

-여 : (두루낮춤으로) 어떤 사실을 서술하거나 물음, 명령, 권유를 나타내는 종결 어미.
-kah, -lah
(dalam bentuk rendah) akhiran penutup untuk menyatakan suatu kenyataan atau menandai pertanyaan, perintah, dan ajakan <penjabaran>

너+의 그 향기+가 <u>궁금하+여</u>.
궁금해

너 (pronomina) : 듣는 사람이 친구나 아랫사람일 때, 그 사람을 가리키는 말.
kamu
kata untuk menunjuk lawan bicara yang merupakan teman atau orang yang lebih muda

의 : 앞의 말이 뒤의 말에 대하여 소유, 소속, 소재, 관계, 기원, 주체의 관계를 가짐을 나타내는 조사.
dari, milik
partikel yang menyatakan perkataan di depan memiliki hubungan kepemilikian, bagian tempat diri bekerja, bahan, hubungan, asal, topik dengan perkataan di belakang

그 (pewatas) : 듣는 사람에게 가까이 있거나 듣는 사람이 생각하고 있는 대상을 가리킬 때 쓰는 말.
itu
kata yang digunakan saat menunjuk sesuatu yang ada di dekat pendengar atau ada dalam pikiran pendengar

향기 (nomina) : 좋은 냄새.
wangi, harum
bau yang enak

가 : 어떤 상태나 상황에 놓인 대상이나 동작의 주체를 나타내는 조사.
Tiada Penjelasan Arti
partikel yang menyatakan subjek sebuah keadaan atau situasi atau pelaku utama sebuah tindakan

궁금하다 (adjektiva) : 무엇이 무척 알고 싶다.
ingin tahu, melit
sangat ingin tahu sesuatu

-여 : (두루낮춤으로) 어떤 사실을 서술하거나 물음, 명령, 권유를 나타내는 종결 어미.
-kah, -lah
(dalam bentuk rendah) akhiran penutup untuk menyatakan suatu kenyataan atau menandai pertanyaan, perintah, dan ajakan <penjabaran>

어떤 <u>사랑+이+ㄹ지</u> 너+의 그 느낌+이.
사랑일지

어떤 (pewatas) : 사람이나 사물의 특징, 내용, 성격, 성질, 모양 등이 무엇인지 물을 때 쓰는 말.
bagaimana, seperti apa
kata yang digunakan saat menanyakan seperti apa karakteristik, isi, sifat, kualitas, bentuk, dsb

사랑 (nomina) : 상대에게 성적으로 매력을 느껴 열렬히 좋아하는 마음.
cinta
hati yang merasakan daya tarik secara seksual pada lawan dan menyukainya dengan penuh

이다 : 주어가 지시하는 대상의 속성이나 부류를 지정하는 뜻을 나타내는 서술격 조사.
adalah
partikel kasus predikatif yang menyatakan maksud menentukan karakter atau jenis dari objek yang diindikasikan subjek

-ㄹ지 : 어떠한 추측에 대한 막연한 의문을 갖고 그것을 뒤에 오는 말이 나타내는 사실이나 판단과 관련 시킬 때 쓰는 연결 어미.
apa, apakah
akhiran kalimat penyambung yang digunakan saat mengaitkan dugaan yang samar dengan kenyataan atau penilaian dalam kalimat di belakang

너 (pronomina) : 듣는 사람이 친구나 아랫사람일 때, 그 사람을 가리키는 말.
kamu
kata untuk menunjuk lawan bicara yang merupakan teman atau orang yang lebih muda

의 : 앞의 말이 뒤의 말에 대하여 소유, 소속, 소재, 관계, 기원, 주체의 관계를 가짐을 나타내는 조사.
dari, milik
partikel yang menyatakan perkataan di depan memiliki hubungan kepemilikian, bagian tempat diri bekerja, bahan, hubungan, asal, topik dengan perkataan di belakang

그 (pewatas) : 듣는 사람에게 가까이 있거나 듣는 사람이 생각하고 있는 대상을 가리킬 때 쓰는 말.
itu
kata yang digunakan saat menunjuk sesuatu yang ada di dekat pendengar atau ada dalam pikiran pendengar

느낌 (nomina) : 몸이나 마음에서 일어나는 기분이나 감정.
perasaan
perasaan atau emosi yang muncul dari dalam tubuh atau hati

이 : 어떤 상태나 상황의 대상이나 동작의 주체를 나타내는 조사.
Tiada Penjelasan Arti
partikel yang menyatakan objek dari suatu keadaan atau kondisi atau pelaku dari suatu tindakan

궁금하+여, 궁금하+여, 궁금하+여, 궁금하+여, 궁금하+여.
궁금해   궁금해   궁금해   궁금해   궁금해

궁금하다 (adjektiva) : 무엇이 무척 알고 싶다.
ingin tahu, melit
sangat ingin tahu sesuatu

-여 : (두루낮춤으로) 어떤 사실을 서술하거나 물음, 명령, 권유를 나타내는 종결 어미.
-kah, -lah
(dalam bentuk rendah) akhiran penutup untuk menyatakan suatu kenyataan atau menandai pertanyaan, perintah, dan ajakan <penjabaran>

< 참고(perujukan) 문헌(pustaka rujukan) >

고려대학교 한국어대사전, 고려대학교 민족문화연구원, 2009
우리말샘, 국립국어원, 2016
표준국어대사전, 국립국어원, 1999
한국어교육 문법 자료편, 한글파크, 2016
한국어 교육학 사전, 하우, 2014
한국어기초사전, 국립국어원, 2016
한국어 문법 총론 Ⅰ, 집문당, 2015

HANPUK

노래로 배우는 한국어 1 bahasa Indonesia(penerjemahan)

발 행 | 2024년 6월 13일
저 자 | 주식회사 한글2119연구소
펴낸이 | 한건희
펴낸곳 | 주식회사 부크크
출판사등록 | 2014.07.15.(제2014-16호)
주 소 | 서울특별시 금천구 가산디지털1로 119 SK트윈타워 A동 305호
전 화 | 1670-8316
이메일 | info@bookk.co.kr

ISBN | 979-11-410-8940-5

www.bookk.co.kr